Angela Kühne
Trauma und kollektives (

»Psyche und Gesellschaft«
Herausgegeben von Johann August Schülein
und Hans-Jürgen Wirth

Angela Kühner

Trauma
und kollektives Gedächtnis

Mit einem Geleitwort von Heiner Keupp

Psychosozial-Verlag

Inaugural-Dissertation zur Erlangung des Doktorgrades der Philosophie an der Ludwig-Maximilians-Universität München. Ursprünglicher Titel der Arbeit: »Wessen Trauma? Eine theoretische Perspektive auf ›kollektive Traumen‹.«

Bibliografische Information der Deutschen Nationalbibliothek
Die Deutsche Nationalbibliothek verzeichnet diese Publikation in der Deutschen Nationalbibliografie; detaillierte bibliografische Daten sind im Internet über <http://dnb.d-nb.de> abrufbar.

Originalausgabe
© 2008 Psychosozial-Verlag
E-Mail: info@psychosozial-verlag.de
www.psychosozial-verlag.de
Umschlagabbildung: »Frauenkopf, 1937, Stud. zu Guernica« © Succession Picasso/ VG Bild-Kunst, Bonn 2008.
Umschlaggestaltung & Satz: Hanspeter Ludwig, Gießen
Printed in Germany
ISBN 978-3-89806-866-6

Inhalt

IV Trauma und kollektives Gedächtnis

V   Wessen Trauma? Bilanz und Ausblick

Dieses Buch ist der Erinnerung an meine Großmutter,
Adele Bauer (1910–2007), gewidmet.

Vorwort

In seiner eindrucksvollen *Biographie eines Bildes* zeigt Gijs van Hensbergen (2007), wie Picassos berühmte Darstellung der Zerstörung von Guernica im Jahr 1937 zu einer Art Ikone wurde, die bis heute etwas von dem Schrecken vermittelt, den das Ereignis auch in vielen Zeitgenossen auslöste. Das Bild trägt ganz wesentlich dazu bei, dass »Gernika« – so die baskische Schreibweise – nicht nur ein Trauma für das kollektive Gedächtnis der Basken wurde, sondern bis heute weltweit als eine Art Vorbote der darauf folgenden Katastrophen betrachtet wird.

Dabei hat das Bild *Guernica* im Laufe seiner Geschichte immer wieder für Kontroversen gesorgt: Bis nach dem Ende der Franco-Diktatur war es für lange Zeit im Museum of Modern Art in New York zu sehen. Während des Vietnamkriegs wurde es dort von Kriegsgegnern auch als Zeichen gegen die Verbrechen in Vietnam gelesen. Einige waren in diesem Zusammenhang der Meinung, dass ein Land kein Recht habe, die Verbrechen anderer anzuprangern, wenn es selbst gerade ähnliche Verbrechen begehe. Picasso selbst scheint eher eine Chance darin gesehen zu haben, dass er »dank Guernica das Vergnügen habe, jeden Tag mitten in New York eine politische Aussage machen zu können« (zit. nach van Hensbergen 2007, S. 208). Als das Bild schließlich nach Spanien zurückkehrte, entstand eine neue Diskussion, diesmal darüber, ob das Bild nicht endlich auch in Gernika, dem Ort der Ereignisse selbst, oder zumindest im wenig entfernten Bilbao gezeigt werden sollte. Es kam nicht dazu, aus Sorge das in die Jahre gekommene Bild durch den Transport zu beschädigen.

Im vorliegenden Buch schreibe ich weder konkret über das Bild *Guernica* noch über die traumatischen historischen Ereignisse, die sich in der Stadt Gernika 1937 ereigneten. Es geht mir jedoch um die Prozesse, die ein Trauma *wie* Gernika/Guernica zu einem Trauma für das kollektive Gedächtnis werden lassen. Und es geht mir – aus einer sozialpsychologischen

Perspektive – um die Bedeutungen, die ein solches *kollektiv gewordenes Trauma* bekommen kann.

Das Buch basiert auf meiner Dissertation im Fach Sozialpsychologie, in der ich meine Auseinandersetzung mit »kollektiven Traumata« fortführe. Im Jahr 2007 erschien dazu im Psychosozial-Verlag bereits *Kollektive Traumata. Konzepte, Argumente, Perspektiven*, eine Neubearbeitung des ursprünglich für die Berghofstiftung für Konfliktforschung verfassten *Berghof Report* aus dem Jahr 2003. Während ich dort vor allem vom Begriff des Traumas ausging, wird hier das »Wissen« – oder besser das Nachdenken – über Kollektive systematisch miteinbezogen. Diese Art der Fortsetzung geht über die Psychologie hinaus, d. h., ich beziehe mich auf die Diskurse verschiedener Disziplinen, die zu der Frage etwas beitragen, wie Traumata kollektiv werden. Von zentraler Bedeutung ist dabei das transdisziplinäre Schlüsselkonzept »kollektives Gedächtnis«, das deshalb auch im Titel des Buches steht: Traumata werden kollektiv, indem sie in sehr unterschiedlicher Weise Bestandteil des kollektiven Erinnerns werden.

Dank

Auch in der Produktion dieses Buches spielten gewisse »kollektive Prozesse« eine Rolle. So ist eine Dissertation zwar primär ein einsames Schreibtischprojekt, aber ohne die Unterstützung und Geduld meines Lebenspartners und ohne meine hilfreichen FreundInnen, meine Familienmitglieder und KollegInnen – an der Uni und im Frauentherapiezentrum – hätte ich sie nicht geschrieben. Ich danke an dieser Stelle deshalb an erster Stelle allen, die sich gemeint fühlen, für die Geduld, Verständnis, Entlastung von allerlei anderen Pflichten und die ungezählten kleinen und größeren Gesten. Ich war außerdem dankbar und fasziniert, in meinem Netzwerk so viele kompetente Gesprächspartnerinnen und Gesprächspartner vorzufinden, an denen ich meine Argumentation schärfte und mit denen ich mein Konzept und viele Themen diskutieren konnte.

Einige sollen auch beim Namen genannt werden:

Für ganz konkrete Hilfe in der Endphase der Dissertation bedanke ich mich herzlich bei Sabine Birzele-Riß, Esther Grossmann, Birsen Kahraman, Sieglinde Neyer und außerdem Peter Heumel, der jetzt auch noch die perfekte Idee für die Cover-Abbildung, eine Vorstudie zu dem Bild *Guernica*, hatte. Für ihre vielfältige und unkomplizierte Unterstützung in der Endphase danke ich auch Hediaty Utari-Witt und Uli Richter!

Ich will auch die Gelegenheit nutzen, mich für die Hilfe zu bedanken, durch die ich Ergebnisse dieser Arbeit immer wieder in ein gutes Englisch bringe: mein Bruder Thomas M. Kühner, Sabine Birzele-Riß und Esther Grossmann.

Besonderer Dank gilt meinem Vater, der für das Thema »kollektive Traumata« indirekt mitverantwortlich ist, da er mein Interesse am gründlichen Nachdenken über Geschichte und Politik wecken konnte und der diese Arbeit komplett durchkorrigierte.

Ohne die Überstunden unserer studentischen Hilfskraft Monika Kleeblatt und ohne den Einsatz von Franz Mayer hätten mich die technischen und formalen Fragen am Schluss der Dissertation ganz sicher zum Verzweifeln gebracht. Monika möchte ich insbesondere für die freundliche Gelassenheit und die ausgezeichnete Unterstützung bei der Erstellung des Literaturverzeichnisses danken.

Für ausführliche Diskussion und Beratung zum Gesamtkonzept und zu einzelnen Kapiteln, für stetigen Zuspruch und hartnäckige Nachfragen danke ich ganz herzlich den KollegInnen Helga Bilden, Gudrun Brockhaus und Phil C. Langer.

Sabine Pankofer hat schließlich die gesamte Dissertation kritisch gelesen, kommentiert und mit mir diskutiert, was für die abschließende Präzisierung meiner Überlegungen ein echtes Geschenk war.

Diese Arbeit verdankt auch dem kritischen Geist und der engagierten Unterstützung von Anja Weiß sehr viel. Nicht zuletzt war sie es, die mich bereits 2001 ermutigte mich bei der Berghof Stiftung für Konstruktive Konfliktbearbeitung um einen Auftrag zu bewerben. Dadurch wurde letztlich der erste Grundstein für diese Arbeit gelegt. Ich danke an dieser Stelle noch einmal allen, die den *Berghof Report Nummer 9*, einen Literaturbericht zum Thema »kollektive Traumata«, mit ermöglichten und unterstützen, insbesondere Reiner Steinweg und Cornelia Berens!

Besonderer Dank gilt auch Hans-Jürgen Wirth, der sich bereit erklärt hat, als Zweitgutachter für die Dissertation zu fungieren. Es hat mich sehr gefreut, jemanden gefunden zu haben, dem die Politische Psychologie ein so offensichtliches Anliegen ist.

Als kontinuierliche Begleitung waren mir von Beginn dieser Arbeit an das DoktorandInnenkolloquium von Heiner Keupp und ab 2004 auch das von Anja Weiß initiierte Forschungskolloquium des »Wissenschaftsnetzwerks Migration, Differenz, Anerkennung« sehr wertvoll. Danke, besonders auch an Kathrin Hörter!

Enorm profitiert hat diese Arbeit auch von regen Diskussionen mit David Becker, Cornelia Berens, José Brunner, André Karger und Jan Philipp Reemtsma, mit denen ich von Mai 2005 bis September 2006 die Konferenz »Trauma, Stigma and Distinction. Social Ambivalences in the Face of Extreme Suffering« vorbereitete.

Ganz besonderer Dank gilt meinem Doktorvater Heiner Keupp. Da er meinen Werdegang inzwischen über viele Jahre begleitet, fällt es mir schwer nun zu sagen, worauf es für *diese* Arbeit ankam. Vielleicht war am wichtigsten, dass ich eine gute Mischung aus echtem Interesse an der Person *und* an der intellektuellen Arbeit spüren konnte – zusammen mit dem gelassenen Vertrauen, dass ich meinen Weg schon gehen werde.

Mein Interesse an Geschichte und »kollektivem Erinnern« hat viel mit meiner Oma zu tun, deren bewusste Erinnerung mehr als 90 Jahre zurückreichte. Sie hat mir nicht nur sehr gerne von früher erzählt, sondern war in oft verblüffender Weise offen für Nachfragen und neue Sichtweisen.

Die Klarheit und entschiedene Unterstützung meines Lebenspartners, Faruk Temel, haben mir sehr geholfen eine wichtige Balance gerade in den letzten Monaten vor der Abgabe der Arbeit zu finden: Es ist ein Geschenk, dass ich trotz Doktorarbeit noch so viele Stunden mit Oma erlebt habe – die dann sogar noch mit darauf anstoßen konnte.

Faruk war überhaupt der wichtigste Rückhalt: durch ungezählte Kompromisse, Zuspruch und Humor, aber auch als Kollege durch seinen Sachverstand, seine Bibliothek und die kritischsten aller Rückfragen.

München, im April 2008
Angela Kühner

Geleitwort

Mit dem begrifflichen Netz, das wir über die Welt werfen, eignen wir uns diese in spezifischer Weise an. Je präziser wir bestimmte Phänomene begrifflich einordnen können, desto genauer haben wir sie auch verstanden. Als Stereotypen sehen wir begriffliche Cluster, die in ihrer schablonenhaften Allgemeinheit nichts mehr begreifen. Es ist gerade der Anspruch von Wissenschaften, sich allen stereotypen Vereinfachungen zu entziehen und mit Begriffen zu arbeiten, die sich möglichst differenziert den Phänomenen zuwenden und dadurch Erkenntnis ermöglichen. Ist dieser Anspruch bei dem Traumabegriff noch aufrechtzuerhalten? Er ist ein echter Konjunkturritter und man begegnet ihm in schwer erträglicher Häufigkeit. Bei *Google* bekommt man Nennungen für »Trauma« im achtstelligen Bereich und damit stellt dieses Stichwort andere wie »Angst«, »Glück«, »Krise« oder »Globalisierung« eindeutig in den Schatten. Hat mich also mein Gefühl nicht getrogen, dass der Traumabegriff sich mittlerweile einer inflationären Verwendung erfreut. Es stellt sich natürlich die Frage, wofür diese Entwicklung steht.

Ehe ich mich dazu entscheide, auf die weitere Verwendung des Traumabegriffs gänzlich zu verzichten, nutze ich das Angebot, mir dazu hilfreiche Argumente aus dem Buch von Angela Kühner zu holen, die den Traumadiskurs in all seinen facettenreichen Thematisierungen unter die Lupe genommen hat. Sie will vor allem die Frage klären, ob der Traumabegriff, der bezogen auf einzelne Personen vermutlich Sinn macht, auch auf kollektive Phänomene wie etwa die Erfahrungen des 11. Septembers 2001 in den USA oder den Holocaust angewendet werden kann. Generell geht es Angela Kühner darum, die verwendeten Begriffe einer kritischen Analyse zu unterziehen, fragwürdige begriffliche Homogenisierungen zu dekonstruieren und tragfähige konzeptuelle Lösungen für die Tatsache zu finden, dass von einigen dramatischen historischen Ereignissen eine größere Anzahl von Menschen unmittelbar bzw. vermittelt betroffen sind bzw. sein können, ohne dass damit bereits eine Erlebniseinheit für ein ganzes Kollektiv konstruiert werden muss.

Wie Angela Kühner in einem ersten sehr informativen Kapitel zeigt, ist der Traumabegriff noch nicht einmal auf der individuellen Ebene ganz unstrittig, denn ihm haften alle die Probleme an, die bei einer Übertragung eines Begriffes aus der medizinischen Pathologie auf die psychische Ebene entstehen. Zunächst kann ja diese Übertragung nur metaphorisch gemeint sein, aber wie wir aus dem Bereich der Psychopathologie wissen, kommt es nicht selten zu einer verdinglichenden Transformation der Metapher zu einem als unzweifelhaft konstruierten Sachverhalt. Trotz dieser Bedenken, die ja durchaus einen Verzicht auf diese Kategorie begründen könnten, hat sich der Traumabegriff als Fachbegriff in der Psychologie etablieren können und das hat durchaus gute Gründe: »Die Psychologie verfügt über differenziertes Wissen zu den vielfältigen konkreten Auswirkungen von Traumata auf Menschen. Diese Perspektive zeigt Trauma als etwas, das zunächst vor allem eine sehr konkrete, sehr schmerzhafte, einzigartige, schwer mitteilbare und oft einsame Erfahrung ist« (S. 24).

Die schon bei der Verwendung der Traumakategorie auf der individuellen Ebene gegebene Problematik verschärft sich, wenn sie auf kollektive Tatbestände angewendet wird, und treibt bis in die fragwürdig-absurde verdinglichende Vereinheitlichung, die Opfer und Täter auf die gleiche Stufe stellt. Gerade im deutschen Kontext ist diese Tendenz nicht selten, wenn die Leiden der jüdischen Opfer oder der Sinti und Roma mit den Belastungen der Zivilbevölkerung, der Flüchtlinge oder der Kriegskinder in einer gemeinsamen begrifflichen Schublade landen. Die Schmerzen, das Leiden, die Trauer, die für jede dieser Gruppen in reichem Maße nachgewiesen werden können, rechtfertigen es nicht, eine begriffliche Identität zu erzeugen, es sei denn um den Preis der Zerstörung der Differenz in den geschichtlichen Bedingungen, die das eine Kollektiv zum Opfer gemacht hat und das andere zur Täterseite. Das ist wohl auch ein Hauptgrund dafür, dass die fragwürdige psychologische Steilvorlage der Konstruktion eines Einheitsphänomens in der deutschen Öffentlichkeit so viel Resonanz gefunden hat. Es ist sehr wichtig, dass die Autorin dieser Konstruktion den Boden entzieht. Der Holocaust als eine rassistisch gerechtfertigte und systematisch betriebene »Zwangsentmenschlichung« in Form einer »kategorialen Ausrottung«, in der das einzelne Subjekt gar keine Daseinsberechtigung hatte, bildete den Ausgangspunkt für die transgenerationale Weitergabe extremer psychischer Verletzungen und Kränkungen. Keine traumatische Neurose, weder durch Krieg, Bombardierung noch Vertreibung bedingt, kann dem gleichkommen. Die deutschen Täter und ihre Nachfahren blieben auch in dem, was sie an Leid, Verlusten und Demütigungen erlebt haben, immer Teil eines Täterkollektivs. Die Flucht in Bunker, Schützengräben oder nach Westen war immer noch Teil einer rationalen Auswegsuche. Trotzdem auf die Gleichsetzung von Opfern und Tätern zu bestehen, und sei es über den Umweg transgenerational forschender Psychologie, löscht die Erinnerung an die Opfer im doppelten Sinne aus. Zum einen, weil damit in Deutschland nun der Täter als Opfer gedacht werden kann, ohne dass der Opfer der Täter je wirklich gedacht wurde. Zum anderen wird genau jene furchtbare Einzigartigkeit von Auschwitz darin negiert, indem das Leid der Opfer dem Leiden anderer gleichgemacht wird. Die Möglichkeit, dieses Leid für die Überlebenden und ihre Kinder zumindest in Ansätzen erträglich zu machen, beruht zuerst einmal auf dem vollen Eingeständnis der Schuld durch die Täter. Ein Traumabegriff der diese Differenzen auslöscht, so Angela Kühner, tut den Opfern erneut Gewalt an. Mit dieser klaren Positionierung verabschiedet sich die Autorin aber nicht vom Traumadiskurs als einer begrifflichen Anstrengung, auch kollektive Erfahrungen von Leid und emotionalen wie körperlichen Verletzungen benennbar zu machen. Es geht ihr um die Anstrengung des Begriffs.

Und da ist zunächst einmal die Frage zu beantworten, was denn das »Kollektive« sein könnte. Drei wichtige Diskursfelder, in denen das »Kollektive« eine besondere Aufmerksamkeit erfahren hat, werden durchforstet: Die »Massenpsychologie« und die Konzepte »kollektive Identität« sowie »kollektives Gedächtnis«. Zunächst ging es Angela Kühner darum, die Massenpsychologie und die konzeptuellen Angebote dazu von Seiten der Psychoanalyse und der Sozialpsychologie zu sichten. Mit seinem Modell von der »psychologischen Masse« zeigt Freud, wie über Idealisierungen, Projektionen und Identifikationen so etwas wie ein »psychischer Kitt« (so nannte es Erich Fromm) in einem Kollektiv entsteht, das dem einzelnen Gruppenmitglied Teilhabe an einem Größenselbst ermöglicht. Angela Kühner betont zu Recht auch die Relevanz von Feinden, im Zweifelsfall konstruierten Feinden, die nicht nur den Zusammenhalt stärken, sondern auch die aggressiven Impulse auf sich ziehen, die im Kollektiv nicht ausgelebt werden dürfen.

Angela Kühner versucht dann dem Sinn von der Formulierung eines »kollektiven Traumas« über den Anschluss an die Diskurse zur »kollektiven Identität« auf den Grund zu kommen. Offensichtlich ist dann die Rede vom »kollektiven Trauma«, wenn eine kollektiv geteilte Vorstellung der eigenen Größe, der Unverletzbarkeit, des Anspruchs einer Gruppe oder des Respekts, den diese erwartet, massiv verletzt wird. Die Autorin führt ihre LeserInnen souverän durch schwieriges Gelände, denn die Diskurse zur »kollektiven Identität« weisen ähnliche Untiefen auf wie die Verhandlung des Konstrukts »kollektiver Traumata«. Es gelingt der Autorin in diesem Feld eine sinnvolle Ordnung zu stiften, die vor allem von dem provokanten Vorschlag von Jeffrey Alexander und seinem Forscherteam ausgeht. Sie vertreten einen radikal-konstruktivistischen Ansatz, der sich von allen Wahrheitsansprüchen »realer Ereignisse« verabschiedet und hier – nicht zu Unrecht – »naturalistische Täuschungen« sieht. Für Alexander sind »kollektive Traumata« ausschließlich als »kulturelle Konstruktionen« zu begreifen. Diesen Punkt betonen auch die Vertreter der »Cultural« und »Postcolonial Studies«, vor allem Stuart Hall, wenn sie die imaginäre Seite von kollektiven Prozessen und die unterschiedlichen Formen von »Identitätspolitik« herausstellen. Allerdings ist Stuart Hall inspiriert von Louis Althusser, für den soziale Konstruktionen »das imaginäre Verhältnis der Individuen zu ihren wirklichen Existenzbedingungen« (Althusser 1977, S. 11) darstellen. Problemlos könnte man hier Individuen durch Gruppen oder Kollektive ersetzen. Althusser hat mit dieser Formulierung die bindende Qualität von Ideologien im Sinne. Aber genau diesen Status haben viele kollektive Fantasien, die aber in aller Regel an Realitätsfragmenten ansetzen, sie aber phantasmatisch formatieren.

Schließlich geht Angela Kühner noch einen weiteren Schritt, das Geheimnis zu lüften, was mit »kollektiv« gemeint sein könnte. Es geht um das »kollektive Gedächtnis« und auch in diesem sehr forschungsaktiven Feld versteht sie sich sicher und strukturierend zu bewegen sowie für ihr Thema Anregungen aufzunehmen. Der Bogen wird von den klassischen Beiträgen eines Maurice Halbwachs und eines Walter Benjamins über die anregenden Arbeiten von Aleida und Jan Assmann und ihrer Unterscheidung in »kulturelles« und »kommunikatives Gedächtnis«, zu dessen sozialpsychologischer Nutzung vor allem Harald Welzer und sein Team beigetragen haben, bis hin zu den literaturwissenschaftlichen Studien von James E. Young zur »Repräsentation« des Holocaust und Saul Friedländers Versuch geschlagen, »den Ermordeten gerecht zu werden«. Schließlich landet die Analyse bei Prozessen des kollektiven Erinnerns und dem »transdisziplinären Schlüsselkonzept« der Narration und da insbesondere bei dem Beitrag der »Narrativen Psychologie« und ihrem Erklärungsversuchs für »temporale Sinnbildung«. Das Material, an dem Angela Kühner diesen Theorieschritt exemplifiziert, stammt überwiegend aus der Holocaustforschung, aber auch aus Projekten, die sich mit dem Erbe des Kolonialismus auseinandergesetzt haben.

Am Ende der Reise durch die vier großen Hauptteile des vorliegenden Buches stellt sich natürlich die Frage nach dem Ertrag der Ernte auf den verschiedenen Diskursfeldern. Gibt es ein neues übergreifendes Modell, das die Schwächen all der zu Recht kritisierten Reduktionismen überwindet und die Stärken der erschlossenen Theoriestränge in sich vereint? Ich bin froh, dass Angela Kühner sich diesem Modellanspruch verweigert hat. Stattdessen hat sie im Sinne dessen, was sich die Reflexive Sozialpsychologie als Ziel setzt, einen dekonstruierenden und einen konstruierenden Zugang zugleich zu einem sprachlich unmöglichen, aber real hoch besetzten Thema gebahnt. Herausgekommen ist ein reflexiver Zugang, der interdisziplinäre Quellen für sich und die weitere Forschung erschlossen hat. »Further research is needed«, aber bitte unter Berücksichtigung des Weges begrifflich-theoretischer Klärungen, auf den Angela Kühner ihre Leserinnen und Leser mitgenommen hat.

München, im Frühjahr 2008
Heiner Keupp

Einleitung

Schwierige Vergangenheiten

Das Englische kennt einen Ausdruck für die mögliche Wirkung beunruhigender, schwieriger Vergangenheiten, für den die deutsche Sprache keine direkte Entsprechung hat: »Haunting« bezeichnet ein quälendes, wiederkehrendes Verfolgtwerden. Vielfach wird »haunting« mit Spuk assoziiert, mit Ermordeten beispielsweise, die als »Gespenster« zurückkehren. Diese wollen oder müssen wissen, wie es weiter ging. SchriftstellerInnen wie Ruth Klüger, Toni Morrison oder J.M. Coetzee haben mit solchen Bildern eine oft unheimliche, fortdauernde Präsenz vergangener Massenverbrechen zu beschreiben versucht: des Holocaust, der Sklaverei oder der Apartheid. Dabei geht es meist um Unrecht, das nicht »wieder gut gemacht« wurde oder werden konnte, weil es – wie nach dem Holocaust – bereits in seiner Dimension eine echte Wiedergutmachung unmöglich machte.

Während Schriftsteller durch solche Bilder einen intuitiven Zugang eröffnen können, ist dasselbe Phänomen wissenschaftlich ungleich schwieriger zu erfassen: Wie lassen sich langfristige Folgen von und unterschiedliche Bezugnahmen auf von Menschen verursachte Katastrophen beschreiben und erklären? Kann man übergreifende Merkmale finden und lässt sich daraus etwas für die Auseinandersetzung mit solchen Vergangenheiten lernen?

Ein Blick auf öffentliche Debatten der letzten Jahre illustriert die hohe gesellschaftliche Relevanz dieser Frage: Bewusste Entschuldigungen, auch für länger zurückliegende und indirekte Beteiligung an Verbrechen, scheinen zuzunehmen und es wird als ein wichtiges Kriterium für eine intakte Demokratie gesehen, vergangene Verbrechen in spezifischer Weise anzuerkennen – wie nicht zuletzt die Kritik an der Erinnerungspolitik der Türkei verdeutlicht. In den Blick gerät dabei auch, wie vielschichtig die hier aufgeworfene Frage ist, die je nach Sichtweise beispielsweise nach politischen, juristischen, soziologischen, theologischen, philosophischen oder psychologischen Antworten verlangt.

Im vorliegenden Buch suche ich sowohl in der Psychologie als auch »zwischen den Disziplinen« nach Antworten auf diese Fragen. Ich verwende dafür den psychologischen Traumabegriff als Ausgangspunkt, da er höchst differenzierte Konzeptionalisierungen extremer psychischer Verletzungen ermöglicht. Das psychologische Verständnis von »Trauma« zeigt dieses zunächst als eine Erfahrung, die Individuen einsam macht und die in sehr schmerzhafter Weise als trennend, oft unerzählbar erlebt wird. Von diesem Verständnis ausgehend frage ich dann, in welcher Weise *individuelle Traumata* kollektiv relevant werden können – als Teil dessen, was man sich schließlich gegenseitig als *gemeinsame traumatische Geschichte* erzählt. Sind solche Traumta dann als »kollektive Traumata« zu verstehen?

Ich werde zeigen, dass Kollektive selbstverständlich nicht im engeren Sinne »traumatisiert« sind, sondern dass es bei »kollektiven Traumata« darum geht, dass bestimmte massenhafte, individuelle traumatische Erfahrungen im Laufe der Zeit auch für das kollektive Gedächtnis eine wichtige Bedeutung bekommen können. Die Geschichte kennt hier eine Bandbreite von Möglichkeiten: massive traumatische Verletzungen, die spät oder nie für relevant gehalten werden, genauso wie Verletzungen, die über Jahrhunderte als unerträglichen Kränkungen des kollektiven Selbstbilds konserviert werden. Traumata können somit auf ganz unterschiedliche Weise Teil des »kollektiven Gedächtnisses« werden – oder eben nicht. Um diese verschiedenen Variationen zu verstehen, hat die Psychologie neben den Erkenntnissen über Trauma auch eine spezifische Lesart »kollektiver Prozesse« anzubieten: Ich nutze hierfür die Perspektive der psychoanalytischen Sozialpsychologie (Massenpsychologie) und die Diskurse über »kollektive Identität« und »kollektives Gedächtnis«.

Meine Argumentation folgt dabei zwei Grundlinien:

➤ Ich zeige, welche sozialpsychologischen Prozesse aus dem Zusammenwirken von Trauma und kollektivem Erinnern entstehen können.

➤ Parallel dazu diskutiere ich, ob diese unterschiedlichen Phänomene als »kollektive Traumata« begriffen werden können.

Aufbau des Buches

Konkret ist das Buch folgendermaßen aufgebaut:

Das erste Hauptkapitel (Kapitel I) geht vom Begriff des individuellen Traumas aus. Ich stelle dar, was unter Trauma überhaupt verstanden werden kann (I.1), und gehe dann auf wichtige Positionen im kritischen Diskurs über Trauma ein (I.2). Auf der Basis dieser Darstellung ziehe ich in einer ersten *Zwischenbilanz* vorläufige theoretische Schlussfolgerungen (I.3), die auf ein erstes *Fallbeispiel* bezogen werden: Die Terroranschläge des 11. September 2001 wurden in Bezug auf verschiedene Kollektive – die USA, die westliche Welt, die Bewohner von Manhattan – als Trauma bezeichnet. Insgesamt zeige ich im ersten Kapitel, was man unter kollektiven Traumatisierungen *vom Trauma ausgehend* verstehen könnte. Bereits an dieser Stelle wird erkennbar, dass unter »kollektivem Trauma« sehr unterschiedliche Phänomene verstanden werden können. Außerdem unterstreicht das erste Fallbeispiel, wie notwendig für eine sozialpsychologische Theoretisierung »kollektiver Traumata« der Blick auf kollektive Prozesse ist. In den dann folgenden Kapiteln nähere ich mich dem »kollektiven Trauma« daher *vom Kollektiv ausgehend*. Im Einzelnen geht es dann um:

➤ kollektive Prozesse aus psychoanalytischer Sicht (Kapitel II);
➤ kollektive Identität (Kapitel III);
➤ kollektives Gedächtnis (Kapitel IV).

In den einzelnen Kapiteln wird jeweils der Erkenntnis- bzw. Diskussionsstand zum Thema dargestellt. Für jedes Kapitel wird dann in einer *Zwischenbilanz* aufgezeigt, was der Ertrag dieses spezifischen Zugangs im Hinblick auf die Frage nach dem »kollektiven Trauma« ist. Diese Schlussfolgerungen werde ich jeweils auf konkrete Fallbeispiele anwenden.

Folgendes wird in den Kapiteln II–IV dargestellt und diskutiert:

Kollektive Prozesse (Massenpsychologie)

Als typische psychoanalytische Sicht auf kollektive Prozesse gilt Freuds auf Le Bon rekurrierender Klassiker *Massenpsychologie und Ich-Analyse*. Freuds Hypothesen wurden später von Alexander und Margarethe Mitscherlich in dem berühmten Buch *Die Unfähigkeit zu trauern* (Erstausgabe 1967) aufgegriffen, dessen zentrale Thesen ebenfalls vorgestellt werden. Ein neuerer Ansatz zu massenpsychologischen Phänomenen sind Stavros Mentzos' Thesen zur »psychosozialen Funktion des Krieges« (Mentzos 2002). Er spricht von Konstellationen (»psychosozialen Arrangements«), in denen Kollektive sich für Krieg mobilisieren lassen – ein spezifischer Fokus auf das allgemeine Problem der psychoanalytischen Erklärbarkeit kollektiver Prozesse. Der Ausgangspunkt eines weiteren Autors, Vamik Volkan, ist dessen Interesse, psychoanalytisches Wissen für die internationale Diplomatie nutzbar zu machen (z. B. Volkan 1998). Volkan entwickelt dazu eine spezifisches Modell der Großgruppenidentität, für die die von ihm so bezeichneten »gewählten Ruhmestaten und gewählten Traumata« eine zentrale Bedeutung haben. Abschließend skizziere ich am Beispiel von Mario Erdheims Thesen zur »gesellschaftlichen Produktion von Unbewusstheit« einen ethnopsychoanalytischen Ansatz zum Verständnis kollektiver Prozesse.

In der Zwischenbilanz diskutiere ich die Instrumentalisierung der Erinnerung an die verlorene »Schlacht vom Amselfeld« durch den Serbenführer Milošević als eine mögliche Variante von »kollektivem Trauma«. Als ein weiteres Fallbeispiel stelle ich die erwähnte massenpsychologische Analyse der Mitscherlichs – die fast ohne den Traumabegriff auskommt – dem Konstrukt »kollektives Trauma« gegenüber.

Kollektive Identität

Im dritten Kapitel nutze ich den Begriff der Identität für das Nachdenken über »kollektive Traumata«. Dazu werden zunächst wichtige allgemeine Beobachtungen und Befunde aus dem sozialwissenschaftlichen Identitätsdiskurs dargestellt, wobei deutlich wird, dass es zwischen Trauma- und Identitätsdiskursen zahlreiche Parallelen und Berührungspunkte gibt. Aus den Diskursen über kollektive Identität und Identitätspolitik können wichtige Impulse für die Differenzierung zwischen verschiedenen Verwendungsweisen und Formen »kollektiver Traumata« abgeleitet werden. In der Zwischenbilanz zu Kapitel III stelle ich zunächst vor, wie der Kultursoziologe Jeffrey Alexander einen theoretischen Ansatz von »kulturellem Trauma« entwickelt, den er explizit auf kollektive Identität bezieht (Alexander et al. 2004). Im Fallbeispiel zu Kapitel III zeichne ich dann nach, wie Alexander diesen Ansatz auf den Bedeutungswandel anwendet, den der Holocaust seit dem Ende des 2. Weltkriegs für das kollektive Bewusstsein der US-Amerikaner erfahren hat. Alexander betont den hohen Stellenwert kultureller Prozesse für »kollektive Traumata«, tendiert jedoch dazu, die beteiligten psychologischen Prozesse zu unterschätzen. Nach meiner Einschätzung stellt die Über- oder Unterschätzung psychologischer Prozesse eine generelle Tendenz in der Auseinandersetzung mit »Traumata für die kollektive Identität« dar.

Kollektives Gedächtnis
und Sozialpsychologie kollektiven Erinnerns

In Bezug auf »kollektives Gedächtnis« skizziere ich zunächst die Entwicklung des Diskurses, von Maurice Halbwachs' kollektivem Gedächtnis ausgehend zur aktuelleren Differenzierung zwischen kulturellem, kommunikativem und sozialem Gedächtnis (Assmann 1992, Welzer 2001). Für die Verbindung zwischen »kollektivem Gedächtnis« und »kollektivem Trauma« ist es außerdem wichtig, die spezifischen Probleme nachzuvollziehen, die im Zusammenhang mit dem Holocaust als »Krise der Repräsentation« bezeichnet wurden. Ich gehe dazu exemplarisch auf geschichtswissenschaftliche Positionen ein (Friedländer, White). Besonders ertragreich für »kollektives Trauma« ist darüber hinaus, was die Psychologie zu kollektivem Erinnern zu sagen hat: Wichtige Untersuchungsebenen und -felder sowie der theoretische Ansatz der narrativen Psychologie werden daher ausführlich dargestellt.

In der Zwischenbilanz diskutiere ich zum einen die Anschlussfähigkeit der dargestellten theoretischen Überlegungen und Konzepte, bevor ich als weiteres Fallbeispiel post-koloniales Erinnern an die Sklaverei als post-traumatisch interpretiere.

Schluss: Bilanz und Ausblick

Im Schlusskapitel ziehe ich Bilanz. »Kollektives Trauma« erfüllt streng genommen die Kriterien eines wissenschaftlichen Konzepts nicht: die bezeichneten Phänomene sind zu unterschiedlich, die Analogie ist insgesamt nur zu eingeschränkt nützlich. Dennoch ist es höchst relevant, die Frage nach »Traumata in kollektiven Gedächtnissen« zu stellen, da sie auf wichtige Phänomene verweist – wie in den Suchbewegungen dieses Buches deutlich wurde. Zentrale Themen und Bezugspunkte greife ich abschließend kurz auf. Ich frage zunächst, inwiefern »wissenschaftliche Begriffsbildung« und die Auseinandersetzung mit extremem Leid, speziell dem Holocaust, in Konflikt geraten. Von den vielen psychologischen Erkenntnissen dieser Arbeit hebe ich dann diejenigen hervor, die für weitere Forschung besonders fruchtbar erscheinen. So baut die – etwa für die Konfliktforschung relevante – massenpsychologische Instrumentalisierung alter Verletzungen vor allem auf Kränkungen auf: kollektiv akzeptierten Narrationen über Kränkungen können in diesem Sinne gefährlicher sein als reale Traumata. Wenn dagegen massive Verluste im Vordergrund des »kollektiven Traumas« stehen, geht es im Zusammenspiel von Trauma und kollektivem Gedächtnis auch um den Beitrag des kollektiven Erinnerns zur kollektiven und individuellen Trauerarbeit. Schließlich werde ich am Ende einige weiterführende Fragen aufwerfen und für ein »reflexives Erinnern« plädieren.

I Vom individuellen zum kollektiven Trauma

Worum es in diesem Kapitel geht

Die Nutzung des Begriffs Trauma für psychische Prozesse kann inzwischen auf eine 130-jährige Geschichte zurückblicken, innerhalb derer der Begriff verschiedenste Akzentverschiebungen, vor allem aber eine enorme Ausweitung und Verbreitung erfahren hat. Für eine Auseinandersetzung mit »kollektiven Traumata« ist eine Untersuchung des psychologischen Traumabegriffs und seiner Entwicklung der erste logische Schritt: Um zu verstehen, was »kollektive Traumata« sein könnten, muss man sich zunächst vergegenwärtigen, was individuelle psychische Traumata sein könnten. Dabei folge ich zwei Leitfragen:

➤ Was wissen wir über individuelle Traumata und was kann dieses Wissen zum Verständnis von Kollektivtraumata beitragen?

➤ Was fällt am Diskurs über individuelles Trauma auf, welche Definitionsprobleme und Grenzen werden deutlich? Was lässt sich daraus für »kollektives Trauma« als Konzept ableiten?

Der erste Teil des Kapitels handelt somit von dem, was wir über Trauma zu wissen glauben: Ich stelle zunächst exemplarisch klassische und aktuellere Definitionsversuche von Trauma vor und gehe dabei auf grundlegende Definitionsprobleme ein (1.1). Ausführlich schildere ich dann eine Bandbreite von Traumafolgen, die von verschiedensten Autoren beschrieben wird (1.2). In einem dritten Abschnitt (1.3) stelle ich die sogenannte indirekte Traumatisierung und dabei vor allem das Konzept der transgenerationellen Weitergabe von Traumata dar, abschließend Interdependenzen zwischen Trauma und Gesellschaft (1.4).

Im zweiten Teil des Kapitels interessiere ich mich für die Diskursebene. Trauma ist so sehr zum Mode- oder Schlüsselbegriff avanciert, dass es inzwischen intensive und vielfältige Metareflexionen über den Traumadiskurs gibt. Ich werde an typischen Beispielen herausarbeiten, was von einzelnen AutorInnen problematisiert wird, die den Diskurs kritisch kommentieren.

Im dritten Teil ziehe ich dann eine erste Zwischenbilanz zur Grundfrage dieses Buches: Inwiefern kann ein Trauma zu etwas Kollektivem werden? Ich gehe von den dargestellten Merkmalen von Trauma und vom Traumadiskurs aus und stelle Überlegungen dazu an, was davon sich auf die kollektive Ebene übertragen lässt (3.1). An dieser Stelle wird auch deutlich werden, inwiefern eine sozialpsychologische Annäherung an »kollektive Traumata« eine Auseinandersetzung mit kollektiven Prozessen, mit (kollektiver) Identität und (kollektivem) Gedächtnis beinhalten muss, wie ich sie in den Kapiteln II bis IV unternehmen werde.

In dieser ersten Bilanz werde ich am Besipiel der Terroranschkläge vom 11. September 2001 herausarbeiten, inwiefern man unter dem »9/11-Trauma« eine Bandbreite sehr unterschiedlicher Phänomene verstehen kann (3.2). Ich stelle dazu psychologische Beobachtungen und Hypothesen dar, die verschiedene Ebenen einer Traumatisierung durch den 11. September betreffen: Man kann zunächst die massenhafte konkrete Traumatisierung Einzelner, insbesondere in New York, feststellen (3.2.1). Der 11. September wurde zugleich vielfach als »nationales Trauma« der USA bezeichnet. PsychologInnen argumentieren hier mit einer Beschädigung des kollektiven Selbstbilds bzw. der kollektiven Identität (3.2.2). In einem dritten Schritt zeige ich, inwiefern auch jenseits der nationalen Grenzen der USA psychologische Auswirkungen des 11. Septembers festgestellt werden (3.2.3). Auf der Basis dieser Darstellung werde ich argumentieren, dass es auf allen drei Ebenen zwar gute Gründe gibt, von »kollektivem Trauma« zu sprechen, dass bei genauerem Hinsehen jedoch sowohl sehr unterschiedliche Wirkungsweisen von Trauma als auch unterschiedliche »Kollektive« impliziert sind.

1 Trauma –
Definitionen, Formen und Phänomene

Im Folgenden wird es zunächst darum gehen, was von verschiedenen AutorInnen unter individuellem Trauma verstanden wird: Wie wird es definiert, welche Phänomene direkter Traumatisierung werden beschrieben, was wird unter indirekter Traumatisierung verstanden und wie kann man sich die Beeinflussung individueller Traumatisierung durch gesellschaftliche Prozesse vorstellen?

1.1 Definitionen und Definitionsprobleme

Wenn man aus heutiger Sicht die Geschichte des Traumadiskurses einer genaueren Betrachtung unterzieht, fällt auf, dass so aktuell erscheinende Topoi wie die »Sinninflation« und die Klage über die mangelnde Präzision schon alte Begleiter des Begriffes sind. Es scheint, dass die Geschichte der Traumadefinition fast von Anfang zugleich die Geschichte von Definitionsproblemen ist.

VON DER KÖRPER-WUNDE ZUR SEELEN-WUNDE: TRAUMA ALS METAPHER

Um die Grundlage der Probleme zu verstehen, ist ein genauerer Blick auf die Bedeutungsveränderung vonnöten, die der Begriffs Trauma seit seiner Etablierung als Fachbegriff erfahren hat: Bevor es ab dem letzten Drittel des 19. Jahrhunderts auf psychische Phänomene angewandt wurde, war das griechische Wort »Trauma« zunächst ein rein körpermedizinischer Fachbegriff. Von der allgemeinen Bedeutung »Wunde« wurde der Begriff in der Medizin im Laufe der Zeit verengt auf Verletzungen, die durch äußere Krafteinwirkungen verursacht werden (z.B. Schleudertrauma oder Geburtstrauma). Ein Trauma ist also medizinisch sehr präzise definierbar und objektivierbar als eine Wunde oder Verletzung, die sich von anderen Verletzungen dadurch unterscheidet, dass sie von außen durch Kraft verursacht wird. Auf der psychischen Ebene gibt es jedoch keine objektivierbare Wunde. Viele der Definitionsprobleme, die ich hier darstellen werde, lassen sich vor allem dadurch erklären, dass der Begriff in der Übertragung von körperlichen auf seelische Phänomene letztendlich zu einer Metapher wurde, dass der metaphorische Charakter jedoch zugleich leicht übersehen wird. Oft wird von Trauma so gesprochen, als würde es sich auch auf psychischer Ebene um eine konkrete Verwundung handeln. Dies liegt nicht zuletzt daran, dass der Begriff »psychisches Trauma« selbst erst im Laufe seiner Entwicklung im engeren Sinne metaphorisch wurde. Wie Brunner ausführt, verdankt sich die Übertragung des Begriffs ursprünglich der Suche nach einer Bezeichnung für das, was Menschen zugefügt wurde »deren Nervensystem durch die plötzliche, unerwartete Erfahrung eines lebensbedrohlichen oder anderweitig in hohem Maße erschreckenden und bedrückenden Ereignisses (wie etwa ein Eisenbahnunglück) in Mitleidenschaft gezogen worden war« (Brunner 2004, S. 8). PsychiaterInnen und JuristInnen die sich mit diesem Phänomen beschäftigten, gingen dabei zunächst von einer körperlichen Beschädigung aus, die man nur noch nicht nachweisen könne, so vermutete etwa Oppenheim eine mikrostrukturelle Schädigung des ZNS (vgl. Fischer-Homberger 2004). In diesem Sinne war die frühe Nutzung des Begriffs »psychisches Trauma« oder »traumatische Neurose« (Oppenheim) noch ganz analog zu den bis dahin bekannten körperlichen Traumen. Metaphorisch im engeren Sinne wird die Nutzung des Begriffs dann, wenn die »psychischen Verwundungen« im Vordergrund stehen. Dies gilt spätestens für Freuds klassisch zu nennende Definition. Aus der ursprünglichen Wunde, die durch eine äußere Kraft verursacht wird, wird bei Freud

> »ein *Erlebnis*, welches dem Seelenleben innerhalb kurzer Zeit einen so starken Reizzuwachs bringt, dass die Erledigung oder Aufarbeitung desselben in *normalgewohnter* Weise missglückt, woraus dauernde Störungen im Energiebetrieb resultieren müssen« (Freud 1916/1917, S. 284; Hv. A. K.).

Verschiedene Autoren (vgl. z. B. Sandler 1987; Bohleber 2000; Hillebrandt 2004; Fischer/Riedesser 1998) betonen die starke Bedeutungsveränderung, die hier deutlich wird: Während das körpermedizinische Trauma noch eindeutig die *Folge* der Krafteinwirkung bezeichnet, beginnt Freud seine Definition mit dem *Erlebnis*, d. h. mit dem, was körpermedizinisch der Verursachung (der Krafteinwirkung) entspricht. Hillebrandt spricht unter Bezugnahme auf Sandler (1987) davon, dass das Trauma im psychologischen Sprachgebrauch »bis in das verletzende Ereignis hinein verlängert bzw. z. T. mit diesem gleichgesetzt wird« (Hillebrandt 2004, S. 37). Dieser im Grunde verwirrende Sprachgebrauch lässt sich unter anderem damit erklären, dass sich das psychische anders als das körperliche Trauma eben nicht an konkreten, sichtbaren Erscheinungen (z.B. Läsionen) objektivieren lässt. Die körpermedizinische Diagnose braucht die Ursache nicht unbedingt genau zu kennen und kann sich mit der Feststellung der Verletzungen begnügen. Die psychologische dagegen kommt nicht ohne den Bezug auf das traumatisierende Ereignis aus, muss also beides berücksichtigen. Diese Zweidimensionalität wird in der Theoriesprache der Psychoanalyse meist als Zusammenspiel von äußerer und innerer Realität bezeichnet, die beim Trauma auf komplizierte Weise verschränkt seien. Damit werde durch das Trauma die »psychoanalytische Gretchenfrage« (Sandler 1987, S. 6) nach der Art der Vermittlung von Realität und Fantasie bzw. nach dem Zusammenspiel von »Trauma und Konflikt« (vgl. Schlösser/Höfeldt 1998) gestellt. Ein schädigendes Ereignis trifft auf eine Person mit ihren spezifischen Konflikten und Fantasien. Wenn die Aufarbeitung langfristig missglückt, ist es offensichtlich schwer zu entscheiden, ob die Ursache der Beschädigung mehr im Ereignis oder mehr in der Innenwelt liegt. Diese Frage ist nicht nur in Bezug auf die psychoanalytische Theoriebildung eine Gretchenfrage, sie hat insgesamt eine hohe politisch-ethische Relevanz und wird an verschiedenen Stellen dieser Arbeit erneut aufgegriffen.

Hier soll nun vorläufig zusammengefasst werden, wie sich der Bedeutungsraum von Trauma durch dessen metaphorische Übertragung auf das Seelenleben verändert hat: Während das körperliche Trauma ein Ergebnis bezeichnet, ist das psychische ein Prozess; das körperliche besteht in einer konkreten Verwundung, das psychische in einer metaphorischen Verwundung der Seele, deren Wirkungsweise nur schwer zu erfassen ist.

Konzeptionsprobleme:
Der undefinierte, bleibende »Teufel im Innern«

In seiner ausführlichen Metadiskussion, die sich vorwiegend auf die psychoanalytischen Theorieentwicklung bezieht, kommt Hillebrandt zu dem Urteil, dass die Theoriebildung »trotz einer über 100jährigen z.T. intensiven Diskussion des Problems Trauma« letztendlich gescheitert sei (vgl. Hillebrandt 2004, S. 38ff.). Er begründet dies damit, dass die Frage »was ein Trauma in seinem Kern eigentlich bedeutet, alles andere als präzise beantwortet sei« (ebd., S. 39). Die Definition von Trauma ist in dieser Lesart gar keine richtige Definition. Zwar sprechen andere Autoren nicht von einem »Scheitern«, jedoch zeigen Metareflexionen (Caruth 1995, Laub 2000, Sandler et al. 1987, Bergmann 1998, Bohleber 2000), dass die verschiedensten Definitionen auf ein zentrales Kriterium hinauslaufen, das eigentümlich diffus bleibt, die sogenannten »bleibenden Nachwirkungen«. Trauma ist somit vor allem dadurch definiert, dass man retrospektiv feststellen kann, dass ein schlimmes Ereignis für die psychischen Verarbeitungsmöglichkeiten eines Menschen eine Über-forderung darstellte. Man kann die Überforderung in der Situation erahnen, ein Trauma definiert sich jedoch erst dadurch, dass etwas zurückbleibt. Dies bedeutet, dass man die Diagnose immer nur rückwirkend stellen kann. Dieses »[E]twas, das zurückbleibt«, ist im Grunde eine Prozessbeschreibung und scheint inhaltlich sehr schwer zu fassen. Freud bezeichnete dieses »[E]twas« (1892) als »psychopathogenes Agens« und ging von nicht im Bewusstsein gespeicherten Repräsentanzen aus, die wie ein Herd im Psychischen schä-digend weiterwirken. 95 Jahre später verweisen Sandler et al. am Ende ihrer ausführlichen konzeptionellen Untersuchung darauf, dass immer noch nicht geklärt sei, was genau das Agens sei und was es aktiv bleiben lasse:

> »Bleibende Nachwirkungen‹ [...] besagen, dass etwas aktiv Wirksames zurück-bleibt – Affekte, Erinnerungen, eine Wunde, ein pathogenes Agens, der ›Teufel im Inneren‹ sozusagen. Aber was ist dieses dauerhaft pathogene Agens? Es muss mehr sein als eine Erinnerung und umfasst die adaptiven Reaktionen des Individuums mit. Es ist jedoch schwer, präzise die konstante Quelle zu konzep-tionalisieren« (Sandler et al. 1987, S. 101, zit. nach Hillebrandt 2004, S. 40).

Seit Sandlers Feststellung hat der Begriff Trauma weitere 20 Jahre Boom hinter sich gebracht und ist in jüngster Zeit auch wieder Gegenstand naturwissen-schaftlicher Bemühungen geworden, die eine konkrete Beschädigung nach-zuweisen versuchen (vgl. McFarlane/van der Kolk 2000). Ich teile in diesem Punkt die kritischen Einschätzungen von Lennertz (2006), Leys (2000) und Bohleber (2000), dass der derzeitige naturwissenschaftliche Erkenntnisgewinn überschätzt wird, und neige zu der Auffassung, dass Sandler immer noch zu-zustimmen ist: Das zentrale Definitionskriterium von »Trauma« – seine blei-bende Wirkung – ist auch angesichts neuer Erkenntnisse immer noch weitaus schwieriger zu definieren bzw. konzeptionalisieren, als der verdinglichende massenhafte Gebrauch des Wortes vermuten lassen würde.

Wie Hillebrandt detailliert ausführt, werden die konzeptionellen Schwie-rigkeiten von den meisten Autoren auf theorieimmanente Probleme zurück-geführt: auf die Elastizität psychoanalytischer Begriffe insgesamt (Sandler), auf Freuds widersprüchliche Traumakonzeptionen und auf die theoretischen Ausdifferenzierungen der Psychoanalyse generell (Hillebrandt 2004, S. 41; vgl. Bohleber 2000). Hillebrandt selbst argumentiert, dass diese theorieimmanenten Probleme alleine jedoch nicht genügen, um das Ausmaß der Schwierigkeiten zu erklären: Er interpretiert die Schwierigkeiten psychologisch als Trauma-Abwehr, die im Prozess der Theoriebildung wirksam sei. Dieses Argument und die Reflexion über die Schwierigkeiten betreffen generell mehr die Dis-kursebene und werden deshalb später ausführlicher dargestellt.

Im Folgenden werde ich mich zuerst darauf konzentrieren, was klassischer und neuerer Traumadiskurs trotz der Schwierigkeiten an Erkenntnissen hervorgebracht haben. Ich gehe dazu zunächst detaillierter auf einzelne Definitionen ein, bevor ich ausführlich Trauma-Phänomene darstelle.

Variationen der Überforderung

Auch wenn sich der bleibende »Teufel im Innern« als das einzige wirklich übergreifende Kriterium ausmachen lässt, so bleibt doch festzuhalten, dass viele Definitionen darüber hinausgehende inhaltliche Aussagen zur Entstehung dieses »Teufels« machen. Die meisten arbeiten mit der grundlegenden Vorstellung, dass jeder Mensch über Verarbeitungsmöglichkeiten verfügt, mit denen er viele schlimme Erlebnisse bewältigen kann. Wie Anna Freud schon 1967 betonte, wird nicht jedes »schlimme Erlebnis« ein Trauma (vgl. Mertens 1987). Das traumatische Erlebnis unterscheidet sich dadurch, dass die erwähnten Verarbeitungsmöglichkeiten außer Kraft gesetzt bzw. überfordert werden. Die verschiedensten Traumadefintionen variieren vor allem in der Erläuterung der Überforderung. An vier bekannten Definitionen lässt sich dies zeigen.

Sigmund Freud verwendet in der oben zitierten Definition sein Energiemodell. Die Überforderung besteht in einer Reizüberflutung, die in so »kurzer Zeit« stattfindet und »so stark« ist, d.h., es geht bei Freud um eine im doppelten Sinne quantitative Überforderung: um ein »zu schnell« und »zu viel«. Das oben erwähnte langfristig wirksame »pathogene Agens« wird entsprechend der Energiemetaphorik als »Störungen im Energiebetrieb« umschrieben. Interessant ist hier im Übrigen auch Freuds Wortwahl, mit der er ausdrückt, dass es so etwas wie »normale« Verarbeitung gebe (s.o.).

Anna Freud sah sich angesichts der bereits erwähnten Sinninflation aufgefordert Trauma neu mithilfe ihres Konzepts der Ich-Funktionen zu definieren. Ein Trauma meint für sie »eine innere Katastrophe, einen Zusammenbruch der Persönlichkeit aufgrund einer Reizüberschwemmung, die die Ich-Funktionen und die Vermittlungstätigkeit des Ichs außer Kraft gesetzt hat« (A. Freud 1967, S. 1834). Wie ihr Vater spricht sie zwar noch von Reizüberflutung, jedoch wird die Folge nicht mehr als Störung im Energiebetrieb gesehen, sondern entscheidend ist für Anna Freud, dass die Ich-Funktionen nicht mehr vermitteln können. Wie Mertens (1987) betont, geht es dabei um das totale Darniederliegen der Handlungsfähigkeit.

Für die weitere Entwicklung soll hier exemplarisch die Definition von A. Cooper zitiert werden, die auch in Bohlebers Überblicksartikel (Bohleber 2000) als repräsentativ für eine Reihe anderer Autoren eingeschätzt wird. Dieser formuliert 1986:

»Ein psychisches Trauma ist ein Ereignis, das die Fähigkeit des Ichs, für ein minimales Maß an Sicherheit und integrativer Vollständigkeit zu sorgen, abrupt überwältigt und zu einer überwältigenden Angst und Hilflosigkeit oder dazu führt, daß diese droht, und es bewirkt eine dauerhafte Veränderung der psychischen Organisation« (Cooper 1986, S. 44, zit. nach Bohleber 2000, S. 829f.).

Ganz analog zu den beiden ersten Definitionen ist hier von Verarbeitungsmöglichkeiten die Rede, die normalerweise die Bewältigung schwieriger Erlebnisse ermöglichen. Aus Anna Freuds Ich-Funktionen werden nun allerdings »Fähigkeiten des Ichs«. Interessant ist, dass diese hier nicht mehr nur abstrakt Verarbeitungsmöglichkeiten sind, sondern dass Cooper positiv definiert, worin die Fähigkeiten bestehen: ein Sorgen für ein Maß an »Sicherheit und integrativer Vollständigkeit«. Konkreter als Sigmund und Anna Freud wird Cooper auch bei der Beschreibung der Überforderung als »Angst und Hilflosigkeit«. Damit sind zwei Gefühle angesprochen, die von vielen Autoren als zentral für Trauma eingeschätzt werden (vgl. I.1.2).

Für ein abschließendes Beispiel soll noch aus einem der am meisten rezipierten jüngeren Standardwerke, dem *Lehrbuch der Psychotraumatologie* von Fischer und Riedesser, zitiert werden. Dort definieren die Autoren Trauma als ein »[...] vitales Diskrepanzerlebnis zwischen bedrohlichen Situationsfaktoren und den Bewältigungsmöglichkeiten, das mit Gefühlen der Hilflosigkeit und schutzloser Preisgabe einhergeht und so eine dauerhafte Erschütterung im Selbst- und Weltverständnis bewirkt« (Fischer/Riedesser 1998, S. 79).

Vergleicht man diese Definition mit der von Cooper, dann fällt auf, dass Cooper die Überforderung vom Ereignis her formuliert (das Ereignis führt zu Hilflosigkeit), d. h., das Ereignis als das Trauma definiert, während für Fischer und Riedesser das Erlebnis das Trauma ist. Entscheidend ist für Fischer und Riedesser, dass subjektiv eine Diskrepanz erlebt wird und Gefühle der Hilflosigkeit entstehen, bei Cooper verursacht das Ereignis die Gefühle. Wir finden hier also ein Beispiel für das oben skizzierte Problem des verwirrenden Sprachgebrauchs, der entweder das Ereignis oder das Erlebnis als Trauma definiert. Außerdem kann man sagen, dass im Sinne des dort ebenfalls bereits dargestellten komplexen Zusammenspiels von äußerer und innerer Realität, Fischer und Riedesser mehr das Gewicht der inneren Realität betonen, Cooper mehr die äußere. Interessant ist an dieser Definition nicht zuletzt, dass Fischer und Riedesser sich in ihrem Buch zwar insgesamt sehr dem psychodynamischen Ansatz verpflichtet fühlen, hier jedoch eher in Anschluss an das kognitive Paradigma nicht mehr von psychischer Organisation oder Struktur, sondern von »Selbst- und Weltverständnis« sprechen, das erschüttert werde (s. o.).

PTSD

Bevor ich nun von diesen grundlegenden Definitionsversuchen zur detaillierteren Beschreibung einzelner Trauma-Phänomene übergehe, will ich abschließend die Traumadefintion des Diagnostisch-Statistischen Manuals (DSM) der nordamerikanischen psychiatrischen Gesellschaft skizzieren. Das DSM definiert ein Trauma-Syndrom, das als »Post Traumatic Stress Disorder« bezeichnet wird und ins Deutsche als Posttraumatische Belastungsstörung (PTBS) übersetzt wurde. Gemäß der generellen Logik des DSM wurde für Diagnostizierung der PTBS ein Kriterienkatalog definiert. Dieser besteht

➤ erstens aus dem sogenannten A-Kriterium, das das traumatische Ereignis als potenziell traumatisch qualifiziert;

➤ zweitens in den Kriterien B, C und D, die mögliche Symptome beschreiben;

➤ und drittens den Kriterien E und F, die das Ausmaß der Beeinträchtigung erfassen sollen.

In diesem Sinne sind in der DSM-Diagnose also ebenfalls die drei Kernelemente Ereignis, Symptome und langfristige Beeinträchtigung enthalten.

Inhaltlich definiert das DSM ein Ereignis dann als traumatisch, wenn es »tatsächlichen oder drohenden Tod oder ernsthafte Verletzung oder eine Gefahr der eigenen Person oder anderer Personen« (zit. nach Fischer/Riedesser 1998) beinhaltete. Als zusätzliches eingrenzendes Kriterium wird definiert, dass dieses Ereignis eine Reaktion intensiver »Furcht, Hilflosigkeit oder Entsetzen« ausgelöst haben muss.

Die möglichen Symptome werden in drei Gruppen eingeteilt: Unfreiwillige Erinnerungen an das Trauma (z.B. Flashbacks), Verleugnungs- und Vermeidungssymptome (z.B. Vermeidung von Hinweisreizen) und Erregung (z.B. Hypervigilanz). Ganz in medizinisch-psychiatrischer Logik schreibt das DSM einen Algorithmus vor: Um die Diagnose stellen zu können, muss mindestens ein Erinnerungssymptom erkennbar sein, mindestens drei Vermeidungssymptome und mindestens zwei Erregungssymptome.

Die Beschädigung durch das Trauma (Kriterium E und F) wird durch die zeitliche Dauer der Symptome (länger als ein Monat) und durch die Auswirkung auf die konkrete Lebensführung definiert: »Das Störungsbild verursacht in klinisch bedeutsamer Weise Leiden oder Beeinträchtigungen in sozialen, beruflichen oder anderen wichtigen Funktionsbereichen« (zit. nach ebd.).

Es erstaunt nicht, dass dieser Definitionsversuch vielfältige Kritik hervorgerufen hat, die auf unterschiedlichen Ebenen anzusiedeln ist. Am einhelligsten wird der Algorithmus kritisiert, der der klinischen Erfahrung nicht angemessen erscheint (vgl. Fischer/Riedesser 1998, S. 43). So wechseln sich etwa Vermeidung und Wiedererinnerung im Sinne von phasenhaften Verläufen häufig ab und treten gerade nicht parallel auf. Ebenfalls sehr häufig ist die Kritik an der impliziten Verortung von Trauma in der Stresstheorie. Wie Fischer und Riedesser betonen ist diese Verortung gerade in Deutschland mit der problematischen Verwendung des Stressbegriffs im Kontext der Entschädigungsverfahren von ehemaligen KZ-Häftlingen verknüpft: Viele Gutachter hatten argumentiert, dass der Aufenthalt im KZ stressig aber nicht traumatisch gewesen sei (vgl. ebd., S. 44). Dies sind nur die beiden zentralen Kritikpunkte, die auch innerhalb des psychiatrisch-medizinischen Diskurses häufig vertreten werden. Auf weitere, radikalere Kritik gehe ich im Abschnitt über den kritischen Traumadiskurs (I.1.4) ein.

1.2   Individuelle Trauma-Phänomene[1]

Da sich die Therapieschulen (psychodynamisch, behavioristisch, kognitiv, neurowissenschaftlich) weniger in der Beschreibung als in der Behandlung von Traumata unterscheiden, verwende ich in der folgenden Darstellung von Phänomenen einen Kunstgriff: Ich schreibe so, als gebe es eine weitgehend einheitliche Darstellung quer zu den Schulen, was nur bedingt stimmt. Die Konvergenzen sind jedoch so hoch, dass eine übergreifende Darstellung auf der Basis einer insgesamt breiten Rezeption aktueller Literatur verschiedenster Provenienz gerechtfertigt schien.

DIALEKTIK VON AUSEINANDERSETZUNG UND ABWEHR (SELBSTSCHUTZ)

Eine in vielen Beschreibungen wiederkehrende basale Vorstellung lautet: Menschen reagieren auf ein traumatisches Ereignis zumeist mit vielfältigen Symptomen, die zwei grundlegenden, entgegengesetzten Impulsen zugeordnet werden können und für den Umgang mit einem schrecklichen Ereignis unmittelbar nachvollziehbar sind. Auf der einen Seite lässt die betroffen Person das Ereignis nicht los, lässt keine Ruhe, kommt immer wieder; auf der anderen Seite versucht er oder sie, die Angst und den Schmerz abzuwehren und verwendet auf diese Abwehr soviel Energie, dass er oder sie so gut wie gar nichts mehr spürt. Mardi Horowitz (1976) hat in einem grundlegenden Werk zu *Stress Response Syndromes* diese beiden Symptomgruppen als »Intrusion« und »Denial«, also als Heimsuchungs- und Verleugnungssymptome bezeichnet. Unter Intrusion werden Zustände verstanden, in denen die traumatische Situation erneut erlebt wird: sich aufdrängende Gedanken, die bis zur zwanghaften Beschäftigung mit dem Erlebnis führen, Alpträume, sogenannte Flashbacks und andauernde Erregungszustände. Zu den Verleugnungssymptomen gehören psychische Lähmung, Erstarrung sowie emotionale Taubheit.

Judith Herman sieht diese oft als entgegengesetzte Tendenzen oder entgegengesetzte Zustände bezeichneten Symptome in einem dialektischen Verhältnis:

> »Der Konflikt zwischen dem Wunsch, schreckliche Ereignisse zu verleugnen, und dem Wunsch, sie laut auszusprechen, ist die zentrale Dialektik des Traumas« (Herman 1993, S. 9).

Sie ergänzt ihre These mit dem wichtigen Hinweis, dass das bruchstückhafte Erzählen, welches immer wieder dazu führt, dass Traumatisierten nicht geglaubt wird, eine Art Kompromiss darstellt: Man erzählt ohne richtig zu erzählen.

Luise Reddemann und Ulrich Sachsse (1997b) sehen diese entgegengesetzten Tendenzen als funktionalen Bewältigungsprozess, durch den das Trauma »integriert« werde. Wenn dieser Bewältigungsprozess durch verschiedene externe oder interne Faktoren (z. B. der Persönlichkeitsstruktur) erschwert oder gestört wird, komme es zu länger anhaltenden Schwierigkeiten. Interessant ist, dass die Autoren dabei dem sozialen Umfeld eine entscheidende Rolle zuweisen. In den Reaktionen der Umwelt, so Reddemann und Sachsse, spiegeln sich meist ebenfalls die gleichen Impulse, nämlich entweder zur aktiven Auseinandersetzung zu ermutigen (»Sprich drüber, lass es raus!«) oder zur Verleugnung (»Lenk dich ab!«). In diesem Sinne kann die unterschiedliche Intensität von Auseinandersetzung bzw. Intrusion oder Verleugnung auch als Folge dessen interpretiert werden, was ein bestimmtes soziales Umfeld nahelegt. Dies ist vor allem deshalb von Bedeutung, weil es der spontanen, naiven Annahme Außenstehender widerspricht, ein Trauma sei umso schlimmer einzuschätzen, je deutlicher eine Person an Intrusionssymptomen leidet. Das Gegenteil kann der Fall sein, nämlich dass jemand sich durch ein verlässliches Umfeld vorübergehend mehr »Intrusion« leisten kann und sich dann schneller erholt. Insgesamt gibt es dafür jedoch kaum feste Regeln.[2]

Reddemann und Sachsse weisen darauf hin, dass es dann zu einer Störung des Bewältigungsprozesses kommen kann, wenn dem Betroffenen von relevanten anderen die eigene Wahrnehmung abgesprochen wird. Insgesamt zeigen zahlreiche Untersuchungen die eminente Bedeutung, die soziale Unterstützung für die Erholung von einem traumatischen Erlebnis hat.

DISSOZIATION

Innerhalb der Dialektik von Auseinandersetzung und Abwehr kommt dem Phänomen der Dissoziation eine herausragende Bedeutung zu.[3] Dissoziation ist ein Trauma-Coping-Mechanismus, der, wie Reddemann und Sachse betonen, eingesetzt werde, wenn es keine Möglichkeit zu Kampf oder Flucht gebe. Wilson definiert Dissoziation als einen »Prozess, durch den bestimmte Gedanken, Einstellungen oder andere psychische Aktivitäten ihre Relation zu anderen psychischen Aktivitäten bzw. zur übrigen Persönlichkeit verlieren, sich abspalten und mehr oder minder unabhängig funktionieren« (Wilson 1980). Am bekanntesten ist die Form der Dissoziation, die manche Opfer als ein Heraustreten aus dem eigenen Körper beschreiben, wodurch sie sich selbst von außen beobachten. Erich Fromm nannte die Dissoziation dementsprechend eine »Spaltung zwischen beobachtendem Ich und erlebendem Ich« (Fromm 1965). Vor allem missbrauchte oder misshandelte Kinder nutzen die Dissoziation als eine Möglichkeit, unerträgliche Realitäten zu verlassen. Wie alle Traumasymptome kann sich auch dieser ursprünglich schützende Mechanismus verselbständigen und zu dauerhaften Problemen führen, indem jemand etwa später nach bestimmten Auslösereizen (den sogenannten »Triggern«) unwillkürlich die Realität verlässt, dissoziiert.

TRAUMA ALS PROZESS

Sequenzielle Traumatisierung nach Hans Keilson

Hans Keilson hat eine systematische Langzeituntersuchung durchgeführt, bei der er die Entwicklung von jüdischen Kriegswaisen in Holland analysierte (Keilson 1979). Er führte dabei den Begriff der sequenziellen Traumatisierung ein, das heißt, er identifizierte drei »Sequenzen«, die das Trauma dieser Kinder ausmachten:

➤ die feindliche Besetzung der Niederlande und den Beginn des »Terrors«;
➤ die Phase der direkten Verfolgung (Deportation der Eltern und Kinder, die Trennung von Eltern und Kindern und die Konzentrationslager);
➤ die Phase nach dem Krieg, die von der kontroversen Entscheidung geprägt war, ob die Kinder in den holländischen Familien bleiben oder in eine jüdische Umgebung kommen sollten.

Diesem neuen Konzept von »Trauma als Prozess« liegt insofern ein radikal anderes Verstehen von Trauma zugrunde, als nun nicht mehr ein traumatisches Ereignis sondern eine Abfolge von Ereignissen betrachtet wird. Entgegen dem intuitiven Verständnis von Trauma konnte Keilson zudem zeigen, dass für die langfristige »psychische Gesundheit« der Kriegswaisen nicht unbedingt der Schweregrad der ersten beiden traumatischen Phasen entscheidend war. So ging es Kindern, die in der Nachkriegszeit unter relativ guten Bedingungen aufwuchsen, besser als Kindern, die eine schwierige Nachkriegszeit (dritte Sequenz) nach einer (vergleichsweise) weniger schrecklichen zweiten Sequenz erlitten hatten.

Inzwischen verweisen auch andere Traumaforscher auf den Prozess-charakter, indem sie zum Beispiel von der nicht zu unterschätzende Bedeutung der »post-expositorischen Phase« (vgl. z. B. Fischer/Riedesser 1998) sprechen. Entscheidend für die Entwicklung psychischer Schwierigkeiten ist also nicht, wie grausam das Trauma an sich war, sondern wie es unmittelbar danach und später weiterging.

Diese Ergebnisse sind von enormer Bedeutung sowohl für die individuelle Traumatherapie als auch für die Reflexion kollektiver Prozesse (vgl. Becker 2006). Die Aufmerksamkeit des Gegenübers allgemein wie auch des Thera-peuten, der das Leiden des Opfers verstehen will, richtet sich meist intuitiv fast nur auf das, was in der ersten traumatischen Sequenz geschah (»Wenn ich weiß, was dir vom Täter angetan wurde, kann ich dich besser verstehen.«). Das Konzept der sequenziellen Traumatisierung ist vor allem deshalb revolutionär, weil es alle »mit in die Pflicht nimmt«, die mit dem Opfer zu tun hatten und haben, auch nach der Traumatisierung. Dies ist unmittelbar von politischer Bedeutung, wenn es etwa um Flüchtlingspolitik geht: Zur Heilung des Traumas kann die aufnehmende Gesellschaft einen wichtigen Beitrag leisten; es besteht jedoch die erhebliche Gefahr der Re-Traumatisierung, wenn beispielsweise Befragungen durch die Polizei (oder andere Konfrontationen mit ihr) der ursprünglichen traumatischen Szene stark ähneln. Becker bemerkt dazu, dass es in Keilsons Verständnis von Trauma also nicht nur um die Aufarbeitung vergangener Verbrechen gehe, sondern um die »fortgesetzte Relevanz der sozialen Umwelt, auch viele Jahre später noch« (Becker 2001c).

Sequenzielle Traumatisierung bedeutet, Trauma nicht als einen einmaligen Vorgang zu denken, sondern als einen langen Prozess mit verschiedenen Phasen oder eben verschiedenen traumabezogenen Sequenzen.

Latenz

Ein weiteres, wichtiges Merkmal von Trauma ist mit der Logik der sequen-ziellen Traumatisierung und mit der Logik des Gewaltaktes selbst eng ver-bunden: das Phänomen der Latenz. Um psychisch und physisch zu überleben, versucht das Gewaltopfer während der Tat unbewusst eine Art Wahrneh-mungsschutz (etwa in Form der Dissoziation) aufzubauen, der verhindert, dass es sich der vollen Tragweite dessen, was gerade passiert, klar wird. Dies kann insbesondere für das Ausmaß der Lebensgefahr gelten. Die volle Bedeutung, das Ausmaß der Lebensgefahr und damit die volle Wucht des Traumas erfasst das Opfer oft erst viel später.

Neben dem typischen Wechsel von Auseinandersetzung und Abwehr kann das Trauma deshalb auch so verlaufen, dass lange Zeit nach dem traumatischen Ereignis gar keine Symptome vorhanden sind, das Opfer die Gewalt scheinbar unbeschadet überstanden hat und erst viel später Symptome auftreten. Das Trauma kann also über einen kürzeren oder längeren Zeitraum »latent« bleiben. So hob der norwegische Psychiater Leo Eitinger bereits in seinen frühen Untersuchungen zum »Concentration Camp Syndrome« hervor, dass die norwegischen Überlebenden, die im Prinzip in eine stabile und unterstützende, sie als Helden feiernde Umwelt zurückkehrten, zunächst eine fast euphorische, symptomfreie Phase hatten und erst nach einiger Zeit schwere Symptome entwickelten (Eitinger 1964). Eine in Israel durchgeführte Studie kommt zu dem Ergebnis, dass viele Holocaust-Überlebende, die ihr Leben kompetent meisterten, im Alter – von außen unerwartet – unter massiven Traumasymptomen leiden (vgl. Landau/Littwin 2000).

Von Bedeutung ist für den hier interessierenden Zugang zu kollektivem Trauma, dass das Phänomen der Latenz auf verschiedenen Ebenen sichtbar wird: So wurde etwa auch für die Auswirkungen auf die zweite Generation festgestellt, dass das, was weitergegeben wurde, eher im Bereich einer latenten psychischen Verwundbarkeit als im Bereich einer manifesten Schädigung liegt.

Nachträglichkeit

Verwandt mit dem Phänomen der Latenz – in manchen Fällen vielleicht sogar als ihre Ursache verstehbar – ist die bereits von Freud im Zusammenhang mit Trauma konstatierte »Nachträglichkeit«. Er beschrieb, dass Opfer von sexuellem Missbrauch oft deshalb in der Pubertät an Symptomen zu leiden beginnen, weil ihnen die Bedeutung des Erlebten erst durch das Gewahrwerden der eigenen Sexualität bewusst wird. Durch das wachsende Bewusstsein für Sexualität erkennen sie das ursprünglich vielleicht nur diffus als »falsch« Erlebte nachträglich zutreffend als sexualisiert. Analog kann bei Erwachsenen die Phase der latenten Traumatisierung durch plötzliches Bewusstwerden beendet sein. Van der Kolk beschreibt die Reaktion einer vergewaltigten Frau, die Monate später erfuhr, dass der gleiche Täter ein weiteres Sexualopfer umgebracht hatte. Erst dann entwickelte sie starke Symptome (van der Kolk 2000, S. 31).

Das Phänomen der »Nachträglichkeit« illustriert besonders deutlich den Prozesscharakter des Traumas: Das vergangene Trauma wirkt nicht nur (linear-kausal) auf das gegenwärtige Erleben, sondern das gegenwärtige Leben wirkt auf die traumatische Erinnerung zurück, die Gegenwart verändert die Vergangenheit. Laplanche und Pontalis definieren Nachträglichkeit so: »Erfahrungen, Eindrücke, Erinnerungsspuren werden später aufgrund neuer Erfahrungen und mit dem Erreichen einer anderen Entwicklungsstufe umgearbeitet. Sie erhalten somit gleichzeitig einen neuen Sinn und eine neue psychische Wirksamkeit« (Laplanche/Pontalis 1972, S. 313). A. Modell (1990) versteht unter Nachträglichkeit einen »Prozess, bei dem Erinnerungen durch neue Erfahrungen geprüft und modifiziert werden« (zit. nach Kerz-Rühling 2000, S. 472). Für das Verständnis von Trauma von besonderer Bedeutung ist, dass nicht das Erlebte allgemein »nachträglich umgearbeitet« wird, »sondern selektiv das, was in dem Augenblick, in dem es erlebt worden ist, nicht vollständig in einen Bedeutungszusammenhang integriert werden konnte (Laplanche/Pontalis 1972, S. 314).[4]

STABILITÄT – ERSCHÜTTERUNG

Eine der zentralen Metaphern, mit der Traumata beschrieben werden, ist die der Erschütterung. Durch ein traumatisches Erlebnis werden menschliche Grundüberzeugungen erschüttert: der Glaube an eine im Prinzip gute Welt, das Vertrauen in die eigene Selbstwirksamkeit, d.h. in das Gefühl, äußeren Umständen nicht hilflos ausgesetzt zu sein, sondern aktiv handelnd wirksam sein zu können. Für die amerikanische kognitive Psychologin Ronnie Janoff-Bulmann sind diese »erschütterten Grundüberzeugungen« (shattered assumptions) nicht nur ein Phänomen von vielen, sondern der Kern jeden Traumas (Janoff-Bulmann 1992). Zentral ist für sie neben dem Glauben an eine halbwegs »heile Welt«, dass die Vorstellung der Unverletzbarkeit der eigenen Person radikal in Frage gestellt werde. Um ihre Thesen zu differenzieren, hat sie ausführlicher untersucht, welche Grundannahmen bei verschiedenen Traumatisierten konkret erschüttert wurden und wie sich vorausgegangene vergleichbare Erfahrungen auswirken. Tatsächlich konnte sie feststellen, dass für Menschen, deren Vertrauen in die gute Welt schon durch vorherige traumatische Erfahrungen in Frage gestellt worden waren, die unmittelbare Erschütterung direkt nach einem traumatischen Ereignis geringer war als bei Menschen, die bis dahin an eine gute Welt geglaubt hatten. Allerdings erholten sich die »Gutgläubigeren« in Janoff-Bulmanns Untersuchungen langfristig trotzdem schneller (was sie mit besseren Coping-Mechanismen erklärt). Auch wenn vielleicht nicht alle TheoretikerInnen die Erschütterung von Überzeugungen ins Zentrum des Trauma-Verständnisses rücken würden, so ist doch die Reorganisation und Restitution von Selbst- und Weltverständnis wesentlicher Bestandteil der spezifisch menschlichen Traumaverarbeitung.[5]

Die Frage nach der Auswirkung der Vorgeschichte kann jedoch auch aus einem anderen Gesichtspunkt betrachtet werden als dem der »Erschütterung«, nämlich dem der »Prämorbidität«. Die Frage, worauf das Trauma trifft, wurde vor allem aus psychoanalytischer Perspektive sehr differenziert gestellt. Es ist aus dieser Sicht nicht nur eine Frage nach den vorhandenen Vorstellungen, sondern danach, wie das Trauma insgesamt mit der bis dahin ausgeprägten psychischen Struktur interagiert. So hat etwa der frühe Tod eines Geschwisters bei ausgeprägter Geschwisterrivalität schwerere Folgen als bei weniger ausgeprägter: Das überlebende Kind fühlt sich (mit-)schuldig für den Tod des Geschwisters, da es unbewusst die eigene Aggression mit dafür verantwortlich macht. Sehr häufig aktiviert das Trauma, wenn in seinem Zentrum der Verlust naher Bezugspersonen steht, frühere schwere Verluste und bringt dann sozusagen das Fass zum Überlaufen.

Politisch brisant wurde diese Frage im Kontext der Entschädigungsverfahren, als Überlebende des Holocaust sich aus heutiger Sicht unzumutbare Fragen über ihre mögliche »prämorbide Störung« gefallen lassen mussten, die an den psychischen Schwierigkeiten mehr schuld sein sollten als KZ-Haft, Folter und Ermordung von Angehörigen. Den Psychoanalytiker Kurt Eissler veranlassten diese entwürdigenden Verfahren zu der berühmt gewordenen Frage: »Die Ermordung von wie vielen seiner Kinder muss ein Mensch symptomfrei ertragen, um psychisch gesund zu sein?« (Eissler 1963)

Auch aus therapeutischer Sicht, das heißt aus der Heilungsperspektive, gibt es eine hitzige Kontroverse um das Thema Stabilität. Lange Zeit orientierten sich die meisten Psychotherapien auch bei Traumata am Paradigma der Aufarbeitung. In unterschiedlicher Ausprägung war es erklärtes Ziel, sich der Auseinandersetzung mit dem Trauma zu stellen, es z. B. wiederzuerleben, kathartisch abzureagieren, in jedem Fall die Konfrontation mit dem Erlebten zu wagen. Im Sinne der oben skizzierten Dialektik zwischen Vermeidung und Annäherung ergriff die Psychotherapie in jedem Fall Partei gegen die Vermeidung. Erst in neuerer Zeit entwickelte sich in dieser Hinsicht bei manchen Therapeutinnen mehr Zurückhaltung (vgl. Reddemann/Sachsse 1997a). Zweifel am Allheilmittel und der Möglichkeit der Aufarbeitung kommen auf. Zunehmend wird die Schutzfunktion der Vermeidung honoriert. Dies bedeutet zunächst, dass sich Therapie mehr am Selbstschutzmechanismus der Psyche orientiert, d. h., dass unter Umständen gewartet werden muss, bis genügend Stabilität erreicht ist, um sich der »Exposition« zu stellen. In vielen Fällen endet die Therapie dann sogar mit dieser »Stabilisierungsphase« und beschränkt sich darauf, eine gewisse Stabilität zu erreichen und zu erhalten (vgl. ebd.).

SCHULD

Da die offizielle Klassifizierung von Trauma als psychiatrische Diagnose im Diagnostisch-Statistischen Manual (DSM) der American Psychiatric Association eng mit der Anerkennung des spezifischen Leidens der Vietnam-Veteranen verknüpft war, wurden die für Vietnam-Veteranen so charakteristischen quälenden Schuldgefühle als eine Form von Intrusionssymptomen in die Traumadiagnose mitaufgenommen. Tatsächlich scheinen zwar Schuldgefühle für die meisten Überlebenden von Gewalterfahrung eine herausragende Rolle zu spielen, jedoch lohnt sich ein differenzierter Blick auf die unterschiedliche psychologische Bedeutung und den je realen Hintergrund. So wird zum Beispiel psychodynamisch argumentiert, dass irrationale Schuldgefühle dazu dienen können, sich die real gegebene völlige Ohnmacht nicht eingestehen zu müssen, d. h., dass es für das psychische Gleichgewicht leichter erträglich sein kann schuld gewesen statt völlig ohnmächtig gewesen zu sein. Bereits Sandor Ferenczi verwies auf die besondere Bedeutung, die dies bei Kindern haben kann: Wenn Kindern von einer nahen, geliebten Bezugsperson Gewalt angetan wird, dann ist es für sie oft leichter, die Schuld auf sich zu nehmen (also etwa sich zu Recht bestraft zu fühlen) als – psychisch – die Bezugsperson zu verlieren, d. h., einsehen zu müssen, dass die bis dahin für gut gehaltenen wichtige Bezugsperson sich so schlecht verhalten hat (vgl. Ferenczi 1933). Mathias Hirsch nimmt an, dass dieser paradox anmutende Prozess – nämlich dass das Opfer die Schuldgefühle hat, die der Täter haben sollte – auch charakteristisch für schwere Beziehungstraumata im Erwachsenenalter sein könnte. Er beschreibt ein charakteristisches »traumatisches Schuldgefühl«:

> »Schwere Gewalt- und Verlusterfahrungen hinterlassen einen Fremdkörper im Selbst, ein Introjekt, das Schuldgefühle verursacht. Das Paradoxon, dass das primär unschuldige Opfer […] unter schweren Schuldgefühlen leidet, während der Täter weder Schuldgefühle hat noch irgend eine Schuld anerkennt, kann eigentlich nur damit aufgelöst werden, dass das Opfer den Täter lebensnotwendig braucht« (Hirsch 2000, S. 457).

Hier klingt an, wie komplex bei genauerem Hinsehen das Beziehungsgeschehen ist, das sich zwischen Täter und Opfer entwickelt und das in seiner vielschichtigen Bedeutung zentral für den Inhalt des Traumas ist. In einigen Fällen kann das Schuldgefühl zwar in seinem Ausmaß jede reale Verantwortung übersteigen, es kann aber dennoch wichtig sein, den Teil der Verantwortung anzuerkennen, der tatsächlich beim Traumatisierten lag. Herman (1993) weist auf die Tendenz hin, Schuldgefühle zu schnell zu entkräften. Dies helfe jedoch auch den Klienten nicht, da es darum gehe, zwischen dem tatsächlichen Anteil an Verantwortung und der zu Unrecht übernommenen Schuld zu unterscheiden. Allerdings gestaltet sich dies häufig als besonders schwieriger Balanceakt. Fischer warnt in diesem Zusammenhang davor, dass die Frage nach der »Mitschuld« sehr schnell in Richtung der typischen Abwehrstrategie der Umwelt geht, die – statt das traumatische Leid anzuerkennen und auszuhalten, dass hier jemandem unschuldig etwas Schlimmes zugestoßen ist – allzu schnell dem Opfer die Schuld gibt. Diese Strategie ist als »blaming the victim«-Strategie bezeichnet worden und ist vor allem typisch für den gesellschaftlichen Umgang mit Vergewaltigung (Fischer 1998, S. 181).

In Bezug auf die Vietnam-Veteranen war der bezeichnete Balanceakt von besonderer Bedeutung. Robert Lifton nannte sein Buch über die Veteranen *Neither Victims nor Perpetrators*. Die Soldaten in Vietnam seien von ihrem Staat für einen ungerechten und grausamen Krieg instrumentalisiert worden, insofern also Opfer, innerhalb dieses Opferseins jedoch zu Tätern in diesem Krieg geworden. Lifton hat in seiner Arbeit mit Selbsthilfegruppen ein Konzept entwickelt, das helfen sollte die meist lähmende Auseinandersetzung mit der eigenen Schuld umzuwandeln: das Konzept der »animating guilt« (Lifton 1973). Lifton sah, dass er den Vietnam-Veteranen die Schuld nicht ausreden konnte, da sie auch schuldig geworden waren; es musste deshalb darum gehen, diese Schuldgefühle in etwas Lebendigmachendes zu verwandeln, von der Lähmung zum Handeln zu kommen. In diesem Zusammenhang ist außerdem der Hinweis von Shay (1994) bedeutsam, der bei kriegstraumatisierten Vietnam-Veteranen einen Verstoß gegen geschriebene oder ungeschriebene Regeln als wichtigen Faktor für die Entwicklung schwerwiegender Symptome feststellte. Den Schuldgefühlen liegt also unter Umständen auch ein Versagen vor der eigenen Moral zugrunde. Als quälende Sequenz, an der sich für sie Schuldgefühle festmachten, tauchten bei vielen Veteranen nicht vietnamesische Opfer, sondern die Bilder von Kameraden auf, für deren Tod sie sich mitverantwortlich fühlten (Shay 1994).

Obwohl nicht im Kontext von Traumatheorien entwickelt, soll hier abschließend die von Mentzos (2002) vorgeschlagene Differenzierung zwischen autonomen und heteronomen Schuldgefühlen vorgestellt werden. Laut Mentzos besteht ein wichtiger Unterschied zwischen Schuldgefühlen, die jemand hat, weil er den eigenen Vorstellungen und Erwartungen nicht gerecht wurde, und Schuldgefühlen, die auf einer Verletzung von von außen kommenden Geboten bzw. Verboten zurückgehen. Er nennt die ersteren »autonome« und die zweiteren »heteronome« Schuldgefühle (Mentzos 2002).

Die Schuldfrage lässt sich innerhalb der Dialektik des Traumas dem Pol der Auseinandersetzung zuordnen, wobei diese Art der Auseinandersetzung sehr zwanghaften, quälenden Charakter bekommen kann. So waren viele Holocaust-Überlebende jahrelang von der Erinnerung an eine ganz konkrete Szene gequält, in der sie womöglich anders hätten handeln sollen.

RE-INSZENIERUNG UND WIEDERHOLUNGSZWANG

Wenn die Psyche von traumatischen Ereignissen überflutet wird und die Verarbeitungsmöglichkeiten dementsprechend überfordert sind, erfolgt nicht unbedingt eine unmittelbare Reaktion. Stattdessen gehen verschiedene

AutorInnen davon aus, dass sich die Psyche die Ereignisse »merkt« und zu einem späteren Zeitpunkt nach einem Ausdruck für das Trauma sucht, idealtypisch in der Hoffnung, dass es dann bearbeitet werden kann.

Bereits Freud selbst war zu der Überzeugung gelangt, dass bestimmte Erinnerungen nicht direkt analysiert werden können, sondern dadurch nach Bearbeitung »rufen«, dass sie in der Übertragungsbeziehung mit dem Therapeuten wiederholt werden (vgl. Freud 1914). Dieser Vorgang wird auch als »Re-Inszenierung« bezeichnet und in Bezug auf Trauma als »Wiederholungszwang«. Dem liegt eine ähnliche Vorstellung zugrunde wie dem entwicklungspsychologischen Verständnis vom Spiel der Kinder: Kinder spielen in Rollenspielen häufig Situationen nach, in denen sie sich als ohnmächtig erlebt haben. Im Spiel wird die Beherrschung der Situation wiederhergestellt (vgl. Mertens 1987), die Kinder wollen sich wieder als machtvoll erleben. Der erwachsene Traumatisierte, für den ebenfalls das Erleben der Ohnmacht zentral war, stellt »Szenen« her oder sucht »Szenen« auf, die der traumatisierenden Situation ähnlich sind. Man könnte sagen, dass die »Psyche« diese Situationen herstellt oder sucht, um diesmal – ähnlich den Kindern im Spiel – eine neue, eine bessere Erfahrung zu machen. Dieser Versuch kann jedoch auch scheitern, dann nämlich wenn der Traumatisierte keine bessere Erfahrung macht, in der Re-Inszenierung nicht »geheilt« sondern re-traumatisiert wird. Man spricht dann von Wiederholungszwang. In der Wiederholung liegt also die Chance der »Heilung« und gleichzeitig im »Wiederholungszwang« ihr größtes Hindernis.

Nach Einschätzung Fischers existiert in der Diskussion um das Konzept des Wiederholungszwangs ein der prekären Schuldfrage verwandtes Problem: Im Zusammenhang mit der sogenannten Opferforschung wurde die Frage diskutiert, ob es eine typische »Opferpersönlichkeit« gebe, die sich traumatische Erfahrungen systematisch »zuziehe«. Die Diskussion erinnere an die oben skizzierte Abwehrstrategie »blaming the victim« (vgl. Fischer 1998).

OHNMACHT – MACHT – SELBST-BEMÄCHTIGUNG

Was in der eingangs zitierten Arbeitsdefinition von Trauma als »Überforderung des seelischen Systems« bezeichnet wurde, lässt sich im Kontext von man-made-disaster auch als Erfahrung absoluter Ohnmacht beschreiben. Vor allem für Traumatherapeuten und -theoretiker, die das Trauma im politischen Kontext verorten, steht im Zentrum des Traumas die Erfahrung von Ausgeliefertsein und Ohnmacht (vgl. Becker 2006). Dies liegt nahe, da die Gewaltausübung, die Traumatisierung verursacht, eine Machtausübung ist. Auch viele der dem Trauma folgenden Symptome können als teilweiser Verlust der Macht über sich selbst oder als Kontrollverlust bezeichnet werden, so z. B. die sich aufdrängenden Erinnerungen (Intrusionen), Flashbacks (Wiedererleben) oder etwa das plötzliche Wegkippen (Dissoziationen).

Für Macht und Ohnmacht sensibiliserte TherapeutInnen achten deshalb in der therapeutischen Beziehung in besonderem Maße darauf, nicht die traumatisierende Grenzüberschreitung zu wiederholen. So lassen Therapeuten bei Folteropfern die PatientInnen bewusst eine weitere Person (Freund oder Freundin) in die Therapiesitzung mitnehmen, da die Zweiersituation »mächtiger Therapeut – reagierender, ohnmächtiger Patient« Assoziationen an das ursprüngliche Ausgeliefertsein in der traumatisierenden Szene weckt. Ähnlich achten feministische Therapeutinnen (vgl. Hilsenbeck 1997) bei Opfern sexuellen Missbrauchs in besonderem Maße darauf, in der Therapie nicht übergriffig zu sein und der Patientin so viel Kontrolle wie möglich zu überlassen (z.B. indem sie sich jeweils vergewissern, wie es der Patientin mit dem gewählten Vorgehen geht: »Ist es okay, wenn ich jetzt genauer nachfrage ...«).

Von besonderer Bedeutung ist diese Perspektive auf Trauma für die Entwicklung psychosozialer und gesellschaftlicher Interventionen. Diese sind immer in Gefahr, Abhängigkeit zu verstärken, sollten aber im Sinne von Empowerment Möglichkeiten schaffen, die zur Wiedergewinnung von Macht über sich selbst führen (vgl. Becker in Kühner 2003). In Krisenregionen können dies die ganz aktuell anstehenden, lebensnotwendigen Aktivitäten sein. In vielen Fällen hat sich gesellschaftliches oder politisches Engagement als hilfreich erwiesen, um wieder ein Gefühl für die eigenen Fähigkeiten zu entwickeln. Wenn sich Opfer von Menschenrechtsverletzungen (Folter) gegen Menschenrechtsverletzungen engagieren, gewinnen sie in diesem Sinne Macht zurück. Insgesamt lassen sich verschiedene der hier dargestellten Heilungs- und Selbstheilungsversuche als unterschiedlich wirksame Strategien der Selbstbemächtigung verstehen: Öffentliche Zeugenaussagen sind ein machtvoller politischer Akt, in der Re-Inszenierung liegt die Hoffnung, nun Macht über die »gleiche« Situation zu gewinnen und auch Rache will die Machtverhältnisse umkehren.

Die Spuren des Täters im Opfer

Die Gewaltausübung des Täters am Opfer lässt sich aus psychologischer Sicht auch als komplexes Beziehungsgeschehen analysieren. Dies ist deshalb von besonderer Bedeutung, weil bei man-made-disasters ein zentraler Schlüssel für das Verständnis des Traumas im Verstehen dieses Beziehungsgeschehens liegt. Was hat sich zwischen Täter und Opfer ereignet? Hier erscheint es besonders schwierig, allgemeine Aussagen zu treffen. Hatten Täter und Opfer kaum, nur kurz oder etwa im Rahmen einer Monate oder Jahre andauernden Haft miteinander zu tun? Hirsch versucht trotzdem folgende, sehr allgemeine Aussage:

»Schwere Traumatisierung bedeutet massive Grenzüberschreitung, ein Ein-
reißen der Grenze zwischen Subjekt und Objekt, Täter und Opfer. Der Im-
plantation des Bösen durch den Folterer folgt die Introjektion, das Einrichten
einer entsprechenden ›tyrannischen Instanz‹ im Opfer selbst, die es nun weiter
entwertet und schuldig spricht – das Introjekt macht Schuldgefühle« (Hirsch
2000, S. 642).

Was in der kognitiven Psychologie als »shattered assumptions«, als »erschütterte
Annahmen« bezeichnet wird, kann hier mit Blick auf das Täter-Opfer-Verhältnis
differenziert werden: Der Täter dringt durch die Tat in die Innenwelt des Opfers ein, zerstört nicht nur Grundannahmen, sondern insgesamt die psychische
Struktur des Opfers. Die ungerechtfertigte Übernahme des Schuldgefühls ist
dabei nur ein Teil. In vielen Fällen von man-made-disasters (also z. B. bei wie-
derholter Folterung durch den gleichen Folterer, bei Entführungen und bei
wiederholtem sexuellem Missbrauch) ist es für das Opfer lebensnotwendig,
sich intensiv mit dem Täter zu beschäftigen, sich partiell mit ihm identifizieren
zu können, um ein Stück Kontrolle über die ansonsten von purer Ohnmacht
gekennzeichnete Situation zu bekommen. In diesem Zusammenhang wird oft
ein weiterer paradoxer Effekt beschrieben, nämlich dass ein unwillkürliches
Gefühl der Nähe zum Täter entstehen kann, welches das Opfer jedoch wiederum innerlich in erhöhte Bedrängnis bringt, da es zugleich weiß, dass der Täter
sein Gegner bleibt und bleiben muss.

RACHE

Im Vergleich dazu, dass Rache und Rachegefühle in der kulturellen Auseinandersetzung mit Gewalt häufig vorkommen (etwa der elaborierte Racheplan der
Hekabe in der griechischen Tragödie oder im Nibelungenlied) sind Rache und
Rachefantasien sehr wenig zum Gegenstand der psychologischen Auseinandersetzung mit Folgen von Gewalttraumata geworden. Wenn Rachefantasien
angesprochen werden, dann eher in kurzen Bemerkungen, die nicht näher
diskutiert werden. So schreibt Martin Bergmann kurz und lapidar:
»Ob es uns gefällt oder nicht, die natürliche Reaktion auf ein Trauma ist der
Wunsch, anderen dasselbe zuzufügen – nach Möglichkeit natürlich den Tätern,
aber wenn dies nicht möglich ist, dann eben anderen« (Bergmann 1993, S. 20).
Bergmann spricht hier von einer »natürlichen Reaktion«, deutet aber die
Schwierigkeit, diese als solche zu sehen, nur an. Judith Herman deutet Rachegefühle im Sinne des oben als ein Kernstück von Trauma beschriebenen
Ohnmachtsgefühls. Sie sieht in Rachefantasien – interessanterweise ganz analog
dazu auch in Vergebungsfantasien – den Versuch, die ohnmächtige Position
wenigstens in der Vorstellung zu überwinden und stattdessen (je nachdem) die

Macht zu haben, vergeben oder rächen zu können. Der oder die Traumatisierte sucht in der Rachefantasie Erleichterung, findet sie jedoch meistens nicht, da er oder sie, so Herman, häufig in Konflikt mit dem eigenen Selbstbild komme und sich dann als »Monster« erlebe. Die Bilder der Rachefantasie orientieren sich oft an der ursprünglichen Tat und können deshalb die quälenden Erinnerungen verstärken und Angst auslösen. Für Herman ist das Aufgeben der Rachefantasie deshalb ein Schritt zur Heilung:

> »Wer seine Rachephantasien ablegt, gibt damit jedoch nicht auch seine Suche nach Gerechtigkeit auf, ganz im Gegenteil: Nun ist die Zeit gekommen, sich wieder mit anderen Menschen zusammenzutun und gemeinsam den Täter für seine Verbrechen zur Rechenschaft zu ziehen« (Herman 1993, S. 269).

Während die Rachefantasien oft einsam sind (da es meist aus Scham schwer fällt, sie mitzuteilen), ist die Suche nach Gerechtigkeit ein potenziell gemeinsames Anliegen. Unter Bezugnahme auf Hannah Arendt, die betont, dass eine verbrecherische Tat die Gemeinschaft bedroht und dass es deshalb um »das Gesetz selbst und nicht um den Kläger« geht, formuliert Herman eine Idealvorstellung von Genesung: Indem auch das Opfer nach einer Verurteilung des Täters strebt, sieht es diese als Frage des Prinzips an und weniger als die Befriedigung persönlicher Rachegelüste. Dies ermögliche das letztendlich heilsame Gefühl, »an einer wichtigen sozialen Handlung mitzuwirken« (ebd., S. 301).

Mit dieser Wendung formuliert Herman wiederum ein Motiv der griechischen Tragödie: Aischylos lässt den ursprünglich rachedurstigen Orestes (anders als Hekabe) zur Vernunft kommen, sodass er seine privaten Regungen letztlich den Gesetzesregeln unterwirft. Ähnlich wie Herman sehen van der Kolk und McFarlane dies als Ausweg aus der »traumatischen Rache« (McFarlane/van der Kolk 2000, S. 64).

In diesen therapeutischen Überlegungen wird Rache verstanden als eine unreife Form der Reaktion auf zugefügtes Unrecht, die in eine reifere Form transformiert werden muss. Dieser Argumentation widerspricht explizit Reemtsma, der an diesem Punkt den Einfluss des gesellschaftlichen Interesses hervorhebt. Nicht weil es für das Individuum besser ist, sondern weil die Gemeinschaft sich keine subjektive Willkür leisten will, müsse auf die Rache verzichtet werden:

> »Fairerweise sollte demnach die staatlich verhängte Strafe nicht als geläutertes Substitut der Rache ausgelobt werden. Sie ist nicht das niedrige Bedürfnis in das sozial Akzeptable transformiert. Denn der Rachewunsch ist kein niedriges Bedürfnis, es sollte (als im Individuum fortbestehender Wunsch) nicht verachtet noch geächtet werden« (Reemtsma 2002, S. 81).

Ich verstehe Reemtsmas Plädoyer hier als Argumentation dafür, anzuerkennen, dass das Opfer, wenn es von der Rache Abstand nimmt, tatsächlich einen Verzicht leistet. Das gilt meines Erachtens auch für den therapeutischen Zugang: Statt im Sinne eines »das tut Ihnen nicht gut«, mögliche, durch das Rachebedürfnis verursachte Scham- und Schuldgefühle noch zu verstärken, könnte es dann darum gehen, den Verzicht auf die persönliche Rache als Verzichtsleistung zu benennen und zu würdigen.

Der Traumatisierte als schwieriges Gegenüber

Von besonderer Bedeutung ist die Auswirkung des Traumas auf Beziehungen auch deshalb, weil im klassischen Verständnis das Trauma in einer weiteren Beziehung, der therapeutischen, »geheilt« werden soll. So ist z. B. die Erkenntnis hilfreich, dass sich der Hass bzw. die Aggression, die eigentlich dem Täter gelten müsste, sehr häufig auf die HelferInnen richtet. Dies trifft nicht nur die helfende TherapeutIn, sondern diese Dynamik entfaltet sich, da das Trauma als Agens wirksam bleibt, potenziell in jeder nachfolgenden Beziehung. Der Täter ist wie ein unsichtbarer Dritter anwesend, die Beziehungen sind oft von einer starken Destruktivität geprägt. In milderer Ausprägung wird das Gegenüber zumindest erst mal getestet. Da es das Opfer als überlebensnotwendig erlebt hat, seinen Mitmenschen nicht zu vertrauen, ist diese von TherapeutInnen oft als Test bezeichnete misstrauische Grundhaltung, wie Reemtsma hervorhebt, eine angemessene neue Überlebensnotwendigkeit. Reemtsma betont jedoch in diesem Kontext auch, dass das Trauma aus dem Opfer keinen besseren Menschen mache, sondern dass der Traumatisierte ein anstrengender, verletzlicher Mitmensch sei.

> »Wem die normalen Erwartungen dem gegenüber, was er in einem Sozialverband für möglich, wahrscheinlich oder unmöglich halten darf, so gestört worden sind wie dem Opfer extremer Gewalt, der empfindet – posttraumatisch – eine generelle Verstörung, also, alltäglich gesprochen, ein Misstrauen auch gegen diejenigen, die »gar nichts dafür können«. So einerseits scheinbar magisch, so ungerecht dieses Affektgemisch auch anmuten mag, es dürfte durch noch so großes pädagogisches Raffinement nicht aus der Menschenwelt zu bringen sein. […] Der Traumatisierte wird durch sein Trauma nicht besser. Der Umgang mit ihm ist mühsam, sein Verhalten tatsächlich scheinbar grundlos verletzend« (Reemtsma 1999, S. 210).

In einer sehr differenzierten Analyse *Der Umgang mit dem Trauma*, in der Hans Holderegger (1998) die typischen Gefahren einer intensiven therapeutischen Beziehungsarbeit nach dem Trauma beschreibt, illustriert der Autor, wie sich das Phänomen der Re-Inszenierung in der therapeutischen Beziehung auswirkt. In der sich zwischen traumatisiertem Patienten und Therapeuten entfaltenden »Szene« kann es nicht nur dazu kommen, dass der Therapeut vom Patienten wie der Täter erlebt wird; auch umgekehrt fügt der Patient dem Therapeuten oft unbewusst etwas von dem zu, was er als traumatisch erlebt hat. Dies läuft nicht auf der konkreten Handlungsebene ab, sondern der Patient lässt den Therapeuten in der Beziehungsdynamik Ohnmacht und in manchen Fällen auch dem eigenen Trauma Ähnliches erleben.

Scham

Als Erklärung für das Nichtsprechenkönnen und -wollen vieler Traumatisierter werden häufig massive Schamgefühle angeführt. Scham ist ein zutiefst soziales und sozial geprägtes Gefühl. Es scheint wiederum bei unterschiedlichen Traumatisierungen eine unterschiedlich ausgeprägte Rolle zu spielen. Besonders stark sind Schamgefühle bei Opfern sexueller Gewalt (vgl. Herman 1993) oder sexueller Folter (vgl. Becker 1992). Hier scheinen Opfer das Erlebte sehr oft als etwas zu empfinden, was mit Ekelgefühlen behaftet immer noch an ihnen klebt und das sie vermuten lässt, vom gegenwärtigen Gegenüber als ekelerregend wahrgenommen zu werden, so als wären sie an dem Erlebten schuld.

Lifton (1995) macht Scham aber auch als zentralen Faktor bei den Hiroshima-Überlebenden aus: In diesem Fall besteht die Scham darin, dass ihnen so etwas »passieren konnte« und geht so weit, dass sehr Viele nicht zugeben wollen, dass sie zu den Bombenüberlebenden gehören. Dabei ist jedoch nicht endgültig zu entscheiden, inwiefern die Hemmung, über das Erlebte zu sprechen, mehr mit Scham oder mehr mit anderen Schutzmechanismen zu tun hat: Sicher spielt dabei eine Rolle, dass im modernen, aufstrebenden Japan niemand mehr daran erinnert werden will, dass man einmal derartig von den USA gedemütigt wurde. Insofern könnte man auch sagen, dass die Scham der Überlebenden mit der Scham der Gesellschaft korrespondiert.

Die britische Historikerin Catherine Merridale (2000) arbeitet in der beeindruckenden Untersuchung *Death and Memory in Russia* heraus, wie schwer es für Opfer des Stalinismus bis heute ist, über das eigene Opfergewordensein oder die Ermordung von Angehörigen zu sprechen. Neben einer andauernden Identifikation mit dem Aggressor wecken auch ihre Beschreibungen den Eindruck einer zugrunde liegenden großen Scham, Opfer geworden zu sein.

Schweigen und Aussprechen

Eng verbunden mit der Dialektik von Auseinandersetzung und Abwehr ist das Thema Schweigen, das sowohl auf kollektiver als auch auf individueller bzw. familiärer Ebene häufig diskutiert wird: So ist von einer Mauer des

Schweigens zwischen den Generationen die Rede (Bar-On 1996) oder vom kollektiven Schweigen in Deutschland nach dem Holocaust (z.B. Schittenhelm 1996). Zunehmend wird dabei darauf hingewiesen, dass Schweigen ganz unterschiedliche Gründe und Bedeutungen haben kann.

Reddemann und Sachsse (1997) betonen die schützende Funktion der Dissoziation, des Abspaltens und Sich-nicht-Konfrontierens, formuliert also ein Plädoyer dafür, nicht immer alles auszusprechen.

Der lateinamerikanische Psychotherapeut Marcelo Vinar hebt dagegen die emanzipatorische Funktion des Aussprechens hervor, weshalb er auch in seinen Beiträgen Foltergeschichten bewusst beschreibt. Für ihn ist das therapeutische Ziel mit dem politischen verbunden, Folter vor der Weltöffentlichkeit weiter zu skandalisieren (Vinar 1996, S. 1997).

Hier werden auch Kulturspezifika deutlich: Schweigen und Aussprechen kann kulturell ganz unterschiedlich bewertet sein. So könnte Vinars Plädoyer für Aussprechen und Bezeugen auch als typisch für einen spezifisch lateinamerikanischen Umgang interpretiert werden (vgl. medico international 2001). Der Konfliktforscher Norbert Ropers [6] berichtete in diesem Zusammenhang von einer öffentlichen Kontroverse zwischen buddhistischen Gelehrten und einem buddhistischen Mönch darüber, ob »forgive and forget« oder Aussprechen und Bearbeiten zur buddistischen Kultur Sri Lankas im Hinblick auf die Kriegserfahrungen besser passen. »Konfliktbearbeitung« erschien den Gelehrten eine typische christliche Figur zu sein.

Testimony – Witness

Dori Laub und Shoshana Felman (1994) beschreiben die Aufgabe des Gegenübers eines Traumatisierten als Aufgabe der Bezeugung (testimony) der Tat. Somit ist auch der Therapeut oder die Therapeutin nicht nur Therapeutin, sondern wird zur Zeugin. Diese bei Laub und Felman sehr differenzierten Überlegungen beziehen sich dabei bei Weitem nicht nur auf die therapeutische Beziehung, sondern auf ganz unterschiedliche Formen des Bezeugens (wie etwa im von Laub mitbegründeten »Fortunoff Video Archive for Holocaust Testimonies«).

Die Ausführungen zu »testimony« lassen sich auch als alternative Perspektive auf das Phänomen der indirekten Traumatisierung lesen: Der Therapeut wird zum Zeugen und Mitwisser der historischen Grausamkeit. Er hat es allerdings oft nicht in der Hand, ob ihn der Klient als »Zeugen« wahrnimmt, oder eben, wie oben beschrieben, in der Übertragung als den Täter.

Auch das Kopenhagener Zentrum »Rehabilitation-Center for Torture Victims« (RCT) arbeitet mit der Methode des Testimonio, des öffentlichen Zeugnisses der Überlebenden (Agger und Jensen 1990):

»Nach einer Beschreibung seiner traumatischen Erfahrung und Exilsituation versichert der Überlebende öffentlich die Wahrheit seiner Aussage. Dann wird sie ihm in ritueller Form wieder vorgelesen, um sein persönliches Leiden in ein Zeugnis (testimony) zu verwandeln, das öffentliche Anerkennung findet. Tatsächlich hat die systematische Dokumentation von Folterberichten im RCT Kopenhagen in vielfachen politischen Zusammenhängen schon Auswirkungen gehabt, etwa bei Fragen einer politischen oder wirtschaftlichen Unterstützung von Folterregimen« (Fischer 1998, S. 247).

DIE BEDEUTUNG DES TODES UND DER TOTEN

Im Zentrum des Traumas steht – sogar in der offiziellen Klassifikation psychischer Störungen – die Auseinandersetzung mit dem Tod, dem eigenen oder dem von nahen Menschen. Während bei der Trauma-Diagnose nach dem Diagnostisch-Statistischen Manual (DSM IV) jedwede Art von auch indirekter Konfrontation mit dem Tod gemeint sein kann, wurden Menschen im Kontext kollektiver Traumata meist nicht nur mit der Möglichkeit des eigenen oder fremden Todes konfrontiert, sondern haben das Sterben von vielen anderen miterlebt. Dies ist von immenser Bedeutung für den Kontakt mit Lebenden in der Phase nach dem traumatisierenden Ereignis, also etwa während der therapeutischen Traumabearbeitung.[7]

David Becker (2001c) vermutet aus der Therapeutenperspektive,

»dass viele KZ-Überlebende real den Toten näher stehen als den Lebenden, weil diese Toten das KZ erlebt haben und das Schicksal der Überlebenden verstanden hätten, während wir, die wir nicht im KZ waren, uns mit der Qual auseinandersetzen müssen, von diesem Tod zu hören« (Becker 2001c, vgl. auch Becker 1990).

Ähnlich beschreiben Elisabeth Brainin, Vera Ligeti und Sammy Teicher (1994), wie sehr das Leben der Überlebenden nach der Befreiung von einer starken Verbundenheit mit den Ermordeten bestimmt gewesen sei. Das Gefühl, die Aufgabe zu haben, Zeugnis für die Toten abzulegen, sei oft für das Überleben selbst entscheidend gewesen.

»Diese Aufgabe verhalf dazu, eine narzisstische Besetzung der eigenen Person wiederzufinden, ohne die das Überleben, auch nach der Befreiung, nicht möglich gewesen wäre. Müller (1979) berichtet davon in seinem erschütternden Dokument über das Sonderkommando in Auschwitz. In Momenten absoluter Verzweiflung, in denen nur mehr der Wunsch, selbst zu sterben, die Angst vor dem Tod überwog, waren es andere zum Tode verurteilte Häftlinge, die ihn an seine Aufgabe erinnerten, der Welt von den Verbrechen Zeugnis abzulegen. Damit halfen sie ihm, seine narzisstische Besetzung wiederzufinden, die ihn neben allen Zufällen am Leben bleiben ließ« (Brainin et al. 1994, S. 56).

Das Motiv, Zeugnis abzulegen, kann also auch als eine weiter bestehende Bindung an die Toten gesehen werden. Wenn diese Bindung für das Überleben als wesentlich erlebt wurde, dann ist auch nachvollziehbar, wie sehr sie im Danach wirksam bleibt. In beiden Fällen wird deutlich, wie sehr die Überlebenden den Toten nahe stehen.

Die hier dargestellten Beispiele bezogen sich auf den Holocaust. Die Aufgabe, Zeugnis abzulegen, wurde sicher im KZ besonders stark erlebt. Insgesamt ist es vermutlich für das Verständnis vieler Traumatisierungen wichtig, nicht nur das allgemeine Wissen über Traumaverarbeitung zu berücksichtigen, sondern auch jene besondere Beziehung zu den Ermordeten. Interessant ist in diesem Zusammenhang, dass auch in der Forschung über Trauer immer öfter die Hypothese vertreten wird, dass fortbestehende Bindungen zu den Toten nicht im Sinne eines pathologischen Trauerprozesses gesehen werden müssen (vgl. Klass et al. 1996). Für den gesellschaftlichen Umgang mit kollektiven Traumata sind diese Reflexionen von besonderer Bedeutung.

1.3 Indirekte Traumatisierungen

In der bisherigen Darstellung war vorwiegend von traumatischen Ereignissen die Rede, von denen die traumatisierten Personen selbst direkt betroffen waren: z.B. als Folteropfer, Soldaten oder Holocaustüberlebende. Im Kontext der DSM-Diagnose PTSD wurde angesprochen, dass die aktuelle offizielle Definition von Trauma darüber hinaus jedoch das Kriterium enthält, dass die Bedrohung oder Zerstörung auch »einer anderen Person« (DSM IV zit. nach Fischer/Riedesser 1998) gegolten haben könne. Wie José Brunner in einem historischen Rückblick zur Entwicklung des Traumadiskurses ausführt, ist dieses Kriterium fast so alt wie der Traumadiskurs selbst: Es habe bereits seit den 1890er-Jahren in der medizinischen und juristischen Literatur Berichte über Menschen gegeben, die dadurch traumatisiert wurden, dass sie Zeuge schrecklicher Ereignisse wurden (vgl. Brunner 2004, S. 8). Die Vorstellung, dass Menschen indirekt traumatisiert werden können, hat sich dann seit den 1970er-Jahren insbesondere durch die Vorstellung einer transgenerationellen Weitergabe von Trauma noch einmal stark erweitert.

Im folgenden Kapitel skizziere ich zunächst in Anlehnung an Brunner, welche Bandbreite von Phänomenen prinzipiell unter indirekter Traumatisierung verstanden werden kann (1.3.1). Innerhalb dieser Diskussion kommt dem

Phänomen der »transgenerationellen Weitergabe« von Traumata ein besonderer Stellenwert zu. Die ersten und differenziertesten Überlegungen zu der Möglichkeit »transgenerationeller Weitergabe« von Traumata entwickelten sich in Bezug auf die Kinder von Holocaust-Überlebenden. In den letzten Jahren ist im Anschluss daran eine Debatte darüber entstanden, ob es auf (deutscher) Täter- und Mitläuferseite ähnliche Dynamiken geben könne (vgl. Moser 1993). Solche Analogiebildungen werfen vielfältige wissenschaftliche und ethische Probleme auf (vgl. Vitiello 2006). Ich folge für die Darstellung des Diskurses trotzdem zunächst dieser problematischen Analogiebildung. Ich stelle die transgenerationelle Weitergabe zunächst für die Opferseite (1.3.2), dann für die Täterseite dar (1.3.3) und gehe schließlich auf die bereits existierende Diskussion über die Schwierigkeiten der Parallelisierung auf dieser Ebene ein (1.3.4).

1.3.1 Formen indirekter Traumatisierung im Überblick

Wie bereits angesprochen, entwickelte sich innerhalb des Traumadiskurses bereits sehr früh die Vorstellung, dass ein traumatisches Erlebnis nicht notwendig in einer direkten Bedrohung der eigenen Person bestehen müsse. In seiner Darstellung dieser speziellen Facette des Traumadiskurses beginnt Brunner mit dem Phänomen des Zuschauertraumas, mit dem in der britischen Rechtsliteratur z. B. der schockierende Anblick des Unfalltodes des eigenen Kindes oder Ehepartners beschrieben worden sei (vgl. Brunner 2004, S. 8). Dieses Zuschauertrauma habe sich dann weiterentwickelt:

> »Galten als Zuschauer ursprünglich nur nahe Angehörige oder Menschen, die emotional eng mit den tatsächlichen, physischen Opfern schrecklicher Ereignisse verbunden waren, so fallen heute auch ferner stehende Verwandte und Angehörige der Rettungskräfte unter die psychiatrische und rechtliche Definition von Traumatisierung« (Brunner 2004, S. 8f.).

Damit umfasst die Bezeichnung Zuschauertrauma nach dem aktuellen Verständnis also die Konfrontation mit dem Trauma oder Tod anderer. Brunner identifiziert hier eine Entwicklungslinie, in die er auch folgende Phänomene indirekter Traumatisierung einordnet:

> »Seit den 1970er Jahren häuft sich zudem die Literatur über Menschen, die unter den Symptomen von Traumatisierung leiden, obwohl ihre Eltern oder ihre Patienten und nicht sie selbst unmittelbar Opfer eines traumatischen Ereignisses wurden [...] etwa als Kinder oder Therapeuten von Holocaust-Überlebenden, Vietnam-Veteranen oder Flüchtlingen« (ebd., S. 9).

Brunner spricht hier zwei unterschiedliche Phänomene an, die in der Fachliteratur zum einen als »Sekundärtraumatisierung« des Therapeuten und zum anderen als die bereits angesprochene »transgenerationelle Weitergabe« von Traumata bezeichnet werden. Im Unterschied zum Zuschauertrauma wurden die Kinder oder Therapeuten nicht mit dem traumatischen Ereignis selbst konfrontiert, sondern mit denjenigen langfristigen Folgen einer Traumatisierung, die sich in engen Beziehungen auswirken.

Wie ich oben mit Bezug auf Reemtsma oder Holderegger ausführte, beeinflusst das Trauma in vielfacher Weise soziale Beziehungen – vor allem enge Beziehungen. Ein Teil dieser Auswirkungen wird dann als »Sekundärtraumatisierung« bezeichnet, wenn TherapeutInnen Reaktionen entwickeln, die Trauma-Symptomen ähnlich sind und so erscheinen, als würden sie sich direkt auf den Trauma-Auslöser des Patienten beziehen. Als typisches Beispiel hierfür kann gelten, wenn Therapeuten nach der ausführlichen Schilderung von Folter-Szenen sich ebenfalls von konkreten Folter-Bildern heimgesucht fühlen.

Die Einschätzung und Bewertung dieser Sekundärtraumatisierung ist durchaus strittig: Manche befürchten, dass mit der Überbewertung des Sekundärtraumas der Unterschied zum Primärtrauma verwischt und eine Pseudo-Solidarität mit den Opfern hergestellt würde.[8]

Hier mündet die Frage nach der indirekten Traumatisierung in die wichtige Frage, ob und wie verbindende oder trennende Zugehörigkeiten generell die therapeutische Beziehung beeinflussen. So hält es Martin Bergmann in Bezug auf den 11. September für wichtig, das für beide relevante Ereignis in seinen Auswirkungen auch auf den Therapeut zu reflektieren. Er spricht jedoch nicht von einer indirekten Traumatisierung, sondern schlägt den Ausdruck »soziale Gegenübertragung« vor (Bergmann 2003; vgl. Kogan 2006). Besonders bedeutsam dürfte eine Art »sozialer Gegenübertragung« auch für die Arbeit mit Holocaust-Überlebenden und deren Nachkommen sein: Es ist sicher ein wichtiger Unterschied, ob der Therapeut dem »Täterkollektiv« oder selbst der Gruppe der potenziell Vernichteten angehört. Hier zeigt sich der Einfluss eines Phänomens, das für die Theoretisierung kollektiver Traumata von enormer Bedeutung sein könnte: Wenn das Trauma eine bestimmte Gruppe betrifft, wie etwa beim Genozid oder der Folterung politischer Aktivisten, dann kann sich der Therapeut unter Umständen zu Recht »mitgemeint« fühlen, wenn er sich der gleichen Gruppe zugehörig fühlt. Diese Form der Identifikation mit dem Trauma durch Zugehörigkeit wird später als eine mögliche Form von »kollektivem Trauma« genauer ausgeführt.

Die von Brunner oben im gleichen Satz angesprochene indirekte Traumatisierung von Kindern von Holocaust-Überlebenden ist von der allgemeinen therapeutischen Sekundärtraumatisierung aus (klinisch-)psychologischer Sicht jedoch deutlich unterscheidbar. Um nur zwei Unterschiede zu nennen:

TherapeutInnen lassen sich bewusst auf eine Beziehung zu jemand Traumatisierten ein und verfügen prinzipiell über Möglichkeiten, das komplexe Beziehungsgeschehen zu begreifen und therapeutisch zu nutzen. Außerdem ist die Beziehung sehr begrenzt. Kinder dagegen sind in ihrer gesamten Entwicklung in extremer Weise von der Beziehungsgestaltung ihrer Eltern abhängig Wenn ein Trauma spätere Beziehungen beeinflusst oder beeinträchtig, dann sind Kinder von Geburt an potenziell in ihrer Entwicklung vom Trauma der Eltern mit betroffen. Deshalb sind zwar längst nicht alle Kinder von Holocaust-Überlebenden automatisch traumatisiert, dennoch ist es wichtig, dieses spezifische Phänomen indirekter Traumatisierung ausführlich darzustellen (vgl. 3.1.2 bis 3.1.5).

Für Brunner jedoch sind die skizzierten Formen indirekter Traumatisierung Stufen einer zunehmenden Erweiterung, die schließlich in der Vorstellung gipfele, dass jeder durch Fernsehbilder traumatisiert werden könne:

> »Wenngleich Traumata von Beginn an ein gewisses Element der Ansteckung anhaftet, hat es den Anschein, als zeige dieses Element nun mehr deutlich größere Ausmaße als früher. Der Trauma-Diskurs hat [...] eine Stufe erreicht, auf der Mediziner behaupten, die Tatsache, dass man der gleichen Nation angehört wie die unmittelbar betroffenen Terroropfer, könne als solche oder durch die mediale Wahrnehmung des Terrors traumatische Folgen haben. Auch die elektronischen Medien gelten somit heute als Kanäle der Traumatisierung« (Brunner 2004, S. 8f.).

Damit spricht Brunner eine weitere Form indirekter Traumatisierung an, die seit den Terroranschlägen vom 11. September 2001 in New York und Washington zunehmend diskutiert wird: die durch Medien vermittelte indirekte Traumatisierung. Auch für diese Form der Traumatisierung wird das Kriterium der Zugehörigkeit als zentral eingeschätzt. Menschen werden nicht durch den Konsum der Bilder an sich traumatisiert, sondern durch die Bewertung dieser Bilder im Sinne der Identifikation: »Es hätte mich treffen können.« Im Kontext der vorliegenden Arbeit schlage ich vor solche medienvermittelten Traumatisierungen als »symbolvermittelte« Traumata zu bezeichnen.

1.3.2 Transgenerationelle Weitergabe des Holocaust-Traumas

Wie bereits angedeutet, entwickelte sich das Konzept »transgenerationeller Weitergabe von Trauma« dadurch, dass Kinder von Holocaust-Überlebenden Gegenstand therapeutischer und wissenschaftlicher Bemühungen wurden. Beispielhaft für diese beginnenden Überlegungen formuliert Kestenberg:

»Vor einigen Jahren analysierte ich einen Jugendlichen, der sich sehr merk-
würdig verhielt: Er nahm keine Nahrung zu sich, verbarg sich in Wäldern und
behandelte mich in der Übertragung als feindlichen Verfolger. Sobald ich sein
fast psychotisches Verhalten mit den realen Erfahrungen der Angehörigen
seiner Eltern in Europa in Verbindung brachte, ließen die Symptome nach«
(Kestenberg 1980, S. 494).

Aus heutiger Perspektive fällt auf, wie erstaunt und fast ungläubig die Autorin
wirkt: Die Möglichkeit einer »Weitergabe« des Traumas scheint alles andere
als unmittelbar einleuchtend und für TherapeutInnen wie Eltern erschütternd
gewesen zu sein. Kestenberg berichtet, dass die Eltern des beschriebenen
Jungen die Therapie abbrachen.

Inzwischen ist das Konzept »transgenerationelle Weitergabe von Trauma«
weit verbreitet und in der therapeutischen Erklärung und Behandlungsme-
thodik fest integriert. Interessant ist dabei, dass die neueren Hypothesen
und Beobachtungen inhaltlich immer noch relativ stark mit Kestenbergs
Überlegungen übereinstimmen (vgl. Kogan 1995, 2000; Brenner 2000; Virag
2000): Nachkommen von Überlebenden »re-inszenieren« die traumatischen
Erlebnisse ihrer Eltern in gewisser Weise so, als hätten sie sie selbst erlebt.

Diese oft schwer beeinträchtigende Symptomatik kann nach Auffassung
dieser AutorInnen therapeutisch unter anderem dadurch gemildert werden, dass
der Bezug zu den realen Erfahrungen der Vorfahren hergestellt werde. In diesem
direkten Sinne wird von *Auswirkungen traumatischer Holocaust-Erfahrungen
über mehrere Generationen* gesprochen, wie der Untertitel einer einschlägigen
deutschsprachigen Publikation zum Thema lautet (Opher-Cohn et al. 2000).
Neben dem konkreten Bezug auf den Inhalt des Traumas der Eltern wird außerdem eine weitere Ebene der indirekten Beschädigung durch das Trauma der
Eltern diskutiert: Die Präokkupation der Eltern mit dem eigenen Trauma habe
dazu geführt, dass sie ihren Kindern einerseits emotional weniger zur Verfügung
stehen konnten, andererseits die Kinder mit dem (unbewussten) Wunsch über-
fordern, die erlittenen Verluste auszugleichen (vgl. Grünberg 2000, S. 25ff.).

Grünberg weist darauf hin, dass eine der ersten Veröffentlichungen von den
Kanadiern Rakoff, Sigal und Epstein (1966) stammt, denen in der familien-
psychiatrischen Abteilung des jüdischen Krankenhauses ein überproportional
hoher Anteil von Überlebendenfamilien aufgefallen war (ebd.). Ebenfalls Ende
der 60er-Jahre befürchteten Krystal und Whang erstmals eine »Übertragung
der Verfolgten-Pathologie auf die folgende Generation« (Kestenberg 1980,
S. 495). Darauf folgte eine ganze Reihe von Publikationen von PsychiaterInnen, PsychotherapeutInnen und PsychologInnen, die über Erfahrungen mit
Überlebendenkindern berichteten und erste Hypothesen über eine Fortsetzung
bzw. Übertragung des Traumas anstellten.

In einer Metaanalyse der ersten Publikationswelle stellt Miriam Rieck (1991) insgesamt übereinstimmende Darstellungen der Eltern-Kind-Beziehung (emotional distanziert und zugleich übermäßig beschützend) und der Familienatmosphäre (deprimierend und misstrauisch) fest. Charakteristisch für diejenigen Nachkommen, die sich in Psychotherapie begeben hätten, seien Depressionen, Apathie und Schuldgefühle gewesen, oft als Ausdruck spezifischer Schwierigkeiten im Separations- und Individuationsprozess: Jegliche Form von Loslösung und Trennung sei für die Eltern psychisch so sehr mit der Gefahr der Endgültigkeit verknüpft, dass den Kindern auch als jungen Erwachsenen der Ablösungsprozess sehr schwer falle. Viele Kinder nähmen in der Familie den Platz eines verstorbenen Kindes ein (äußerlich manchmal sichtbar, indem sie dessen Namen bekommen) und seien dadurch schwer belastet. Die Kinder könnten jedoch solche und andere Belastungen schwer artikulieren, da sie ihre eigenen Schwierigkeiten am vergangenen Leiden der Eltern mäßen und diese von jeglicher Belastung verschonen wollten.

Viele der Schwierigkeiten der Kinder in der Beziehung zu ihren extremtraumatisierten Eltern ließen sich von den TherapeutInnen vergleichsweise gut erklären: So wurde vermutet, dass die Überlebenden-Eltern durch die Hilflosigkeit und Verzweiflung schreiender Kleinkinder an die eigene traumatische Ohnmacht erinnert wurden und sie deshalb nicht gut »containen« konnten (vgl. Wardi 1992). In mancher Hinsicht ähneln solche Erfahrungen denjenigen von Flüchtlingskindern, die ebenfalls häufig in spezifischer Weise parentifiziert werden. Viele Überlebendenkinder waren außerdem zugleich typische »Emigrantenkinder«, die oft mit idealisierten Erwartungen ihrer Eltern und auch dem Wunsch, Verluste zu kompensieren, belastet sind.

Diese zum Teil bekannten und gut nachvollziehbaren Phänomene werden jedoch durch die Extremtraumatisierung der Holocaust-Überlebenden nicht nur potenziert, sondern sie gehen offensichtlich eine spezifische Verbindung mit dem ursprünglichen Trauma ein. In diesem Sinne kann dann von Trauma-Weitergabe gesprochen werden: Viele Nachkommen scheinen wie der von Kestenberg beschriebene Junge traumatische Szenen zu inszenieren, die bei genauerem Hinsehen den Erfahrungen ihrer Eltern ähnelten. So spricht etwa Brenner von dem »Phänomen, gleichzeitig in zwei Welten zu leben«, die Kinder hätten offensichtlich bisweilen das Gefühl, »ebenfalls in einer Holocaust-Realität zu leben« (Brenner 2000, S. 120). Zusammenfassend kommentiert er:

> »Es war fast schaurig, wie manche unbewusst, wenn sie das Alter erreicht hatten, in dem ihre Eltern ihr Martyrium durchmachten, aufs neue Elemente dieser Vergangenheit inszenierten und wiederholten. Eine derartige Internalisierung der Vergangenheit der Eltern scheint über die symbolische und metaphorische Welt hinauszugehen [...]« (Brenner 2000, S. 122).

Solche Phänomene sind schwer zu erklären. Der kleinste gemeinsame Nenner verschiedener Autoren ist, dass das beschriebene Verhalten der Kinder mit bestimmten Szenen aus dem Holocaust in Verbindung gebracht werden kann. Dabei scheint es eine Bandbreite von unterschiedlichen Inszenierungen zu geben. Nicht immer geht es um ein konkret von Familienmitgliedern erlittenes Erlebnis und nicht immer identifizieren sich die Nachkommen mit der Position des Opfers. So berichtet Brenner von einem jungen Mann, dessen (Überlebender-)Vater unter einem starken Wiederholungszwang (Flucht, Verstecken) litt. Der junge Mann inszenierte jedoch nicht eine identische Wiederholung, sondern verhielt sich komplementär zu den Ängsten des Vaters wie ein »kleiner Hitler« (ebd., S. 128).

Kogan hebt an Hand ihrer Erfahrungen ebenfalls hervor, dass viele Patienten die Erfahrungen ihrer Eltern inszenieren. Sie unternimmt mit Bezugnahme auf Grubrich-Simitis (1984) Überlegungen zum Verhältnis von Fantasie und Realität folgenden interessanten Erklärungsversuch:

> »Sogar in den Familien, in denen der Pakt des Schweigens gilt, ist das Kind in der Lage, einige Einzelheiten der extremen Traumatisierung der Eltern zu ahnen. Wenn die kognitiven Fähigkeiten genügend entwickelt sind, wird er oder sie anfangen, Nachforschungen über die Vergangenheit der Eltern anzustellen. In diesem Stadium wird das Bestreben, die traumatischen Erfahrungen zu negieren oder zu verdrängen, die Eltern unbewusst veranlassen, das Kind von seinem Vorhaben abzubringen. Sie geben ihm zu verstehen, dass [...] die traumatischen Erfahrungen sich in ihrem Leben nicht wirklich zugetragen haben« (Kogan 2000, S. 163).

Das Kind kann dann seinem Gefühl für das, was geschehen ist, nicht mehr trauen, es halte es für seine eigenen bösen Gedanken, die es möglichst schnell vergessen sollte (vgl. Grubrich-Simitis 1984). Die Realität des Traumas erscheine dem Kind dadurch irreal. Kogan fährt fort:

> »Dieser ›unbekannte‹ oder ›nicht erinnerliche‹ Teil der elterlichen Lebensgeschichte fixiert das Kind auf die Vergangenheit der Eltern und zwingt es, ihre traumatischen Erfahrungen in seinem eigenen Leben neu zu erschaffen und auszuagieren« (Kogan 2000, S. 163).

An diesem Erklärungsversuch wird deutlich, was der Unterschied zwischen gewöhnlicher und traumatischer Weitergabe von Erinnerungen in Familien sein könnte: Wie ich in Kapitel IV genauer ausführe, ist es als ein normaler Vorgang zu verstehen, dass Kinder sich für das Leben ihrer Eltern vor ihrer Geburt interessieren und meist en passant – absichtslos – oder durch gezielte Nachfragen etwas über die Lebensgeschichte der Eltern und Großeltern und die jeweiligen historischen Umstände erfahren und erfahren wollen. Im

Hinblick auf die Kinder Überlebender scheint das besonders wichtig: Nach Kogan besteht für Überlebenden-Kinder in besonderer Weise die Notwendigkeit, die historische Wahrheit zu erfahren. Die Reinszenierung interpretiert Kogan als verzweifelten Versuch, diese Suche auszudrücken. In diesem Sinne kann man von einer Trauma-Weitergabe und damit auch einer *zweiten Generation der Holocaust-Opfer* (so der Untertitel von Kogans Buch (Kogan 1995)) sprechen.

Während die Beschreibung einer fortgesetzten Traumatisierung einerseits die so notwendige Anerkennung von massivem Leid bedeutet (vgl. auch I.2.), sehen andere Autoren die Gefahr, dass dadurch eine ganze Generation von Überlebenden-Kindern pauschal pathologisiert und stigmatisiert werde (vgl. I.2.). In diesem Zusammenhang wird unter anderem argumentiert, dass klinische Studien immer Extrembeispiele darstellen, die nicht repräsentativ seien. Tatsächlich lassen die wenigen repräsentativen Studien allenfalls Schlüsse auf gemeinsame Tendenzen, z. B. zu extremen Schuldgefühlen zu (vgl. Grünberg 2000; vgl. auch Rieck 1991).

Eine insgesamt skeptische, bewusst entpathologisierende Argumentation entwickeln die drei Wiener Psychoanalytiker Elisabeth Brainin, Vera Ligeti und Sammy Teicher. Sie sprechen sowohl für die Überlebenden selbst als auch für die zweite Generation nicht von der Pathologie der Opfer, sondern von deren angemessener Reaktion auf die »Pathologie der Wirklichkeit« im Holocaust.[9]

In Anspielung auf das von ihnen ebenfalls kritisch bewertete »Holocaust Survivor Syndrome«, das im Hinblick auf die erste Generation formuliert worden war, führen sie für die zweite Generation aus, dass nun erst recht nicht mehr von einem gemeinsamen Syndrom gesprochen werden könne:

> »Bei dieser Generation wird noch viel deutlicher, dass es keine generalisierbaren Ergebnisse in Bezug auf psychopathologische Entwicklungen gibt. Was man wohl als gemeinsames Moment dieser Generation feststellen kann, ist ein Gefühl für die Präsenz der Ereignisse während des Krieges sowie das Gefühl, einer gesellschaftlichen Randgruppe anzugehören« (Brainin/Ligeti/Teicher 1984, S. 65).

Brainin, Ligeti und Teicher sprechen eindeutig von anderen Überlebenden-Kindern als Kogan, Kestenberg oder Brenner. Sie versuchen generelle Tendenzen einer Generation aufzuzeigen, die sie nicht als pathologisch werten. Sie teilen jedoch inhaltlich die Einschätzung, dass es ein Problem mit dem komplizierten Verhältnis von Fantasie und Realität gebe:

> »[…] In den Phantasieinhalten, die um Verfolgung und Massenmord zentriert sind […], liegt die Besonderheit. Eine Schwierigkeit für die Kinder der Verfolgten besteht darin, dass dieser Phantasieinhalt für ihre Eltern die Realität der Vernichtung war« (ebd.).

Außerdem sehen es die zitierten AutorInnen als Gemeinsamkeit dieser Generation an – vor allem wenn sie in Deutschland oder Österreich lebt –, der nicht-jüdischen Umwelt, dem Staat und der Gesellschaft gegenüber besonders misstrauisch zu sein. Dieses Misstrauen werde sehr oft von den verfolgten Eltern übernommen. Brainin, Ligeti und Teicher weisen an dieser Stelle auf die Angemessenheit dieses Misstrauens hin: Zentrale Erfahrung der Elterngeneration war, dass zu viel Vertrauen unter Umständen tödlich war und dass vor allem diejenigen überlebten, die früh genug misstrauisch wurden und emigrierten. In diesem Sinne verschwimmen hier die Grenzen zwischen einer an die nächste(n) Generation(en) auch bewusst weitergegebenen Einsicht in die Notwendigkeit der Wachsamkeit und einem unwillkürlicheren quälenden Grundmisstrauen in die Welt. Ein weiteres Spezifikum der zweiten Generation lasse sich als nachvollziehbare Reaktion der Kinder auf das Leiden der Eltern verstehen: Viele Kinder von Überlebenden haben den sehr starken Wunsch, das Leiden der Eltern ungeschehen zu machen, wieder gutzumachen oder – zumindest in der Fantasie – zu rächen.

1.3.3 Auswirkungen von NS und Holocaust auf der Täterseite

Wie bereits erwähnt, diskutieren verschiedene Autoren die Frage, ob es auf der Täter- bzw. Mitläuferseite eine ähnliche Form von »Weitergabe« geben könne. Einer der ersten, die sich damit systematisch beschäftigten, ist der israelische Psychologe Dan Bar-On, der in den 80er-Jahren begann, Interviews mit Kindern von Nazi-Tätern zu führen. Bar-On fragte sich im Hinblick auf die unmittelbare Nachkriegszeit:

> »Was bedeutet auf der Seite der Täter Normalität? […] In der Nachkriegsgesellschaft konnten die Menschen funktionieren, sich um ihre eigene physische Existenz kümmern, ohne sich andauernd um die Vergangenheit zu kümmern. Das bedeutet jedoch auch, dass die weniger unmittelbaren psychischen Prozesse – das Betrauern der Toten, das Durcharbeiten der Hilflosigkeit und Aggression, die Neufassung des eigenen moralischen Selbst, die Wiederherstellung von Vertrauen in sich selbst und andere – auf bessere Zeiten verschoben werden mussten. Bessere Zeiten, das hieß (…), daß diese Durcharbeitungsprozesse auf die folgenden Generationen verschoben wurden« (Bar-On 1996, S. 20).

Mit dieser Darstellung bietet Bar-On eine wohlwollende Formulierung einer vielfach formulierten These: Die zweite Generation sei davon geprägt, dass die eigenen Eltern die komplizierten Gefühle in Bezug auf ihre Vergangenheit nicht »verarbeiten« konnten oder diese vollständig abwehrten. Am bekanntesten ist die These von der Unfähigkeit, zu trauern, die – wie ich unten zeigen werde (vgl. Kapitel II) – auch eine Unfähigkeit zur psychischen Auseinandersetzung mit Schuldgefühlen impliziert. Tatsächlich scheinen Schuld- und Schamgefühle von der Tätergeneration erschütternd selten artikuliert worden zu sein. Dieses Fehlen wirkt sich auf die Nachkommen aus. Bis in die dritte Generation (vgl. Rommelspacher 1994) ist das Grundgefühl vieler Nachkommen von Widerspruch und Verwirrung gekennzeichnet: Kinder und Enkel erfahren häufig erst außerhalb der eigenen Familie etwas über die Realität des Holocaust, spüren zwar deutlich die Beteiligung der eigenen Familie an den Verbrechen, werden jedoch mit »glatten Entlastungsgeschichten« abgespeist. Das Gefühl für diesen Widerspruch zwischen dem eigenen Wahrnehmen und der Erzählung der Familie kann verschiedene Ausdrucksformen finden, etwa typische Alpträume, die verdecktes Verbrechen symbolisieren. Dadurch, dass nicht klar wird, worauf sich das Unbehagen konkret bezieht, bleiben auch die Scham- und Schuldgefühle häufig diffus.

Ein Erklärungsmodell für das, was sich im Generationendialog abspielt, bietet die psychoanalytische Vorstellung von der Herausbildung des Ichideals: Ein intaktes elterliches Ichideal kann als Voraussetzung für die gelungene Ichidealbildung des Kindes gesehen werden, sodass man »für manche junge Erwachsene von heute, deren Elternvorbild und deren Ichideal infolge von Regression, Hörigkeit und Verleugnung defizient war« (Rosenkötter 1995, S. 212, zit. nach Knauf 1999, S. 144) mit Spätfolgen rechnen muss. Vor allem das offene oder verdeckte Festhalten der Eltern an nationalsozialistischen Idealen kann für die Nachkommen zu einer ausgeprägten »Scham-Anfälligkeit« führen sowie zu einer »mangelnden Fähigkeit, innerlich zu den eigenen Wertvorstellungen zu stehen und sie nachhaltig zu vertreten« (ebd.).

Die Unmöglichkeit, sich mit dem Ichideal der Eltern oder Großeltern positiv identifizieren zu können, kann auch als Deformation einer unbeschwerten Erzähltradition zwischen den Generationen bezeichnet werden, wie dies z. B. der Psychoanalytiker Sammy Speier (1988) herausgearbeitet hat. Die Identifikation mit den von früher erzählenden Großeltern gerät irgendwann in die Krise, in Konflikt mit dem, was Kinder oder Jugendliche von diesem »Früher« zu begreifen beginnen.

Zusätzlich kompliziert wird dieser Prozess durch das Gefühl, sich zum Teil dennoch mit den Großeltern zu identifizieren. Diese Identifikationen können umso mehr Schuldgefühle hervorrufen. Almuth Massing (1988, S. 55) spricht von »nationalsozialistischen Identitätsanteilen« und dem Fortbestehen »nationalsozialistischer Weltbilder«, Jürgen Müller-Hohagen (1993, S. 26f.) von einer »Komplizenschaft über Generationen«, für die er als zentralen Faktor die »Identifikation mit der Macht« sieht.

Diese Mechanismen werden vor allem im Hinblick auf rechtsradikale Jugendliche diskutiert, denen jene übernommenen Identitätsanteile und die bewusste Pflege nationalsozialistischer Weltbilder zugeschrieben werden (z. B. Streeck-Fischer 2000). Für das Verständnis der Prägung weiterer Generationen ist es jedoch wichtig, sich auch subtilere Mechanismen, etwa im Sinne einer weitgehend unbewussten Identifikation vorzustellen. Man könnte hier von einer »heimlichen Faszination« sprechen. Gudrun Brockhaus diskutiert dieses Phänomen gerade im Hinblick auf Nachkommen, die sich bewusst von der Ideologie der Eltern abgrenzen und diese heimliche Faszination besonders stark verleugnen müssen. Sie spricht von der »verleugneten Angst vor der Anziehungskraft des Faschismus« (Brockhaus 1997, S. 139), die die öffentliche und wissenschaftliche Auseinandersetzung mit dem Nationalsozialismus zutiefst präge.

Die dargestellten Mechanismen gelten in unterschiedlicher Ausprägung vermutlich für einen sehr großen Teil der Nachkommen sowohl von Tätern als auch von Zuschauern. Besonders verschärft stellten sich diese »kollektiven Schwierigkeiten« jedoch für viele Täter-Kinder im engeren Sinne. Als PsychotherapeutInnen ab Mitte der 80er-Jahre zunehmend für die transgenerationalen Folgen der NS-Täterschaft sensibilisiert wurden, konnten viele bis dahin unerklärbare Symptome besser verstanden werden. Es gehe um etwas Schreckliches, das in einen »hineingelegt worden« sei, fasst Brockhaus die Erkenntnisse verschiedener Autoren zusammen (Brockhaus 1997, S. 162). Tilman Moser spricht von »Dämonischen Figuren«, die die PatientInnen in sich trügen und berichtet: »Es ging um Leere, Sinnlosigkeit, ein Gefühl der Unstimmigkeit des eigenen Lebens, der Nicht-Authentizität, der Vergeblichkeit menschlicher Beziehungen« (Moser 1993, zit. nach Brockhaus 1997, S. 162).

1.3.4 Weitergabe ist nicht gleich »Trauma«: Parallelisierungen und Differenzierungen

Je mehr über die Folgen auf Täterseite nachgedacht wurde, desto mehr tauchte die Frage auf, inwiefern man auf beiden Seiten von analogen Formen »transgenerationeller Weitergabe« sprechen könne. Diese Fragestellung mündete in hitzig geführte Debatten. Manche ForscherInnen betonten, wie sehr die Kinder von TäterInnen und MitläuferInnen ebenfalls unter den Folgen des Holocaust litten und wiesen auf mehrere Parallelen zum Leiden der Opferkinder hin (vgl. Moser 1993). Es entstand eine Debatte über Vergleichbarkeit und Unvergleichbarkeit der Folgen des Holocaust für Täter- und Opfernachkommen (vgl. Grünberg 1997).

Die Dynamik solcher Debatten ist inzwischen selbst Gegenstand psychologischer Reflexionen geworden. Eine der Interpretationen lautet, dass eine grundlegende Frage verhandelt wird, die das kollektive Erinnern an massive Verbrechen betrifft: Verblasst oder verschwindet das Leid der Opfer im kollektiven Gedächtnis, wenn man sich zunehmen mit der Perspektive der Täter beschäftigt? Wirkt bereits die intensive Beschäftigung mit der Täterperspektive als eine nachträgliche Entschuldigung der Täter? Kritiker der südafrikanischen Wahrheitskommission haben in diesem Zusammenhang argumentiert, dass es ein falsches Signal gewesen sei, den Tätern so viel Raum für Erklärungen zu geben (Mamdani 1998).

Bei der transgenerationellen Weitergabe geht es zwar nicht um Empathie für die Täter selbst sondern um die Nachkommen, dennoch sehen die Kritiker in der Parallelisierung eine analoge Gefahr: Wenn alle in scheinbar ähnlicher Weise leiden, dann wirkt dies als eine Verzerrung der kollektiven Erinnerung an die Ereignisse. Um dieser Verzerrung entgegen zu wirken, bemühen sich einige Autoren im Kontext dieser Debatte um sorgfältige Differenzierungen, die im Folgenden kurz skizziert werden sollen.

ÄNGSTE

Gabriele Rosenthal führte mit ihren Mitarbeitern in einer breit angelegten Studie ausführliche narrative Interviews jeweils mit den Mitgliedern von drei Generationen. Dabei stellten sie fest, dass auch die Täter-Kinder mehr als zunächst angenommen nicht nur von Schuldgefühlen, sondern auch von Ängsten bestimmt seien.

> »Die Nachkommen von Nazi-Tätern schützen sich davor, die grausamen Handlungen, die mangelnden Schuldgefühle, die Gefühlskälte und den immer noch bestehenden Rassismus und Antisemitismus ihrer nächsten Bezugspersonen wahrnehmen zu müssen. Und sie versuchen, sowohl Schuldgefühle als auch die Angst abzuwehren, von den Großeltern oder Eltern ermordet zu werden bzw. als lebensunwert eingestuft zu werden [...]. So hatte z.B. die Tochter eines Euthanasiearztes in ihrer Kindheit diese Angst vor ihrem Vater und verheimlichte aus diesem Grunde ihre Kurzsichtigkeit [...]. Als Kind hatte sie miterleben müssen, wie der Vater ihren jüngeren Bruder als Baby in einen Swimmingpool warf, um dessen von ihm angezweifelte ›Reinrassigkeit‹ zu testen« (Rosenthal 1997, S. 20; vgl. auch Rosenthal/Bar-On 1992).

Sowohl die Angst der Täter-Kinder als auch die der Opfer-Kinder kann existenziell sein. Rosenthal arbeitet jedoch heraus, dass die Ähnlichkeiten meist auf der Oberfläche bestehen: die »latenten Tiefenstrukturen« und die Funktionen unterscheiden sich stark. So differenziert sie ganz konkret am Beispiel der Angst:

»Die Angst, ermordet zu werden, finden wir bei Kindern und Enkeln sowohl von Tätern als auch von Überlebenden. Vernichtungsängste von Kindern und Enkeln von Tätern beziehen sich meist auf die unbewusste Phantasie, von den eigenen Eltern ermordet zu werden [...], während die potentielle Bedrohung, die Kinder von Überlebenden spüren, eher eine allgemeine Angst vor der außerfamiliären und der nichtjüdischen Welt ist« (Rosenthal 1997, S. 20; vgl. auch Kestenberg/Kestenberg 1987; Rosenthal/Bar-On 1992).

Schweigen und Verschweigen

Ähnliches gilt für das in vielen Täter- und Opferfamilien festgestellte Phänomen, dass zwischen den Generationen sehr wenig über die Vergangenheit gesprochen wurde.

»Überlebende wollen mit ihrem Schweigen den Kindern Belastungen ersparen und sich anderen mit ihren schmerzhaften Erlebnissen nicht zumuten. Ein Großvater oder eine Großmutter oder Eltern, die an den Nazi-Verbrechen beteiligt waren, schützen dagegen mit ihrem Schweigen und darüber hinaus mit ihrem Leugnen in erster Linie sich selbst vor Anklage und Verlust von Zuneigung« (Rosenthal 1997, S. 19).

Unter dem oberflächlich gleichen Phänomen des »Schweigens« verbirgt sich demnach eine völlig andere Psychodynamik (vgl. dazu auch Grünberg 1997).

Zusammenfassende Einschätzung

Zunächst ist festzustellen, dass es offensichtlich eine Bandbreite von Reaktionen gibt, die als indirekte Auswirkungen des Holocaust auf die Nachkommen der Opfer- und der Täterseite verstanden werden können.

Auf der Opferseite werden extreme Reaktionen und Symptome beobachtet, die sich auf den Holocaust als verursachendes traumatisches Ereignis beziehen lassen. In diesem engeren Sinne wird das Trauma transgenerationell weitergegeben. Zusätzlich und gleichzeitig können Nachkommen von Holocaust-Opfern durch das Trauma ihrer Eltern indirekt traumatisiert werden, da sich das Trauma der Eltern in vielfältiger Weise auf die Eltern-Kind-Beziehungen auswirken kann: So werden etwa die belasteten Eltern von den Kindern geschont, Trennungen werden als extrem gefährlich erlebt. Auch das ist eine transgenerationelle Auswirkung des ursprünglichen Traumas in einem sehr konkreten Sinn. Als dritte Form transgenerationeller Auswirkung können die von Brainin, Ligeti und Teicher beschriebenen Tendenzen

bezeichnet werden: Misstrauen, Wachsamkeit oder Wiedergutmachungs-
fantasien sind Reaktionen auf das ursprüngliche Trauma, stellen jedoch in
diesem Sinne selbst kein Trauma dar.

Da ich hier transgenerationelle Weitergabe nur für den Holocaust diskutiere,
gehe ich auf die sehr häufige Kombination von Täterschaft und Opfererfah-
rungen durch Flucht, Vertreibung und Bombenkrieg auf Seiten der Deutschen
nicht ein. In Bezug auf den Holocaust lässt sich dann eindeutig von einer
Täterseite sprechen, bei der der Holocaust ebenfalls indirekte Auswirkungen
auf die Nachkommen hatte. Wie Bar-On, Rosenthal oder Moser beschreiben,
gibt es auch bei manchen Nachkommen von Tätern extreme Reaktionen. Sie
sind jedoch nicht durch ein Trauma ihrer Eltern beschädigt, sondern z. B.
durch deren Rassismus und Menschenverachtung, die sich auf die Eltern-
Kind-Beziehung massiv auswirken können.

Zusätzlich hat die Täterschaft der Eltern vielfältige Auswirkungen in einem
breiteren Sinne: Dabei wird vor allem auf Schwierigkeiten in der Bildung des
Ichideals verwiesen oder auf massive Schuldgefühle, die die Nachkommen
stellvertretend übernehmen. Es handelt sich somit um vielfältige Formen von
Weitergabe, jedoch nicht um eine »Weitergabe von Trauma« im engeren Sinn.

1.4   Interdependenzen zwischen individuellem Trauma und Gesellschaft

Da die Sozialpsychologie ein individuelles Phänomen wie Trauma per se als
»sozial« begreift (vgl. Keupp 1993), ist die Grenze zwischen individuellen
und sozialen Trauma-Phänomenen fließend, sodass bereits unter Punkt 1.2
verschiedene »Interdependenzen zwischen Trauma und Gesellschaft« implizit
thematisiert wurden. Im Folgenden sollen nun noch einige explizite Thematisierungen dargestellt werden.

TraumaexpertInnen haben sich spätestens durch und nach dem Holocaust
implizit und zunehmend explizit mit dem Verhältnis von Trauma und Gesellschaft beschäftigt.

Nicht nur in den bereits referierten Ergebnissen Keilsons von 1979 zum
sequenziellen Charakter des Traumas, sondern auch in seiner subtilen Analyse
der Verwobenheit von fachlichen und gesellschaftlichen Argumenten zum Umgang mit dem »Problem der jüdischen Kriegswaisen in Holland« wird sowohl
die Bedeutung der Traumatisierten für die Gesellschaft (hier: die geretteten
Kinder als Symbol erfolgreichen Widerstands) als auch der gesellschaftliche
Einfluss auf die Erholung vom Trauma deutlich.

1.4.1 Der Traumatisierte erinnert alle an das Trauma

In einer sensiblen Analyse beschreibt Leo Eitinger, der vor allem norwegische KZ-Überlebende betreute, die Beziehung zwischen Traumatisierten und der Gemeinschaft als einen »ungleichen Dialog« (s. u.). Der Traumatisierte erinnert durch seine bloße Anwesenheit an das schmerzvolle Ereignis, das ja auch für die anderen ein schmerzvolles Ereignis war. In Norwegen konnten die KZ-Überlebenden anfangs mit großer Sympathie und Unterstützung rechnen; sie waren die Helden, die für die Zukunft ihres Landes gelitten hatten. Erst im Laufe der Zeit entstand eine Kluft zwischen der Gemeinschaft, die nicht mehr an das schmerzvolle Ereignis erinnert werden möchte, und dem Opfer, das nicht anders kann, als sich zu erinnern. Irgendwann wurden aus den ehemaligen Helden Symbole unangenehmer Erinnerungen:

> »Die beiden Gruppen stehen sich von Angesicht zu Angesicht gegenüber; auf der einen Seite die Opfer, die vielleicht vergessen wollen, aber nicht vergessen können, und auf der anderen Seite all diejenigen, die aufgrund starker oft unbewusster Motive vergessen wollen und auch vergessen können. Der Kontrast [...] ist oft für beide Seiten sehr schmerzvoll. In diesem stummen und ungleichen Dialog verliert immer der Schwächere« (Eitinger 1980, Übersetzung in Herman 1992, S. 18).

An dieser Stelle sei darauf hingewiesen, dass Eitinger hier von einer Gesellschaft spricht, in der die Beziehung zu den KZ-Überlebenden relativ wenig ambivalent war. Das war sowohl in Deutschland, wo sie starke Schuldgefühle wecken mussten, als auch in Israel anders, wo das Erinnertwerden auf existenziellere Art bedeutsam war.

Dass der von Eitinger hier beschriebene Mechanismus dennoch so deutlich hervortrat, kann als Hinweis darauf gewertet werden, dass es sich jenseits der spezifischen Zuspitzungen um ein allgemeines Phänomen handelt. Reemtsma (1999) weist darauf hin, dass die bereits zitierte Frage von Kurt Eissler (1963), die Ermordung wie vieler Kinder man symptomfrei zu ertragen habe, um psychisch gesund zu sein, auch an diejenigen KollegInnen gerichtet war, die in keinerlei schuldhafter Beziehung zu den NS-Verbrechen standen (etwa als Psychoanalytiker in New York) und dennoch die Tendenz hatten, den Zusammenhang psychischer Schädigung mit der KZ-Haft zu verleugnen bzw. zu nivellieren.

Während Eitinger und Eissler in den Jahren und Jahrzehnten direkt nach dem Holocaust für die Anerkennung des Traumas stritten, lässt sich in den letzten Jahren eine neue Entwicklung feststellen: Es gibt neben der fortbestehenden Tendenz zur Verleugnung einen gegenläufigen »kulturellen« Trend, den Status des Opfers aufzuwerten. Reemtsma interpretiert diesen Trend im Hinblick auf die entstandene vielfältige Opferliteratur (z. B. Überlebenden-Biografien) wie folgt: Den Opfern werde eine Art Deutungsautorität zugeschrieben, als hätten sie »etwas Wesentliches über die Welt zu sagen« (Reemtsma 1999, S. 209). Der Zeitraum von 1914–1945 »mit seinen militärischen und zivilen Massakern, seiner Zerstörung der zivilisatorischen Hoffnung auf einen unumkehrbaren Weg in eine gewaltfreie oder doch gewaltarme Zukunft hat erneut so etwas wie ein kollektives Sterblichkeitsbewusstsein mit sich gebracht« (ebd., S. 212). Und weiter:

> »Man könnte sagen, dass die Memoiren Überlebender so etwas sind wie der Realitätsbezug dieses Sterblichkeitsbewusstseins. [...] Das Gewaltopfer ›weiß etwas‹, das zu wissen allen Not täte, weil dieses Wissen zu unserem kulturellen Selbstverständnis gehört, aber nicht allen erreichbar ist« (ebd.).

Indem das Opfer extremer Gewalt also die schmerzvolle Erinnerung aller, und somit den Zugang zum kollektiven Sterblichkeitsbewusstsein symbolisiert, kann es gerade dafür entweder abgelehnt oder als Träger eines geheimen Wissens geschätzt werden.

1.4.2 Der öffentliche Umgang mit der Schuld

Sehr deutlich ist die Interdependenz zwischen individueller Verarbeitung und Gesellschaft bei der Auseinandersetzung mit der Schuld an der Tat. Gerade für Opfer, die sich mitschuldig für das Erlittene fühlen, ist es von zentraler Bedeutung, wem die Gemeinschaft die Schuld gibt. Wird der oder werden die Täter verurteilt? Wird die Schuld in irgendeiner Form (öffentlich) anerkannt? Wie wird die Schuld öffentlich – kollektiv – erinnert?

Die Frage nach dem Umgang mit gesellschaftlich verursachtem Trauma stellt sich meist – z. B. im Übergang von Diktaturen in demokratische Verhältnisse – als vorwiegend juristische Frage. Der juristische Umgang mit den Tätern hat jedoch zentrale Bedeutung für die Position der Opfer in der »neuen« Gesellschaft. Sie erleben den Umgang mit den Tätern zu Recht als Ausdruck dessen, wie die Gesellschaft die Tat beurteilt. Reemtsma spricht in diesem Zusammenhang von der »Anerkennung, dass ein Verbrechen Unrecht war, nicht Unglück« (Reemtsma 2002, S. 81). Durch die Bestrafung und im damit assoziierten öffentlichen Diskurs drückt eine Gesellschaft aus, ob sie sich eher mit den Opfern oder eher mit den Tätern identifiziert und solidarisiert. Plädoyers für Amnestie und Vergessen oder fehlendes Engagement für Bestrafung wirken auf die Opfer wie eine stille Zustimmung zu dem, was geschah. In diesem Sinne ist die Bestrafung des Täters auch als Reintegration des Opfers in die Gesellschaft verstehbar[10]. Die Verletzungen und der Verlust ganzer Lebensjahre sowie der unwiederbringliche Verlust von nahestehenden Menschen können zwar nicht wieder gutgemacht werden, aber der Staat könnte dazu beitragen, dass die Traumatisierung nicht durch Straflosigkeit und Entsolidarisierung verstärkt wird.

Eitinger bestätigt dies auf Grund seiner Erfahrungen in der Arbeit mit KZ-Überlebenden: Nachrichten über die verfrühte Entlassung von berüchtigten Folterern aus der Haft (z.B. nach ein paar Monaten wegen einer leichten Arthritis) hätten sich immer äußerst negativ auf seine Klienten ausgewirkt:

>»Wenn solche Informationen in der Presse erscheinen […] können wir ziemlich sicher sein, dass sich viele psychosomatische Beschwerden verstärken, dass Alpträume zunehmen […] und Hoffnungslosigkeit und Verzweiflung die Oberhand gewinnen. Solche Erfahrungen können genügen, um eine mühsam aufgebaute Existenz vollständig zusammenbrechen zu lassen« (Eitinger 1964, S. 160; Übersetzung A.K.).

1.4.3 Rehabilitation der Überlebenden – Gedenken an die Toten

Die Frage nach der Schuld berührt, wie oben dargestellt, neben grundsätzlichen juristischen auch psychologische Fragen. Opfer quälen sich in der Regel, auch wenn sie völlig unschuldig sind, mit der Frage nach der eigenen Mitschuld. Die Logik des Täters, der ja entweder der Meinung war, dass das Opfer »es verdient hat« wirkt im Opfer auf destruktive Art weiter. In dieser Dynamik liegt neben der rein juristischen Verfolgung des Täters ein weiterer Ansatzpunkt für die Aufgabe der Gemeinschaft bzw. Gesellschaft. Nicht nur im öffentlichen Diskurs über Straffreiheit vs. Bestrafung, auch in vielen anderen symbolischen Akten kann sich das Kollektiv je nachdem solidarisch erklären oder nicht: So können etwa Straßen nach Freiheitskämpfern oder Opfern benannt, an bedeutsamen Orten Gedenktafeln aufgestellt werden. Gedenktage und die dazugehörigen Rituale können auf unterschiedliche Weise die Solidarität mit den Opfern ausdrücken. Als positive Beispiele einer gelungenen Förderung der Traumabearbeitung werden von vielen AutorInnen die Gedenkstätte in Yad Vashem und das *Vietnam Memorial* in Washington genannt. Hier wird sichtbar, dass die gesellschaftliche Rehabilitation der überlebenden Opfer eng mit der Würdigung und dem Gedenken an die ermordeten Opfer verbunden ist. Wie oben ausgeführt, fühlen sich viele Überlebende den Ermordeten näher als den Lebenden (vgl. Becker 2001c). Gedenkorte entlasten die Überlebenden unter

Umständen auch von der Verantwortung, allein für das Gedenken zuständig zu sein: Die Gesellschaft übernimmt mit der Errichtung eines Gedenkortes einen Teil dieser oft schwer auf den Überlebenden lastenden Aufgabe.

Die psychologische Frage nach der Unterstützung der persönlichen Traumabewältigung durch die in einer Gesellschaft sich entwickelnden Reaktionsweisen ist also eng verbunden mit der Frage nach der Repräsentation des Traumas im kollektiven Gedächtnis.

2 Kritischer interdisziplinärer Traumadiskurs

Bisher wurden Annahmen, Beschreibungen und Argumente zu Konzept und Begriff des Traumas primär aus der disziplinären Perspektive der Psychologie dargestellt. Trauma ist jedoch nicht nur in der Psychologie ein zunehmend wichtigeres Themengebiet geworden, sondern insgesamt zu einem transdisziplinären kulturwissenschaftlichen Schlüsselbegriff avanciert. Besondere Bedeutung hat er insbesondere im Feld der Literaturwissenschaften erlangt (vgl. z.B. Bronfen et al. 1999). Ich werde in verschiedenen Kapiteln auf einzelne der interdisziplinären Beiträge zurückkommen.

Im Kontext dieses Kapitels sind die Beiträge des Traumadiskurses zu einer kritischen Auseinandersetzung mit dem individuellen Traumabegriff und seiner Benutzung relevant. Typische Beispiele für solche Meta-Reflexionen sind sozialanthropologische Untersuchungen wie die von Allan Young in amerikanischen Veteranenkrankenhäusern durchgeführte (Young 1995) oder die Studie von Galia Amrami über die soziale Konstruktion eines Disengagement-Trauma der radikalen Siedler durch israelische Psychologen (Amrami 2006). Neben der sozialen Herstellungspraxis in konkreten Situationen (Kliniksetting, psychosoziale Einrichtungen) interessiert andere Disziplinen auch die historische Entwicklung des medizinisch-psychologischen Trauma-Diskurses im Allgemeinen (Brunner 2004) oder es wird die weltweite Dominanz eines spezifisch westlichen Traumamodells kritisiert (Summerfield 1997; Pupavac 2002, 2004). AkteurInnen eines kritischen Traumadiskurses sind auch PsychologInnen oder PsychiaterInnen selbst, die nicht zuletzt in der konkreten therapeutischen oder psychosozialen Arbeit mit dem Konzept auf ambivalente Effekte aufmerksam werden und diese zunehmend thematisieren. Als Beispiel für diesen Zugang ist David Becker zu nennen, der vor dem Hintergrund seiner therapeutischen Arbeit mit chilenischen Folteropfern jahrelang für eine Anerkennung von Folter als Extremtraumatisierung stritt, seit einiger Zeit jedoch vermehrt problematisiert (z.B. Becker 2006), dass die

Verwendung des Begriffes inflationär geworden sei und er deshalb fast nichts mehr aussage. Ich bezeichne solche psychologisch-medizinischen Ansätze zusammen mit den Metareflexionen anderer Disziplinen hier als »kritischen interdisziplinären Traumadiskurs«.

Im Sinne einer möglichst übersichtlichen Darstellung verdichte ich die differenzierten Überlegungen des kritischen Traumadiskurses auf folgende zentrale Fragen. Wenn man zunächst die psychologische Perspektive bewusst verlässt, werden alternativen Sichtweisen auf das Phänomen erkennbar: Was ist ein Trauma, wenn es nicht nur eine psychische Störung, sondern zunächst eine »Störung der sozialen und moralischen Ordnung« (Brunner 2004, S. 10) darstellt (2.1)? Vor diesem Hintergrund ist die Kategorisierung als Trauma als eine spezifische Form von Einordnung zu verstehen, die wie jede Einordnung oder Zuordnung bestimmte Aspekte des Phänomens hervorhebt und andere in den Hintergrund treten lässt. So wird die Beschreibung als Trauma als Pathologisierung, Medikalisierung und Indvidiualisierung (Summerfield) oder Entpolitisierung (Becker) gesehen (2.2). Gleichzeitig wird Trauma im Diskurs offensichtlich zunehmend als erstrebenswertes Zeichen der Anerkennung von Leid benutzt, sodass sich im gesamten Traumadiskurs auch abbildet, wessen Leid von wem für wichtig gehalten wird und wessen nicht. Eindrücklichstes Beispiel hierfür ist das Missverhältnis zwischen der Flut von Publikationen zum Vietnam-Trauma der ehemaligen US-Soldaten und der fast völlig fehlenden Erwähnung des Traumas der Vietnamesen im westlichen Diskurs. Vor diesem Hintergrund wird auch die Kritik am inflationären Gebrauch des Begriffs verständlicher (2.3). Am Schluss des Kapitels skizziere ich exemplarisch die Position von David Becker, die als eine Art Kompromissvorschlag gelesen werden kann (2.4).

2.1   Trauma als moralisches, soziales, juristisches und politisches Problem

Es gibt eine lange Tradition von Metareflexionen über die Klassifikation von abweichendem Verhalten als »psychische Krankheit«. So wurde etwa herausgearbeitet, wie die soziale Wirkungsweise von Diagnosen Krankheitskarrieren nicht zuletzt dadurch hervorbringt, dass eine Variante von Verhalten überhaupt als Krankheit klassifiziert wird (z. B. Keupp 1972; von Kardorff 2001). Im Kontext kritischer Überlegungen und Untersuchungen zur Psychologisierung und Medikalisierung von Problemen wurde sichtbar, wie sehr psychologische Diagnosen soziale Konstrukte sind (Keupp 1979; Rosenhan 1979) und wie sehr psychologische Kategorisierungen moralische Wertungen im Sinne von Aussagen über das richtige und das falsche Leben enthalten (vgl.

Keupp 1972, 1979; Sasz 1979). PsychologInnen und PsychiaterInnen haben in mancher Hinsicht die Rolle von Priestern übernommen, denn die meisten psychologischen Aussagen enthalten implizit moralische Aussagen oder sind zumindest so interpretierbar (Sarbin 1972, 1979).

Dies gilt generell für Diskurse über die Psyche und ihre Störungen, in Bezug auf Trauma werden solche Effekte jedoch dadurch potenziert, dass bereits die Ätiologie zutiefst moralische Aussagen enthält:

> »Ätiologische Erklärungen zur Traumatisierung beziehen sich nicht nur auf das unsichtbare innere Seelenleben, sondern verweisen auch auf ein äußeres, reales Ereignis als dessen Auslöser. Traumata sind insofern einzigartig unter den seelischen Störungen, als ihre Ätiologien einen spezifischen sozialen Akteur aufweisen – ein Individuum, eine soziale Gruppe oder eine gesellschaftliche Institution –, die moralisch, politisch und häufig auch rechtlich für das Leid der Traumatisierten verantwortlich gemacht werden können« (Brunner 2004, S. 11).

Traumatisierte sind in diesem Sinne immer zugleich Patienten und Opfer, was sich in dem häufig verwendeten Ausdruck »Trauma-Opfer« abbildet. Statt von Trauma zu sprechen, ließe sich in vielen Fällen demnach auch von Unrecht, Verbrechen oder Gewalt sprechen, die psychische Störung ist als Folge einer »Störung der sozialen und moralischen Ordnung« interpretierbar (vgl. ebd.). Man kann Trauma auch in doppelter Hinsicht als Effekt eines Macht-ungleichgewichts sehen: Erstens übt der Täter in der konkreten traumatischen Situation Macht über sein Opfer aus, zugleich ist generell das Risiko, traumatisiert zu werden, tendenziell höher, wenn jemand einer ohnmächtigeren sozialen Gruppe angehört. Darüber hinaus wird eine generelle Tendenz – dass arme und benachteiligte Gruppen stärker von körperlichen und seelischen Erkrankungen betroffen sind – in Bezug auf Trauma noch potenziert:

> »Blickt man auf die bestimmenden Themen in der Geschichte der Trauma-Diskurse, so sind dies Verkehr, Industrie, Krieg, Verfolgung, sexuelle Gewalt, Globalisierung, Zwangsmigration und Terror. Wir könnten somit von Traumata sprechen, die vom Kapitalismus, vom Rassismus und vom Patriarchat zugefügt werden« (ebd., S. 13).

Dies gilt für die meisten, jedoch nicht für alle Traumata. Interessant ist, dass gerade die Ausnahmen besonders viel Fachliteratur hervorgebracht haben bzw. hervorbringen: Die Traumatisierungen durch Terrorismus und die Traumatisierung der amerikanischen Vietnamveteranen.

Es ist gerade auch für die Konzeptionalisierung »kollektiver Traumata« wichtig, die verschiedenen Überlegungen zur Wahrscheinlichkeit, traumatisiert zu werden, zu berücksichtigen. Lateinamerikanische Psychotherapeuten, die sich intensiv mit Folterungen und Folterdrohungen auseinandersetzten, haben immer wieder betont, wie sehr die prinzipielle Möglichkeit der Folter alle in einer Gesellschaft lebenden Menschen betrifft (vgl. z.B. Vinar 1996, 1997). Die Folter traumatisiert somit auf indirekte Weise alle, die potenziell gefoltert werden können. Feministinnen haben darauf hingewiesen, wie sehr das Risiko, Gewaltopfer zu werden, die Bewegungsfreiheit von Frauen und Mädchen einschränkt. Brunner formuliert global:

> »Dadurch, dass Traumatisierung Individuen seelisch verletzt, schränkt sie deren Autonomie und damit auch die Reichweite ihres Handelns ein. Das Ausmaß, in dem Angehörige einer sozialen Gruppe potenziell traumatischen Ereignissen ausgesetzt sind, wird somit Bestandteil der kollektiven und individuellen Identität und des Selbstverständnisses der Gruppe und ihrer Angehörigen« (Brunner 2004, S. 14).

Dieser Gedanke enthält einen ersten expliziten Hinweis darauf, inwiefern ein Trauma kollektiv werden kann: Wenn eine Frau vergewaltigt wird, fühlen sich andere Frauen unter Umständen symbolisch mitgemeint, Terroranschläge richten sich in der Regel gegen die Gruppe, denen die Opfer angehören, rassistische Überfälle beziehen sich auf die Gruppe und in extremer Weise ist beim Genozid die ganze Gruppe uneingeschränkt und explizit mitgemeint. Wirth, der sich in diesem Zusammenhang auf den Holocaust als Extrembeispiel bezieht, verweist wie Brunner auf den Bezug zur kollektiven Identität, wenn er von kollektiver Traumatisierung als »Traumatisierung der kollektiven Identität, eben jenes Teils der individuellen Identität, die sich auf das Zugehörigkeitsgefühl zur Gruppe stützt« (Wirth 2006, S. 101) spricht. Folgt man diesen Hinweisen von Brunner und Wirth, dann muss eine Theoretisierung kollektiver Traumata auch eine systematische Auseinandersetzung mit Identität beinhalten, wie sie von mir in Kapitel III unternommen wird.

In diesem ersten Abschnitt wurde aufgezeigt, wie der Begriff des Traumas verstanden werden kann, wenn man die psychologische Engführung verlässt. Dabei kristallisieren sich spezifische Kritikpunkte an dieser Engführung heraus, die im Folgenden skizziert werden.

2.2   Die Problematisierung der Einordnung: Trauma als Pathologisierung und Nivellierung

Der Historiker Lutz Niethammer hinterfragt, inwiefern eine wie auch immer angelegte Kategorisierung generell dem Phänomen Trauma gerecht werden kann:

> »Abstraktion ist gewiss eines der Grundverfahren wissenschaftlicher Begriffsbildung. Aber dem Gedächtnis dient abstrahierende Begriffsbildung der Wiedererkennung des Verstandenen und dem Vergessen des Konkreten und – in seiner Konkretion – Unbedeutenden. Wo das Gedächtnis ein Trauma bewahrt, kann dies zwar zuweilen verdeckt oder versiegelt werden, es bleibt aber – wann immer es erinnert wird – so konkret und einzigartig, wie es wahrgenommen wurde« (Niethammer 1995, S. 43).

Das zentrale Argument ist hierbei, dass das Trauma sich gerade dadurch auszeichnet, dass etwas sehr konkret erinnert werde, durch die Begriffsbildung jedoch vom Trauma abstrahiert werde und dies eine Form von Vergessen darstelle. Gerade extrem Traumatisierte ringen oft damit, dass die Erfahrung nur schwer mitteilbar ist; in diesem Sinne ist dann die in der Diagnose implizierte Botschaft, »wir wissen schon, was Du hast«, eine Form von Gewalt. Dieses Argument findet sich in verschiedenen Varianten bei sehr vielen Autoren, die die Repräsentierbarkeit des Holocaust-Traumas problematisieren (vgl. Kapitel IV).

Ebenfalls zuerst in Bezug auf den Holocaust formuliert wurde die Kritik, dass die Opfer durch die Diagnose Trauma pathologisiert würden. Das von Niethammer formulierte allgemeine Problem der Begriffsbildung wird somit durch die spezifischen Probleme des Patholgiediskurses potenziert. Durch das Operieren mit einem psychiatrischen Begriff entstehe das Bild, dass in erster Linie etwas mit dem Opfer nicht stimme. Wie im Hinblick auf transgenerationelle Weitergabe erwähnt, wird diese Kritik von Brainin et al. sehr pointiert auf den Punkt gebracht, wenn sie von einer »Pathologie der Wirklichkeit« statt der Opfer sprechen. Sie greifen damit eine Kritik auf, die im Übrigen auch viele Überlebende selbst formuliert haben. Die Diagnose Trauma wiederholt für sie den Angriff auf ihren Status als Subjekte, die auf je eigene Weise weiterzuleben versuchten.

Ein verwandtes Argument entwickelt Renos Papadopoulos in Bezug auf den medizinisch-therapeutischen Diskurs über Flüchtlinge. Er problematisiert, dass das Konzept Trauma in seiner Dominanz alle anderen Sichtweisen auf Flüchtlinge und insbesondere deren vielfältige Selbstthematisierungen und Positionierungen überlagere.

»[W]ir tendieren dazu, mindestens drei verschiedene Diskursebenen zu verwechseln: die moralisch-ethische mit der klinisch-pathologischen und der historischen. Dies führt häufig dazu, dass die berechtigte Abscheu gegen die Grausamkeiten dadurch ausgedrückt wird, dass wir ausgerechnet die Überlebenden dieser Grausamkeiten pathologisieren [...]. In dem völlig berechtigten Bemühen, die Individuen, Gruppen und die Politik zu verurteilen, die die politischen Unterdrückung und die Verbrechen gegen die Menschlichkeit verursachen, benutzen wir die Traumatisierungen der Opfer dieser verachtenswürdigen Handlungen als ›Beweise‹. Dadurch ignorieren wir jedoch zugleich unser psychologisches Wissen darüber, wie unterschiedlich Menschen Erfahrungen verarbeiten, und – ohne es zu wollen – tun wir ausgerechnet den Menschen Gewalt an, denen wir doch eigentlich helfen wollten« (Papadopoulos 2003, S. 29; Übersetzung A. K.).

Die dritte, damit eng verbundene Kritikebene bezieht sich darauf, dass Trauma nicht zuletzt ein Konzept der westlich dominierten Psychiatrie und Psychotherapie ist. Dementsprechend beziehen sich die Vorstellungen vom Entstehen psychischer Schwierigkeiten und von Therapie, die »rund um das Trauma« formuliert werden, auf ein bestimmtes Menschenbild und eine bestimmte Vorstellung von Gesundheit und Heilung. So kritisiert etwa der Anthropologe Derek Summerfield die Arbeit von Hilfsorganisationen, die westlich ausgebildete Trauma-Experten in Krisenregionen schicken. Damit werde auch Menschenbild, Heilungsmodell und ein Traumabegriff unkritisch exportiert. Die NGO *medico international* hat dieses Problem bereits 1997 unter dem Titel »Schnelle Eingreiftruppe Seele« selbstkritisch zum Thema gemacht und insbesondere die Gefahr der Psychologisierung sozialer Probleme thematisiert. Außer Summerfield sind der Psychologe David Becker und in jüngerer Zeit die Politologin Vanessa Pupavac (Becker 2006; Summerfield 1997; Pupavac 2002, 2004) wichtige Vertreter dieser Kritiklinie. Ich skizziere im Folgenden exemplarisch die Argumentationslinie von Summerfield.

Summerfield beschreibt u. a., dass durch die westliche individualisierende und psychologisierende Sicht alternative Erklärungsmodelle zunehmend verdrängt werden. Er referiert dazu folgenden interessanten Befund:

»Foster und Skinner (1990) beschreiben, wie ehemalige politische Gefangene in Südafrika ihre Geschichte in Bezug auf Themen formulierten, die für ihre Berufe und Wertvorstellungen relevant sind – biblische, juristische, politische, humanistische. Jüngere Berichte jedoch sprechen von psychologischen Effekten und zeigen so an, wie der westliche Diskurs zum Thema Trauma Gewalterfahrungen reguliert und formt« (Summerfield 1997, S. 9).

Indem das westliche Traumamodell zum vorherrschenden Bewertungsmodell wird, beginnt auch der Einzelne seine Erfahrung zunehmend in diesen Kategorien zu verstehen und zu fühlen. Für Summerfield, der sich dafür interessiert, wie sich dieses spezifisch westliche »Verständnis des menschlichen Preises von Krieg und Gräueltaten auswirkt« (ebd., S. 7), ist diese Entwicklung vor allem deshalb problematisch, weil kollektiv erfahrenes Leiden dadurch individualisiert und psychologisiert werde. Seiner Meinung nach »handelt es sich bei Krieg um eine kollektive Erfahrung«, sodass die Auswirkungen von den Menschen weniger als »private Verletzung«, sondern als »Zerstörung ihrer sozialen Welt, die ihre Geschichte, Identität und ihre gelebten Werte verkörpert«, erlebt werden (ebd., S. 17). Unter Bezugnahme auf Summerfield formulierten der Anthropologe und Psychologe Victor Igreja und seine Kollegen mit Blick auf eine von Bürgerkriegen erschütterte Region in Mozambique:

> »Forschung über Trauma […] steht hier vor vielfältigen Herausforderungen, denn wir haben es mit Individuen zu tun, die sich sehr stark als Teil einer Gemeinschaft verstehen – einer ausgedehnten Familie mit lebenden und toten Mitgliedern, mit einer bestimmten Gruppe oder Gemeinschaften. […] Ohne Zweifel benötigt man hier ein breiteres Traumaverständnis, in dem der Verlust oder die Auflösung kultureller Vorstellungen und Werte ebenfalls als traumatische Erfahrungen in Betracht gezogen werden sollten« (Igreja et al. 2002; Übersetzung A. K.).

Während Summerfield aus seiner Kritik den Schluss zieht, dass man in diesem Kontext vielleicht lieber aufhören sollte von Trauma zu reden, formulieren Igreja und seine Kollegen hier eine reformistische Position und können sich offensichtlich ein differenzierteres, integratives Traumamodell vorstellen.

Dass sich nicht alle Summerfields radikaler Position anschließen, sondern trotz kritischer Einwände am Trauma festhalten, hat verschiedene und auch gute Gründe. Einige davon sollen im nächsten Abschnitt dargestellt werden.

2.3 Chancen der Einordnung: Trauma und Anerkennung

Stanley Cohen formuliert in seinem Buch *States of Denial: Knowing about Atrocities and Suffering* (2001) einen Gegenpol zu Summerfields radikaler Position: Es sei schlimm genug, traumatisiert zu werden, aber es sei noch schlimmer, nicht einmal als Trauma-Opfer anerkannt zu werden (vgl. auch Brunner 2004, S. 18). Damit weisen Brunner bzw. Cohen auf eine wichtige politische Funktion der Trauma-Diagnose hin: die Anerkennung von Leid. Dass die Trauma-Diagnose diese Funktion so sehr erfüllt, ist einerseits als Effekt von gesellschaftlichen und wissenschaftlichen Diskursen zu verstehen und kann im Sinne des Siegeszugs psychologisierender Welterklärung insgesamt interpretiert werden. Gleichzeitig hat es mit den oben (vgl. 1.1) beschriebenen Definitionsschwierigkeiten zu tun. Weil Trauma sich vor allem dadurch definiert, dass etwas »schlimmer ist als normal«, lässt sich die Aussage, »Ich sehe, dass Du ein Trauma hast«, im Umkehrschluss anerkennungstheoretisch reformulieren: Ich erkenne, Dir ist etwas geschehen, das außergewöhnlich schlimm ist. Dies gilt auch für die gesellschaftliche Anerkennung. Feministische Trauma-Theoretikerinnen wie Judith Hermann betonen die Verzahnung von feministischer Bewegung und der so wichtigen Anerkennung von Vergewaltigung als Trauma (vgl. Hermann 1993). David Becker weist darauf hin, wie bedeutsam es für chilenische Menschenrechtsaktivisten war, mit dem Traumakonzept eine wissenschaftliche Bestätigung dafür zu bekommen, dass Folter auch dann langfristige Folgen hat, wenn körperlich nichts mehr zu sehen ist (Becker 1992). Im Grunde ist die Anerkennung von Folter als Menschenrechtsverletzung durch die Traumatheorie stark unterstützt worden; die Traumatologie war in diesem Sinne Teil des politischen Kampfes. Auch das Engagement der an der Friedensbewegung der Vietnamveteranen beteiligten Psychiater Robert Lifton und Chaim Shatan lässt sich als »Kampf um Anerkennung« verstehen: Sie waren maßgeblich daran beteiligt, dass die Diagnose PTSD für die Vietnamveteranen entwickelt und in das DSM aufgenommen wurde (Shatan 1981; A. Young 1995).

Was macht die Diagnose so attraktiv? Ich denke in Anlehnung an Stanley Cohen und Jan Philipp Reemtsma, dass die Sehnsucht nach offizieller wissenschaftlicher Anerkennung als traumatisiertes Opfer als Gegengewicht zu der entgegengesetzten, sehr verbreiteten sozialpsychologischen Reaktion verstanden werden kann: In der Regel lösen Opfer im Gegenüber negative Affekte aus, so ist auch die schon angesprochene Frage zu verstehen, ob sie nicht doch mitschuld seien (»blaming the victim«). Sehr häufig ist auch eine Identifikation mit dem Täter als dem Stärkeren (vgl. Brockhaus 2003a). Reemtsma spricht vom Basisaffekt gegen das Opfer, zu dem die neuerdings festzustellende Gegenbewegung der Anerkennung in einem interessanten Widerspruch stehe.

Die israelische Traumatologin Zahava Solomon geht in der Argumentation, dass es vor allem um die Anerkennung von Leid geht, noch einen Schritt weiter:

> »Die Folgen massiver psychischer Traumatisierung wurden und werden in sehr unterschiedlichen Gesellschaften […] immer wieder verleugnet. Es scheint somit, dass hier ein grundsätzlicheres oder universales Motiv am Werk ist. Meines Erachtens handelt es sich dabei um eine tief verwurzelte menschliche Schwierigkeit, nämlich, unsere eigene Verletzbarkeit zu erkennen und anzuerkennen« (Solomon 1996, S. 36).

In diesem Sinne befördert die Traumatologie implizit die Anerkennung menschlicher Verletzbarkeit und stellt deshalb eine Bedrohung für individuelle und gesellschaftliche Omnipotenz-Illusionen dar. Mit Blick auf die verspätete Anerkennung der Traumatisierung von israelischen Soldaten im Yom-Kippur-Krieg formuliert Solomon explizit:

»Die Bedrohung, die eine Anerkennung von Traumatisierung für diese Illusion darstellt, bildet einen der Faktoren, der sich unseren Untersuchungen auf diesem Gebiet entgegenstellt und unsere Gesellschaft nur widerwillig angemessen in Therapie und Forschung investieren lässt« (Solomon 1993b, zit. nach Brunner 2005, S. 91).

Solomon bezieht das Abwehrargument also auf Interessensunterschiede zwischen TraumatologInnen, die das Trauma anerkennen können und wollen, und der Gesellschaft, die nur widerwillig investiert. Ralf Hillebrandt (2004) entwickelt eine sehr ähnliche Argumentation im Hinblick auf die oben bereits skizzierten Probleme innerhalb der psychoanalytischen Theoriebildung. Er sieht die Schwächen der psychoanalytischen Theorieentwicklung als Ergebnis von Abwehrprozessen, dabei insbesondere in der »Abwehr von Todes-, Schuld- und Realangst« (Hillebrandt 2004, S. 16).

Ich denke, dass sich aus psychologischer Sicht nicht von der Hand weisen lässt, dass Theoriebildung und Erkenntnisproduktion gerade zum Thema Trauma mit Abwehrprozessen zu tun haben: Wie Devereux ausführt, sind Erkenntnisse in den Humanwissenschaften immer potenziell bedrohliche Erkenntnisse über uns selbst (Devereux 1956). Für Erkenntnisse über das »was Menschen Menschen antun können« – was einem selbst angetan werden könnte oder was man selbst tun könnte – gilt dies sicher in besonderem Maße (vgl. Kühner 2000). Aus politologischer Sicht formuliert Brunner an dieser Stelle jedoch einen interessanten Einwand bzw. eine Relativierung. Er bezieht sich konkret auf die Argumentationen von Solomon und kritisiert deren »traumatologische Geschichtsschreibung« als zu psychologistisch:

»In dieser Art Geschichtsschreibung wird normalerweise eine Entwicklung aufgezeigt, die mit einem gesellschaftlich signifikanten Trauma beginnt – Krieg, Verfolgung, Vergewaltigung oder Kindesmisshandlung – und dann über durch Angst, Schuld oder Scham und Hilflosigkeit motivierte kollektive Verdrängungsprozesse zur verspäteten Anerkennung des Traumas führt [...]. Dieses historische Narrativ überträgt die Dynamik von Traumatisierung, Verdrängung und Rückkehr des Verdrängten vom Individuum auf eine Gruppe, nämlich auf die sich mit Traumatisierung befassenden Therapeuten und Forscher« (Brunner 2005, S. 3).

Brunner setzt dem entgegen, dass man die Anerkennung von Traumata jeweils als Resultat gesellschaftlicher Prozesse und ideologischer Veränderungen sehen müsse. Er zeigt im zitierten Essay sehr eindrücklich die Tendenz auf, dass Traumatologen sich selbst als immanent gesellschaftskritisch stilisieren und die eigene Anpassung an bestehende Trends und Machtverhältnisse unterschätzen. Dieser Hinweis ist wichtig. Dennoch muss man m. E. die »psychologistische« und die politologische Argumentation nicht unbedingt als entgegengesetzt begreifen, sondern kann sie auch als sich ergänzend sehen. Festzuhalten bleibt: Die Psychotraumatologie ist nicht per se »immanent gesellschaftskritisch«, sondern pendelt wie andere Wissenschaftszweige auch zwischen Ideologie und Ideologiekritik (vgl. ebd.). Die Aufmerksamkeit der Psychologen für das Leiden von Menschen geht selten pionierhaft dem gesellschaftlichen Interesse voraus, sondern folgt eher den Moden und Wechselfällen kollektiver Empathie. Eine eindrückliche Illustration dieser Tatsache liefert die Antwort auf die oben angedeutete Frage, wessen Trauma in welchem Ausmaß thematisiert wird: Wenn sich niemand für die Kriegsfolgen in Vietnam interessiert, interessiert auch Psychologen das Trauma der Vietnamesen nicht. Während in den 1990er-Jahre das (westliche) Interesse an Traumatisierungen in nicht-westlichen Ländern angewachsen war (z. B. auch an Flüchtlingen), scheint seit dem 11. September die Verwundbarkeit der westlichen Welt durch Terrorismus wieder mehr ins Zentrum gerückt (vgl. Brunner 2004) – und wird dementsprechend auch verstärkt Gegenstand psychologischer Abhandlungen.

Auf ein typisches Missverständnis will ich noch eingehen: Ich habe erwähnt, inwiefern es attraktiv sein kann, als Traumaopfer anerkannt zu werden; Franziska Lamott spricht in diesem Zusammenhang mit Bourdieu vom »symbolischen Kapital«, das der »Besitz« der Diagnose Trauma in manchen Kontexten bedeuten kann (Lamott 2003). Dieses wichtige Argument wird manchmal missverstanden oder überdehnt. Die in Kapitel IV skizzierte Parallelisierung von erfundenem UFO-Trauma und manchmal falsch erinnertem Missbrauchstrauma durch Spence (1998) ist m. E. ein Beispiel für eine solche Überdehnung des Attraktivitätsarguments (und durchaus im Sinne einer Abwehr gegen das Ausmaß traumatischer Realität interpretierbar). In sehr seltenen Fällen werden Traumata komplett erfunden, weil es so »attraktiv« ist, als traumatisiert zu gelten. Wenn man jedoch traumatisiert ist, kann es unter bestimmten – rechtlichen, moralischen, politischen – Kontextbedingungen existenziell sein, als Trauma-Opfer medizinisch legitimiert zu sein als dies nicht zu sein, z. B. wenn damit für einen Flüchtling ein bestimmter Aufenthaltstatus verbunden ist.

2.4 Trauma als Rahmenmodell: Ein möglicher Kompromiss

In den drei vorangegangenen Abschnitten wurden verschiedene Lesarten von Trauma vorgestellt. Ziel war, deutlich zu machen, inwiefern die psychologische Rede vom Trauma einen Einordnungsversuch – eine spezifische Reaktion auf Unrecht und Leid – darstellt, dem ambivalente Effekte attestiert werden können. Trauma hat sich zu einem starken Mittel entwickelt, mit dem Leid anerkannt, Verbrechen »bewiesen« (Papadopoulos 2003) und angeprangert werden können. Zugleich kann die Definitionsmacht von Traumadiskursen den Opfern von Gewalt in spezifischer Weise erneut Gewalt antun: Die Vereinheitlichung der konkreten und einzigartigen Erfahrungen in einer gemeinsamen Diagnose ist eine Form von Enteignung und »Ent-Gesellschaftlichung«.

Diese Doppelgesichtigkeit (vgl. Becker 2006, S. 271) wird zunehmend benannt. Man kann daher in der Tat von einem beginnenden selbstreflexiven (kritischen) Traumadiskurs sprechen, innerhalb dessen entweder für eine Abschaffung oder für einen vorsichtigen Umgang mit dem Begriff plädiert wird: Beide Positionen erkennen gleichermaßen an, dass der Diskurs gewaltförmig sei, nivelliere, essenzialisiere, entpolitisiere und individualisiere. Interessant ist, dass dennoch gerade die schärfsten Kritiker zugleich die engagiertesten Anwälte für den Traumabegriff sein können. Ich skizziere exemplarisch die Position von David Becker, dessen Kritik sich vor allem gegen zwei Aspekte richtet: gegen den weltweiten unkritischen Export von Trauma im Sinne Summerfields und gegen das seiner Meinung nach extrem reduktionistische, schädliche Verständnis von Trauma, welches durch das Konzept PTSD vermittelt werde.

Becker spricht explizit von zwei Gesichtern der Traumaarbeit: An die Argumentation von Summerfield und an Edward Saids postkoloniale Analysen anknüpfend sieht er sie einerseits als Ausdruck eines »imperialen Kulturprojekts«. Er spielt auf die Tradition der Mission an, wenn er sagt, dass in Menschen »der Glaube entfacht werden soll, sie stünden ihren Rettern gegenüber. Ganz offen bemüht man sich wieder um die Seelen der Menschen« (Becker 2006, S. 271). In Beckers postkolonialer Lesart werden durch diese Art der Arbeit mit Trauma in (meist postkolonialen) Konfliktregionen Machtverhältnisse verschleiert, den Opfern werde suggeriert, »dass ihr soziales Leid eine Krankheit ist und dass diejenigen, die sie entmachten und unterdrücken, ihnen in Wirklichkeit helfen, ihre Krankheit zu überwinden« (ebd., S. 272).

Zugleich spricht Becker jedoch mit Blick auf die Differenzierung und Weiterentwicklung der Traumatheorie voller Wertschätzung von dem gemeinsamen Bemühen um eine Fachsprache, die versucht habe »die Existenz extremen sozialen Leids anzuerkennen« (ebd., S. 272). Die große Verbreitung des Traumadiskurses sieht er trotz seiner radikalen Kritik auch als Produkt

> »der Anerkennung der imperialen Verbrechen, des Bemühens, die Anderen, die Fremden wirklich wahrzunehmen und als gleichberechtigte Mitmenschen zu akzeptieren, denen Schaden zugefügt wurde. Tatsächlich ist durch den Traumadiskurs das Leid der Menschen greifbarer geworden, wir können mehr darüber hören und lernen als je zuvor« (ebd., S. 273).

An dieser Position wird noch einmal deutlich, dass sich die Kritik auf jeweils unterschiedliche Ebenen oder Aspekte beziehen kann: Becker sieht, dass die intensive Auseinandersetzung mit Trauma sehr wohl differenzierte Erkenntnisse darüber hervorgebracht hat, wie »tiefgreifend und lebensbestimmend« (ebd., S. 273) Traumatisierungsprozesse sein können. Zugleich ist er der Meinung, dass die Erkenntnisse eben meist nicht in ihrer Differenziertheit angewandt werden.

Interessanterweise zieht Becker aus seiner durch und durch ambivalenten Einschätzung nicht die Konsequenz, die Arbeit mit dem Begriff aufzugeben. Er denkt, dass die differenzierten Erkenntnisse trotz allem vorsichtig angewendet und weiter entwickelt werden können. »Trauma« fungiert dann als ein Rahmenmodell in der Entwicklungszusammenarbeit, das Wissen darüber bereitstellt, wie Traumatisierungsprozesse prinzipiell verlaufen können.

Zentral sind dafür zum einen die unter 1.2 vorgestellte Konzeption von »Trauma als Prozess« und eine Konzeption von sozialem Trauma als Disempowerment: Den sozialen Prozessen »Bedrohung, Zerstörung und Verlust« stellt er in dieser Konzeption die korrespondierenden psychischen Prozesse »Angst, Trauma und Trauer« (Becker 2006, S. 181; vgl. auch Becker/Weyermann 2006) gegenüber. Idealtypisch untersuchen dann psychosoziale Akteure in posttraumatischen Situationen nicht mehr die Prävalenz von PTSD, sondern sie fragen danach, wo im jeweiligen Kontext »Bedrohung, Zerstörung und Verlust« stattgefunden hat oder noch stattfindet.

Die hier skizzierte konstruktive Kritik gilt zum Teil dem Traumadiskurs im Allgemeinen, bezieht sich dann aber im Detail auf die spezifische Nutzung in der Entwicklungszusammenarbeit.

3 Zwischenbilanz I: Kollektives Trauma als kollektiv gewordenes Trauma

Im folgenden Abschnitt sollen nun ausgehend von dem bis jetzt Dargestellten einige erste Theoretisierungs-Schritte unternommen werden. Ich folge dabei der Leitfrage, wie man »kollektives Trauma« vom individuellen Trauma kommend denken könnte. In einem ersten Schritt gehe ich von den theoretischen Überlegungen aus, in einem zweiten Schritt beziehe ich diese dann systematisch auf die Anwendungsperspektive »11. September«.

3.1 Traumamerkmale und Kollektive

3.1.1 Kollektive Wunden? – Zur Übertragbarkeit grundlegender Definitionsmerkmale

Geht man erneut von der (griechischen) Wortbedeutung aus, dann sind kollektive Traumata »kollektive Verwundungen«. Was kann auf kollektiver Ebene eine »Verwundung« bedeuten? Bereits an dieser Stelle wird deutlich, dass die metaphorische Übertragung des Begriffs in vielfältige interdisziplinäre Fragestellungen mündet: Was Kollektive »verwunden« kann, betrifft und interessiert alle Wissenschaften, die sich für Kollektive interessieren und wird je nach theoretischer Orientierung und damit einhergehender Konzeptionalisierung von »Kollektiven« unterschiedliche Fragen aufwerfen. So definiert etwa der Soziologe Kai Erikson ausgehend von der Vorstellung von einem »sozialen Gewebe« kollektives Trauma als »blow to the basic tissues of social life that damages the bonds attaching people together« (K. Erikson 1994, S. 233), also als eine Verletzung des sozialen Gewebes und der Verbindungen der Menschen untereinander. Diese Definition knüpft unmittelbar an die Bedeutung von

Trauma als Läsion an. Man kann sich eine »kollektive Wunde« aber auch systemtheoretisch als eine Störung vorstellen, die »Selbstheilungskräfte« aktiviert und innerhalb des gesamten Systems Veränderungen hervorrufen kann.

Werden nun die in der körpermedizinischen und psychologischen Traumadefinition eingeführten Merkmale der – besonderen – Wunde »Trauma« miteinbezogen, lassen sich für die kollektive Ebene spezifischere Fragen formulieren. Trauma ist eine von außen verursachte Wunde, die »normal gewohnte« (Freud) Verarbeitungsweisen überfordert und dadurch einen schädigenden »Teufel im Inneren« (Sandler) zurücklässt. Besonders wichtig erscheint mir hier das von Freud eingeführte Kriterium der Normalität. Gibt es auf kollektiver Ebene so etwas wie »normale Verarbeitungsweisen«, sodass man überhaupt von »anormaler« Verarbeitung sprechen kann? Mit Blick auf sozialanthropologische Studien zur kollektiven Verarbeitung von Gewalt stellen Veena Das und Arthur Kleinmann fest, dass man eher davon sprechen könne, dass Erfahrungen massiver Gewalt und Zerstörung die Vorstellungen von Normalität verändern (vgl. Das/Kleinmann 2001, S. 23). »Normale« und »nicht normale« Reaktionsweisen lassen sich somit auf kollektiver Ebene noch viel schwerer unterscheiden als auf individueller. Auf kollektiver Ebene ist dann erst recht der Rückgriff auf das Kriterium der Retrospektivität notwendig: »Kollektive Traumata« wären dann Ereignisse, von denen sich im Nachhinein herausstellt, dass sie die Verarbeitungsmöglichkeiten des Kollektivs überfordert und bleibenden Schaden hinterlassen haben.

Spätestens an dieser Stelle werden all die Schwierigkeiten, Verkürzungen und Kategorienfehler deutlich, die aus wissenschaftlicher Sicht entstehen, wenn das Soziale oder Kollektive implizit als Körper gedacht wird, wie etwa in der bereits von Plato verwendeten Metapher vom »Sozialkörper«. Dieses Problem wurde und wird vielfach diskutiert, meist mit dem Ergebnis, dass die Körper-Metapher mehr durch ihre Suggestionskraft als durch ihren analytischen Wert besticht: Vermutlich klingt auch »kollektives Trauma« auf Grund der Verbreitung dieser Vorstellung intuitiv so plausibel.

Um zu einer abschließenden Einschätzung der Metapher »kollektives Trauma« überhaupt kommen zu können, habe ich diese problematische Analogiebildung trotz der berechtigten Bedenken im Sinne der Fragestellung dieser Arbeit weitergetrieben. Auf den Überlegungen von Das und Kleinmann (2001) aufbauend lässt sich fragen: Wenn anerkannt wird, dass es für Kollektive wegen der Singularität jeder konkreten historischen Situation keine Normalität gibt, kann es dann trotzdem dem Trauma vergleichbare Ereignisse geben, denen retrospektiv ein (negativer) Sonderstatus zugewiesen wird? Auf welcher Ebene würden sich solche kollektiv besonders bedeutsamen Ereignisse überhaupt zeigen? Für die Beantwortung dieser Frage erweisen sich die beiden Konstrukte »kollektive Identität« und »kollektives

Gedächtnis« zentral: Ein kollektives Trauma könnte als ein Ereignis definiert werden, das für die kollektive Identität als besonders relevant erlebt wird und im kollektiven Gedächtnis einen noch näher zu bestimmenden Sonderstatus einnimmt. Für eine Theoretisierung kollektiver Traumata ist es deshalb unentbehrlich zu rekapitulieren, was generell über kollektive Identität und kollektives Gedächtnis bereits bekannt ist und dies dann auf kollektive Traumata anzuwenden. Dies werde ich deshalb in Kapitel III und IV unternehmen.

3.1.2 Trauma-Phänomene und trauma-analoge Prozesse auf Kollektiv-Ebene

Die gerade dargestellten Überlegungen bezogen sich auf die Übertragbarkeit grundlegender Definitionsmerkmale von Trauma auf Kollektive. Dabei habe ich die inhaltlichen Merkmale – die Trauma-Phänomene – zunächst außen vor gelassen und ganz allgemein von einem »Sonderstatus« von Ereignissen gesprochen. Im Folgenden wird exemplarisch die Übertragbarkeit von einigen Trauma-Phänomenen diskutiert.

Für das individuelle Trauma wurden verschiedene Kategorien von Phänomenen beschrieben: typische Gefühle, die als »Traumasymptome« auftauchen können (Scham, Schuldgefühle), typische Verhaltensweisen, mit denen Menschen auf Traumata reagieren (Rache, Schweigen, Aussprechen, Vermeiden) sowie ganz spezifische komplexe Mechanismen und Reaktionsmuster, die für Traumata charakteristisch sind (Dialektik zwischen Auseinandersetzung und Abwehr, Sequenzielle Traumatisierung, Re-Inszenierungen).

Eine Übertragung auf die kollektive Ebene gelingt für diese Phänomene unterschiedlich gut: Einzelne Gefühle lassen sich vergleichsweise gut auf die kollektive Ebene übertragen. Wenn sehr viele Menschen unter Scham- oder Schuldgefühlen leiden, kann das als kollektive Stimmung der Schuld und/oder der Scham, also ein kollektives, von vielen geteiltes Grundgefühl verstanden werden. Dass es so etwas wie eine »Gefühlsansteckung« gibt, hatte bereits Freud (1921c) im Kontext seiner Hypothesen zu massenpsychologischen Prozessen angenommen: Er nahm unter anderem an, dass es ein Bedürfnis gebe, seine Individualität in bestimmten Situationen aufzugeben und sich ähnlich zu fühlen. Hilfreich sind darüber hinaus Annahmen, die EthnopsychoanalytikerInnen für verschiedene Gruppen oder Kulturen beschreiben: Das Kollektiv legt eine bestimmte Art von Gefühlen nahe, klassifiziert oder sanktioniert andere als unnormal und erzeugt damit ähnliche Abwehrstrukturen innerhalb einer Gemeinschaft. Erdheim spricht in diesem Zusammenhang von einem gesellschaftlichen Unbewussten.

Es ist ebenso naheliegend, dass solche von Vielen geteilte kollektive Grundgefühle und kollektive Abwehrmechanismen dann in entsprechende kollektive Verhaltensweisen, wie etwa Schweigen, münden. Wenn Viele diese Verhaltensweisen teilen, lässt sich auch dieses als »kollektives Verhalten« bezeichnen, wie dies ganz typisch etwa für das »kollektive Schweigen« geschieht.

Ungleich komplexer stellt sich diese Übertragung jedoch für die traumaspezifischen Reaktionsmuster und Mechanismen dar: Auch wenn Latenz, Wiederholungszwang und die typische Dialektik von Auseinandersetzung und Abwehr für einzelne Individuen ähnliche Prozesse beschreiben, lassen sie sich nicht kollektiv aufsummieren. Bei der Latenz ist dies schon allein deswegen nicht möglich, weil sie bei den einzelnen Individuen unterschiedlich lange andauert. Insgesamt geht es bei den komplexeren Traumaphänomenen um Muster, die bei unterschiedlichen Individuen unterschiedlich ablaufen und für die man sich eine mögliche Übertragung auf das Kollektiv grundsätzlich anders vorstellen muss. Ich stelle am Beispiel von drei komplexeren Trauma-Reaktionsmustern dar, wie eine Übertragung auf die kollektive Ebene vorstellbar ist und welche Grenzen sich dabei zeigen.

Dialektik von Auseinandersetzung und Abwehr (Latenz)

Einige Traumatherapeuten (vgl. Herman 1993) vergleichen die Heimsuchungs-Symptome (Intrusionen) mit Gespenstern und vermuten, dass es ein kulturelles Wissen um das Phänomen gebe, dass man von schwieriger Geschichte verfolgt werde. Dies zeige die weite Verbreitung von Gespenstergeschichten. Reemtsma bezeichnet Gespenstergeschichten in diesem Sinne als die »literarische Repräsentanz des Traumas« (Reemtsma 1996, S. 10). Die Neigung, eine Vergangenheit abschütteln zu wollen, die sich nicht abschütteln lassen will, hat also eine eigene Literaturgattung hervorgebracht. Man könnte von einer Art universaler Tendenz zu dieser Dialektik sprechen, die möglicherweise Gesellschaften als Ganzes betrifft. Für Gesellschaften ließe sich dann auch fragen, ob es ebenfalls in trauma-analoger Weise Phasen von Taubheit, Erstarrung und Verleugnung gibt, die dann wieder in Phasen intensiver Konfrontation münden.

Manche empirischen Untersuchungen zum »kollektiven Gedächtnis« legen solche Phasierungen nahe. Pennebaker und Banasik z.B. meinen verallgemeinern zu können, dass bis zur Errichtung eines Gedenkortes typischerweise 20–25 Jahre vergehen (vgl. Pennebaker/Banasik 1997). Sie haben allerdings vergleichsweise kleinere kollektive Erschütterungen wie die Ermordung von J. F. Kennedy oder von Martin Luther King im Blick. Aber auch für komplexere Erschütterungen ist oft von phasenhaften Verläufen in der öffentlichen Auseinandersetzung die Rede. So spricht Werner Bergmann (1998) explizit von einer Kommunikationslatenz im Kontext der Vergangenheitsbewältigung in der BRD; Iguarta und Paez ordnen die Repräsentanz des spanischen Bürgerkrieges in Kinofilmen unterschiedlichen Phasen zu (vgl. Iguarta/Paez 1997).

Bei genauerem Hinsehen besteht diese Ähnlichkeit im Verarbeitungsprozess jedoch nur auf der Oberfläche: Phasen in einem gesellschaftlichen Entwicklungsprozess bedeuten etwas radikal anderes als die Phasen eines individuellen Verarbeitungsprozesses. Je nach Trauma gibt es innerhalb einer Gesellschaft höchst unterschiedliche, oft entgegengesetzte Perspektiven, die durch die unterschiedlichen Positionen von Tätern, Opfern und Zuschauern während der Gewaltausübung bestimmt und in Bezug auf Auseinandersetzung, Verleugnung und »Abwehr« mit ganz konkreten unterschiedlichen Interessen verbunden sind. Selten sind alle Mitglieder einer Gesellschaft oder Gemeinschaft wirklich auf vergleichbare Weise traumatisiert. Das heißt also, dass beim Blick aufs Kollektive berücksichtigt werden muss, dass die Tendenzen zur Verleugnung und Abwehr hier unterschiedliche Interessen verschiedener Individuen oder Gruppen (im Extremfall die entgegengesetzten Interessen von Opfern auf der einen und Tätern auf der anderen Seite) widerspiegeln.

Ein genauer Blick auf die Prozesse, die etwa der Einrichtung eines Gedenkortes (Gedenkstätte, Museum, Denkmal) vorangehen, zeigt, dass diese oft Gegenstand erbitterter Auseinandersetzung werden (vgl. Schittenhelm 1996). Die Phase der Abwehr kann also besser als Phase beschrieben werden, in der sich (noch) diejenigen durchsetzen können, die gegen das öffentliche Erinnern sind. So stellen etwa auch Pennebaker und Banasik (1997) die Hypothese auf, dass die typischen 20–25 Jahre den Zeitraum markieren, in dem diejenigen, die in irgendeiner Weise für das Geschehen mitverantwortlich sind, noch an der Macht sind und eine intensivere Auseinandersetzung mit der Frage nach der Verantwortung unterbinden wollen. Während Vermeidung beim individuellen Trauma meist für den Schutz des Opfers steht, steht sie im kollektiven Trauma also häufig für den Schutz der Täter.

Etwas anders könnte dies in den seltenen Fällen sein, in denen Täter und Opfer nicht mehr in einer Gesellschaft zusammenleben müssen. In diesen Fällen – wie z. B. in Israel – gibt es keinen zugespitzten Interessenkonflikt zwischen Tätern und Opfern. Dennoch kann in Israel in Ansätzen ein phasenhafter Verlauf bzw. eine Latenzphase festgestellt werden. In Israel ist besonders schwer zu sagen, inwiefern die Latenz eher den Schutzbedürfnissen der Holocaust-Überlebenden als Opfer im engeren Sinne oder denen der Opfer im weiteren Sinne entsprach. In Analogie zum individuellen Trauma lässt sich hier als These feststellen, dass sich das traumatisierte Kollektiv in der schwierigen Gründungsphase des Staates Israel keine Verletzlichkeit und damit keine intensive Auseinandersetzung mit dem vergangenen Grauen leisten konnte. So arbeitet etwa Dan Bar-On (2001) heraus, wie sehr es in dem jungen Staat darum ging, eine neue, von einem Gefühl der Stärke geprägte Identität aufzubauen.

STABILITÄT UND ERSCHÜTTERUNG

Vergleichsweise einfacher ist die Übertragung auf die kollektive Ebene für das Phänomen, das die kognitive Psychologie ins Zentrum des Traumas rückt, für die »shattered assumptions« (Janoff-Bulmann 1992), die erschütterten Grundüberzeugungen. Individuen teilen wesentliche Grundüberzeugungen, z. B. den Glauben an eine relative Sicherheit ihrer Umwelt, mit den meisten Mitgliedern ihrer Gruppe bzw. ihres Kollektivs. Durch ein »kollektives Trauma« kann man sich deshalb nicht nur die Grundüberzeugungen der einzelnen traumatisierten Individuen als erschüttert vorstellen, sondern die der Gruppe insgesamt. Hier sind die kollektiven Effekte möglicherweise noch deutlicher als bei den geteilten Gefühlen: Durch ein kollektives Trauma werden sowohl die Grundüberzeugungen der direkt Betroffenen (also der Trauma-Opfer) als auch die der anderen Angehörigen eines Kollektivs erschüttert. So wurde für die Terroranschläge vom 11. September 2001 festgestellt, dass insgesamt das Grundvertrauen der Amerikaner in ihre Sicherheit erschüttert wurde. Obwohl diese Erschütterung mit Sicherheit für die konkreten Opfer wesentlich massiver und existenzieller ist, schmiedet sie eine Verbindung zwischen direkt und indirekt Traumatisierten. Während sich der Einzelne beim individuellen Trauma mit seinem Gefühl, sich auf die Welt nicht mehr verlassen zu können, meist zusätzlich einsam fühlt, entsteht bei der kollektiven Erschütterung eher eine Solidarisierung: Das Kollektiv versucht gemeinsam mit der Erschütterung fertig zu werden und die Angst zu bewältigen. Dabei steht häufig die Wiederherstellung von Sicherheit im Vordergrund. Insgesamt ließe sich für verschiedene »kollektive Traumata« fragen, welche Grundüberzeugungen einer Gesellschaft durch die Traumatisierung jeweils in Frage gestellt wurden und was das auf kollektiver Ebene bedeutet.

RE-INSZENIERUNG, AGGRESSION UND RACHE

Eine der ernüchterndsten Erkenntnisse über das Ende von Unterdrückungsregimen ist, dass die ehemals Unterdrückten oft die Gewalt, die sie selbst erfuhren, an anderen wiederholen – manchmal auf erschütternd ähnliche Weise. Verschiedene Traumareaktionsmuster bieten sich hier als Erklärungsmöglichkeiten an: Die Wiedergewinnung von Macht und Kontrolle, das oft damit verwandte Bedürfnis nach Rache und das Phänomen der Re-Inszenierung, das insbesondere die Ähnlichkeit der Taten zum selbst Erlittenen erklären kann.

Das Bedürfnis nach Rache, das bei der individuellen Traumatisierung das Opfer eher zum einsamen Rächer macht, kann beim kollektiven Trauma den gegenteiligen Effekt haben: Während das Individuum alleine in Konflikt mit den Interessen der Gemeinschaft und mit seinem Ichideal gerät und deshalb meist auf Rache verzichtet, können sich die Rachebedürfnisse der Einzelnen im kollektiven Trauma leicht gegenseitig verstärken. Wie für andere massenpsychologische Phänomene beschrieben (vgl. Freud 1921c), kann das Ichideal bzw. Über-Ich dadurch aufgeweicht werden: Der Einzelne muss sich nicht mehr unbedingt für seine Rachebedürfnisse schämen, wenn andere sie teilen (vgl. Kapitel II).

Rachebedürfnisse gibt es jedoch nicht nur auf bewusster, sondern auch auf unbewusster Ebene, wie vor allem Erfahrungen aus der Einzeltherapie zeigen (Steiner 2006; Britton et al. 1997). Diese unbewusste Rache tritt oft als Re-Inszenierung mit umgekehrten Vorzeichen auf, wenn das Opfer beispielsweise dem Therapeuten Ähnliches zufügt. Das Besondere an der Re-Inszenierung ist dabei, dass es nicht nur darum geht, Rache zu üben, indem dem Täter oder jemand anderem etwas vergleichbar Schlimmes zugefügt wird, sondern dass sich die Art und Weise bis ins Detail ähneln kann. Psychoanalytisch gesprochen wird die gleiche Szene hergestellt in der Hoffnung, ihr diesmal nicht ohnmächtig ausgeliefert zu sein. Möglicherweise gilt für die kollektive Ebene wie für die individuelle, dass die Wiederholungstendenz vor allem dann auftritt, wenn keine andere Möglichkeit der Bearbeitung und Integration gefunden wurde. In dieser Logik würden vor allem diejenigen Gesellschaften oder Gruppen die Dynamik der kollektiven Wiederholung traumatisierender Verletzungen entfalten, für die ein anderer Wiedergewinn von Macht und Stabilität sowie eine Wiederherstellung von Gerechtigkeit nicht möglich war. Das ist gerade bei denjenigen Traumata möglich, die weniger spektakuläre Folgen haben und deshalb nicht so laut nach Bearbeitung rufen.

SCHLUSSFOLGERUNG

Bei dem Versuch, komplexere Traumaphänomene auf kollektiver Ebene zu denken, wird deutlich, dass die einzelnen Phänomene auf kollektiver Ebene eine andere Dynamik entfalten können als auf der individuellen Ebene: So macht etwa eine tief greifende Erschütterung oder das Bedürfnis nach Rache ein einzelnes Opfer einsam, während es die Gruppe verbinden kann. Einzelne Traumaphänomene können also auf kollektiver Ebene zu etwas qualitativ anderem werden.

Insgesamt mündet die Frage nach der Übertragungsmöglichkeit einzelner Traumaphänomene in die schwierige Frage, ob und wie »kollektive Gefühlen« oder komplexere »kollektive psychologische Prozesse« überhaupt zu konzipieren sind. Diese Frage wurde seit Ende des 19. Jahrhunderts unter dem

Stichwort »Massenpsychologie« diskutiert. Freud hat diese Überlegungen erstmals explizit mit psychologischen Erkenntnissen verknüpft und zum Beispiel gefragt, warum Individuen in bestimmten Situationen ihre individuelle Reaktion aufgeben und sich lieber den Gefühlen der Masse anpassen. Mit anderen Worten beschreibt Freud eine Tendenz zur Vereinheitlichung von Reaktionen und Gefühlen.

Wenn ich bisher diskutiert habe, ob sich typische »Trauma-Phänomene« oder »Trauma-Prozesse« auf kollektiver Ebene wiederfinden lassen, habe ich damit für die hier skizzierten ersten theoretischen Schritte – vorläufig – vorausgesetzt, dass es »kollektive Gefühle« oder »kollektive Prozesse« prinzipiell und überhaupt gibt. Für die hier vorgelegte differenziertere Theoretisierung will ich diese Voraussetzung jedoch noch einmal hinterfragen. Ich werde dazu Freuds massenpsychologischen Essay, A. und M. Mitscherlichs darauf aufbauende Thesen und einige neuere Ansätze zur Psychoanalyse kollektiver Prozesse vorstellen und fragen, was daraus für eine Theoretisierung »kollektiver Traumata« abzuleiten ist. Als eine erste weiterführende Frage kann hier formuliert werden:

Welches Zusammenspiel gibt es zwischen typischen (psychoanalytisch interpretierbaren) kollektiven Prozessen und kollektiv relevanten traumatischen Ereignissen?

Ich werde dieser Frage in Kapitel II nachgehen.

3.1.3 Indirekte Traumatisierung, Identifikation und symbolische Präsenz des Traumas

Wie bereits dargestellt, wird Trauma von vielen AutorInnen grundsätzlich als individuell *und* sozial konzipiert. So war u. a. davon die Rede, dass das Trauma in einer sozialen Beziehung entsteht, spätere soziale Beziehungen beeinträchtigt, dass es indirekte Traumatisierungen gibt und dass Traumatisierte ihre Umgebung an das traumatische Ereignis erinnern. Ganz allgemein formuliert »betrifft« das traumatische Ereignis also nicht nur den oder die direkt Traumatisierten. Ich möchte hier vorschlagen, solche Phänomene zusammenfassend als eine »symbolische Präsenz des Traumas« zu bezeichnen, die verschiedene Formen annehmen kann.

Einige der dargestellten Beispiele zeigen, dass das Trauma-Opfer selbst als »Verkörperung« des traumatischen Ereignisses erlebt werden kann, als ob es bereits durch seine reine Existenz an das Geschehen erinnern würde. Dieses Erinnern kann allgemein als Erinnerung an die Sterblichkeit oder Verletzlichkeit des Menschen wirken, es kann aber auch konkret Gefühle der Schuld, Scham oder Angst wecken. Man muss meines Erachtens nicht so weit gehen, hier von einer »Traumatisierung« des Gegenübers zu sprechen, aber die im Opfer verkörperte symbolische Präsenz des Traumas kann typische Trauma-Abwehr-Prozesse auslösen. Auch die neuerdings diskutierte indirekte Traumatisierung durch die Medien kann mit dieser Vorstellung einer symbolischen Präsenz des Traumas erklärt werden. Verfolgt man diesen Gedanken weiter, ist es nicht mehr erstaunlich, dass Trauma zu einem Schlüsselbegriff der Kulturwissenschaften insgesamt geworden ist. Wie der Traumatisierte selbst durch subtile entfernt verwandte Hinweisreize verschiedenster Art (Gerüche, Bilder, Geräusche) an das Trauma erinnert werden kann, so können verschiedenste kulturelle Produkte Erinnerungen an traumatische Ereignisse symbolisieren. Der interdisziplinäre Traumadiskurs geht hier in den Gedächtnisdiskurs über. Als zweite weiterführende Frage lässt sich formulieren:

Wie kann man sich das Verhältnis zwischen kollektiver Erinnerung und kollektivem Trauma vorstellen?

Ich werde deshalb im Kapitel IV den interdisziplinären Diskurs zu kollektivem Gedächtnis skizzieren und zentrale sozialpsychologische Erkenntnisse zum kollektiven Erinnern vorstellen.

Für einen weiteren Theoretisierungsschritt greife ich ebenfalls auf die Überlegungen zur indirekten Traumatisierung und zum kritischen Traumadiskurs zurück: Dort wurde beschrieben, dass Menschen sich deshalb von einem Trauma indirekt betroffen fühlen können, weil sie zu der Gruppe gehören, die durch das Trauma angegriffen wird. Ich teile die Auffassung von Wirth, nach der das Ausmaß des Zugehörigkeitsgefühls hier entscheidend ist:

»Je nachdem, wie stark sich das Individuum mit dem Kollektiv verbunden fühlt, variiert das Ausmaß, in dem es sich von der gegen das Kollektiv gerichteten Gewalt betroffen, beeinträchtigt, traumatisiert fühlt« (Wirth 2006, S. 101).

Man könnte in diesem Zusammenhang von »subjektiven kollektiven Traumatisierungen« sprechen, da das Subjekt die Relevanz für sich selbst definiert.

Es gibt jedoch auch Beispiele, in denen die subjektive Verbundenheit des Individuums sekundär ist, weil das Trauma unter anderem darin bestand, Individuen gegen ihren Willen einer zur Vernichtung bestimmten Gruppe zuzuordnen: Genozid im Allgemeinen und der Holocaust im Besonderen lassen sich meines Erachtens deshalb als »objektive kollektive Traumata« bezeichnen, weil die Definition des Kollektivs Teil des Traumas ist. Im zitierten Aufsatz betrachtet Wirth den Holocaust ebenfalls als ein extremes Beispiel von kollektivem Trauma und argumentiert:

»Ein Gewaltakt von monströsem Ausmaß hat eine solche traumatisierende Durchschlagskraft, dass sich ein Individuum, das zu diesem Kollektiv gehört, seiner Wirkung nicht entziehen kann. Der Holocaust wäre das Beispiel für ein solches

Trauma, das nicht nur unzählige Einzelne und ihre Familien traumatisiert hat, sondern auch diejenigen, die überlebt haben, diejenigen, die rechtzeitig emigrieren konnten, diejenigen, die immer in Sicherheit lebten, ja selbst die nächsten Generationen, die noch nicht geboren waren, als der Holocaust stattfand« (ebd.).

An dieser Stelle wird deutlich, dass auch ein Teil der unter transgenerationeller Weitergabe beschriebenen Symptome sich durch den objektiven Charakter des kollektiven Traumas Holocaust erklären lassen: Kinder von jüdischen Überlebenden haben in diesem Sinne nicht die Wahl, ob sie sich von der genozidalen Absicht mitgemeint fühlen wollen oder nicht. Sowohl die Überlegungen zum skizzierten subjektiven als auch zum objektiven kollektiven Trauma münden in den Diskurs über »kollektive Identität«, den ich im III. Kapitel ausführlich darstellen werde. Im dritten Kapitel gehe ich deshalb folgender Frage weiter nach:

Welche Verbindungen gibt es zwischen Zugehörigkeit zu einer Gruppe und Trauma, bzw. zwischen »kollektivem Trauma« und kollektiver Identität?

3.1.4 Kollektivtrauma als Fortsetzung der Medikalisierung: Gesellschaften als Patienten

Bevor ich an Hand des Beispiels »11. September« einen Klassifikationsversuch von »kollektiven Traumata« entwickle, soll ein weiterer Theoretisierungsschritt skizziert werden: Ich bin bisher vor allem von den Merkmalen und Phänomenen von Trauma ausgegangen und habe gefragt, was ein »kollektives Trauma« sozialpsychologisch betrachtet *sein* könnte. Es ließen sich aber auch die unter I.2 vorgestellten Überlegungen aus dem kritischen Traumadiskurs auf »kollektive Traumata« anwenden, was zur folgenden Frage führt: Was bedeutet es, bestimmte Phänomene als »kollektive Traumen« zu kategorisieren?

Nach meiner Einschätzung gelten zentrale Argumente aus dem kritischen Traumadiskurs für kollektive Traumata in zugespitzter Form: Mit kollektivem Trauma werden historisch radikal unterschiedliche Ereignisse wie die Terroranschläge vom 11. September 2001 und der Holocaust einer gemeinsamen Kategorie zugeordnet, was ethisch einer Banalisierung des Holocaust gleichkommt. Von der ethischen Dimension abgesehen lässt sich auch wissenschaftlich fragen, ob eine solche Zuordnung wirklich einen Erkenntnisgewinn bedeuten kann. Auch das Argument der psychologischen Pathologisierung gilt für kollektive Traumata in potenzierter Form. Wie insbesondere kritische Stimmen in der Friedensforschung (vgl. Harrington 2006, Pupavac 2002) betonen, werden durch den Traumadiskurs ganze Gesellschaften in Postkonfliktsituationen implizit wie unberechenbare, unmündige psychisch Kranke behandelt: Gesellschaften sind dann nicht mehr ernst zu nehmende politische Akteure innerhalb der Weltgesellschaft, sondern Kranke, die erst vom Trauma genesen müssen. Dass mit Trauma ein spezifisch westliches Krankheitsverständnis exportiert wird, kommt erschwerend hinzu. Als vierte vorläufige Annäherung schlage ich deshalb vor:

Kollektives Trauma kann auf der Diskursebene als Kategorisierungsversuch im Sinne psychologistischer Welterklärungen gesehen werden, die politische und soziale Prozesse in Analogie zu individuellen Krankheiten verstehen.

3.2 Fallbeispiel: Wie der »11. September« kollektiv wurde

Die vom Trauma kommende Annäherung an »kollektives Trauma« soll nun auf eine Anwendungsperspektive bezogen werden: die Auswirkungen der Terroranschläge vom 11. September 2001 in den USA. Ich werde zunächst aufzeigen, welche psychologischen Folgen der Anschläge beschrieben wurden. Verschiedene Autoren teilen unter dem übergeordneten Thema »Folgen des 11. September« Beobachtungen aus Therapien und Beratungen, empirische Daten und Hypothesen mit. Sie sprechen psychologische Auswirkungen an, die in unmittelbarer Umgebung des ehemaligen World Trade Centers (3.2.1), in den USA im Allgemeinen (3.2.2) und schließlich weltweit (3.2.3) lokalisiert werden. Ich zeige an Hand dieser Ausführungen, dass man für das Anwendungsbeispiel »11. September« in sehr unterschiedlicher Weise von kollektivem Trauma sprechen muss. Daraus lässt sich ein Klassifikationsversuch ableiten, der sich an dieser geografischen Einteilung aber auch an den Wirkungsweisen des Begriffs orientiert (3.2.4).

3.2.1 New York: »Disaster Mental Health«

Die massivsten direkten psychologischen Auswirkungen des 11. September betrafen die Bewohner von New York. Im psychologisch-medizinischen Diskurs gibt es unterschiedliche Einschätzungen, inwiefern diese Auswirkungen unter die Kategorie Trauma zu fassen oder gar durch die massenhafte Vergabe der Diagnose PTSD adäquat erfasst werden können (vgl. Roth 2004; vgl. Kühner 2003). Die im Folgenden zitierten Aussagen können übergreifend als »Responses of the Mental Health Community« (Stroizer/Gentile 2004) bezeichnet werden: Psychosoziale Professionelle waren sich der massiven psychologischen Auswirkungen der Katastrophe sofort bewusst, entwickelten Modelle akuter Krisenintervention oder längerfristigerer Unterstützung. Rückblickende Berichte und Reflexionen dieser Erfahrungen bieten einen wichtigen Einblick in die psychologischen Folgen der Katastrophe (Anzieu 2003; Schecter/Coates 2003; Bergmann 2004; Roth 2004; Saul 2006). Stroizer und Gentile (2004) waren außerdem an einer empirischen Interviewstudie beteiligt, innerhalb derer bis Dezember 2002 insgesamt 98 Personen ausführlich (ein bis zwei Stunden) befragt wurden.

Stroizer und Gentile bemerken, dass die Menschen in New York von der Katastrophe in sehr unterschiedlichem Ausmaß betroffen gewesen seien und verwenden dafür die Bezeichnung »zones of sadness«. Diese Zonen resultieren aus der unterschiedlichen »physischen, emotionalen und sozialen Nähe zu den Türmen« (Stroizer/Gentile 2004, S. 416; Übersetzung A. K.). Wer innerhalb der Türme – der intensivsten Zone – gewesen sei, habe vermutlich in Anpassung an die Situation dissoziiert und entwickle langfristige psychische Probleme im Sinne eines Traumas. Es sei jedoch falsch, so die Autoren weiter, nur bei den direkten Überlebenden an Trauma zu denken. Sie definieren als nächste »zone of sadness« die unmittelbare Umgebung der Türme, in der Tausende von Passanten voller Horror beobachtet hätten, wie die Menschen der unerträglichen Hitze in den oberen Stockwerken durch den Sprung in den Tod entkommen seien (vgl. Stroizer/Gentile 2004, S. 417). Die Tatsache, dass man Menschen springen und somit sterben habe sehen, ist für die Autoren der entscheidende Auslöser für Traumatisierungen in dieser Zone, die sich dadurch von der nächsten unterscheide. Wer nur die brennenden Türme ohne springende Menschen gesehen habe, habe in der Regel zwar einen Schock, jedoch keine bleibenden Trauma-Symptome.

In der nächsten Zone, in der man die Türme nicht mehr direkt gesehen habe, unterscheide sich die Reaktion der Bewohner von New York nicht mehr sehr stark von denen der Fernsehzuschauer:

»In dieser Zone, näherte sich die Art und das Ausmaß von Trauma der […] Erfahrung der Fernsehzuschauer an. Die Menschen waren zwar tief berührt, jedoch zum großen Teil nicht traumatisiert in irgendeinem klinisch-psychologischen Sinne« (Stoizer/Gentile 2004, 417; Übersetzung A. K.).

Was die New Yorker jedoch anders als die Fernsehzuschauer teilen würden, sei die Erfahrung des wochenlang in der Stadt spürbaren Gestanks. Das Bedrückende an diesem Gestank sei die Verbindung zu den toten Opfern gewesen, von deren Leichen meist nichts übrig geblieben sei als Staub, den die New Yorker buchstäblich eingeatmet hätten. Dieser Gestank habe, so Stroizer und Gentile, ein »Echo von Auschwitz« (ebd., S. 418; Übersetzung A. K.) dargestellt.

Ich lasse die schwierigen politischen Implikationen dieser Analogiebildung hier außen vor und lese die Assoziation als Beschreibung einer psychischen Realität, über die auch andere Therapeuten berichteten (vgl. z. B. Laub 2002;

Maria Bergmann 2004): Offensichtlich rief der Anschlag insbesondere in Nachkommen von Holocaust-Überlebenden diese Assoziation hervor und weckte in diesem Sinne Erinnerung an ein früheres (kollektives) Trauma. Hier wird auch deutlich, wie sehr nicht nur die gerade beschriebene geografische Nähe, sondern auch verschiedene Varianten »emotionaler Nähe« (s. o.) die psychischen Auswirkungen der Katastrophe beeinflussten. So beschrieben Maria Bergmann und Dori Laub insgesamt spezifische Assoziationen und psychische Verbindungen zu anderen früheren Traumata und Verlusten. Anzieu-Premmeruer fasst ebenfalls solche Beobachtungen zusammen:

»Am tiefsten waren diejenigen verletzt, die eine Wiederholung vergangener Dramen erlebten; sie waren unmittelbar und schutzlos den Schmerzen, Verlusten und Traumata der Vergangenheit ausgeliefert« (Anzieu-Premmereuer 2003, S. 282).

Ähnlich formulieren Schecter und Coates (2003), dass überwunden geglaubte psychische Probleme (z. B. Angst und Depression) bei ihren Patienten wiederaufgetaucht seien. Man könnte hier zusammenfassend von einer Art vorher bestehender psychischer »Bereitschaft« sprechen, die die Wirkung der Katastrophe bis hin zu traumatischem Erleben verstärken kann.

Massive Auswirkungen jenseits der Betroffenheit durch geografische und emotionale Nähe oder Vulnerabilität hatte die Katastrophe auf alle, die nahe Angehörige verloren hatten. Aus psychologischer Sicht sind Trauerprozesse in diesem Fall dadurch erschwert, dass der Tod auf seltsame Weise irreal bleibt, wenn es keine Überreste gibt, die beerdigt werden können. Isaac Tylim (2004) beschreibt viele Reaktionen der New Yorker als Versuche, der Trauer um die Toten Ausdruck zu geben, z. B. durch spontan errichtete Gedenkstätten (memorials). In diesem Sinne können die psychischen Reaktionen der New Yorker nicht nur als unterschiedliche Grade von Traumatisierung oder individueller psychischer Beeinträchtigung (je nach Nähe), sondern auch als kollektive Trauerprozesse beschrieben werden.

Eine weitere Reflexion aus der New Yorker »mental health community« hat ebenfalls von vornherein mehr die kollektive bzw. Community-Ebene im Blick: Jack Saul hatte sich vor dem Anschlag vor allem damit beschäftigt, wie mit gemeindepsychologischen Interventionen das Selbsthilfepotential verschiedener Exilgemeinschaften in New York (z. B. Exil-Chilenen; Exil-Vietnamesen) gestärkt werden könnte und dadurch zu einer (kollektiven) Trauma-Arbeit in den Communities beitragen könne. Nach den Erfahrungen des 11. September entwickelte er mit Kollegen einen analogen Ansatz für die eigene Community, das Theaterprojekt *Theater of Witness in Lower Manhattan Post 9/11* (Saul 2006). In diesem Projekt wird von der Grundannahme ausgegangen, dass es zu der geteilten Erfahrung 11. September eine Vielzahl unterschiedlicher Narrationen und Stimmen gebe, für die mit dem Theaterprojekt ein öffentlicher Raum geschaffen werden soll. Saul stellt folgenden Zusammenhang zu Trauma her:

> »Wenn die Erfahrungen von Katastrophen in eine offizielle Version der Geschichte verwandelt werden, werden die Geschichten vieler Gruppen für unbedeutend erklärt. Diese Entwertung der eigenen Erfahrungen [...] ist das ›Trauma nach dem Trauma‹. Diesem zweiten Trauma kann vorgebeugt werden, in dem man öffentliche Räume schafft, in denen die eigenen Geschichten einen Ort und Anerkennung finden« (Saul 2006, S. 12; Übersetzung A. K.).

Für diese Form von Theater interviewten die Schauspieler Bewohner der unmittelbaren Umgebung des WTC und verbanden die unterschiedlichen Geschichten zu einem Theaterstück, das dann mit dem Publikum – wiederum Bewohner der Umgebung – nach den Aufführungen diskutiert wurde. Saul skizziert als gemeinsamen Erfahrungshintergrund der Bewohner:

> »Kinder, Lehrer, Eltern, Bewohner und Arbeiter waren den Ereignissen des 11. September physisch ausgesetzt, waren mit dem Tod von Freunden und Familienmitgliedern konfrontiert und selbst in lebensbedrohlichen Situationen gewesen. Dazu gehörten auch Evakuierungen aus Schulen und Arbeitsstellen [...] die giftigen Staubstürme und schließlich all die folgenden Ereignisse: Krieg gegen Afghanistan und Irak, die Anthraxbedrohung [...] und die generell erhöhte Angst vor weiteren Terroranschlägen« (Saul 2006, S. 13; Übersetzung A. K.).

Für Saul ist das Theater ein Versuch, in diesem Spannungsfeld zwischen individueller und kollektiver Erfahrung eine Form von gemeindeorientierter Post-Trauma-Intervention zu erfinden.

Verwendung der Kategorie Trauma

Inwiefern wird nun in diesen verschiedenen Reflexionen von Trauma gesprochen? Wie angedeutet, wurde im Kontext der Anschläge durchaus massenhaft die Diagnose PTSD vergeben. Der Gruppenanalytiker Bennett Roth deutet diese massenhafte Zuflucht zur PTSD Diagnose selbst als eine Art Trauma-Abwehr-Symptom, das die Fantasie von Kontrollierbarkeit zurückgebe. Nach seiner Einschätzung habe allerdings nur eine kleine Anzahl von Menschen PTDS im Sinne der DSM Diagnose entwickelt: Diagnostisch hätten die Menschen in der Nähe der Anschlagsorte mindestens genauso häufig Depressionen und phobische Reaktionen (»phobic defenses«) gezeigt (vgl. Roth 2004, S. 431). Trauma ist so verstanden nicht mit PTSD gleichzusetzen. Die von Roth hier vorgebrachte Kritik an der Vision einer PTSD-Epidemie bedeutet deshalb nicht, dass nicht insgesamt massenhafte Traumatisierungen vorliegen. Allerdings sind auch die meisten hier zitierten Autoren, die sich auf ein psychodynamisches Verständnis von Trauma berufen, eher zurückhaltend mit der expliziten Anwendung der Diagnose. Sie nennen zwar das Ereignis selbst traumatisch, verweisen im Hinblick auf die individuellen Reaktionen jedoch eher auf eine Bandbreite. Solche unterschiedlichen Reaktionen hätten verbreitet zu massiven Partnerschaftskonflikten geführt (vgl. Schecter/Coates 2003). Mehrere Autoren betonen in diesem Zusammenhang auch, dass die Angriffe eine der multikulturellsten Städte der Welt getroffen haben. Die Katastrophe traf in diesem Sinne auf Menschen mit einer Vielfalt von Migrations- oder Fluchtgeschichten (vgl. Saul 2006; Anzieu-Premmereur 2003), mit einer Vielfalt von Religionen und Weltanschauungen und damit auch sehr unterschiedlichen psychischen Verarbeitungsmechanismen. Ähnlich wie Roth sprechen die meisten Autoren außer von Trauma vor allem von Panik, Angst (anxiety) und Depressionen als typischen Reaktionsweisen oder von einem geteilten Gefühl von Gefahr und Bedrohung (s. o. Saul 2006).

Interessant ist, dass trotz der insgesamt sehr differenzierten Beschreibungen individueller Reaktionsformen die Autoren viel mit dem Ausdruck »Trauma« oder »traumatisch« operieren. Fast alle bezeichnen das Ereignis selbst als ein Trauma und verwenden dann den Ausdruck Trauma meist synonym mit »die Anschläge« oder »die Katastrophe« (disaster). Auch Saul, der eine vergleichsweise weniger diagnostisch-therapeutische Sprache benutzt, indem er von »Narrationen« und »Stimmen« (»multiplicity of voices«) spricht, verwendet das Traumakonzept offensichtlich als eine Art Rahmenmodell. An die Überlegungen aus dem kritischen Traumadiskurs anknüpfend lässt sich interpretieren, dass in diesen psychologischen Texten Trauma nicht nur diagnostisch, sondern auch als ethisch-moralische Bewertung des Ereignisses im Sinne von Anerkennung verwendet wird.

3.2.2 Verwundung der unverwundbaren USA

Neben dem Blick auf New York und dem verbreiteten Mitgefühl mit den unmittelbaren Opfern des 11. September gab es im öffentlichen Diskurs außerhalb der USA sehr schnell folgende Denkfigur: »Die mächtigste Nation der Welt ist durch diese Anschläge extrem gedemütigt worden. Sie sind jetzt unberechenbar und werden sich rächen.« Diese öffentlich formulierte Sorge knüpft an die psychologische Erfahrung an, dass psychische Verletzungen massive Rachefantasien und Rachepläne auslösen können, vor allem dann, wenn sie als narzisstische Kränkung erlebt werden. Im Kontext des 11. September vermuteten verschiedene psychologische Autoren, dass in etwa dieser

Mechanismus auf der Ebene der »kollektiven Identität« der US-Amerikaner in Gang gesetzt würde. Ich skizziere exemplarisch einige Argumentationen, die in diesem Zusammenhang entwickelt wurden.

Maria Bergmann formuliert, dass die Anschläge traumatisch gewesen seien, weil sie das kollektive Selbstbild der unverletzbaren Weltmacht unterminierten (vgl. Maria Bergmann 2004, S. 449). In diesem grundlegenden Argument sind sich viele Autoren einig, indem sie betonen, dass diese Anschläge speziell für die USA besonders traumatisch seien, da so etwas radikal dem kollektiven Selbstbild der USA widerspreche (Wirth 2004; Brockhaus 2003a; Bauriedl/Becker in Kühner 2003[11]). Auf der Basis dieser grundlegenden Übereinstimmung unterscheiden sich die einzelnen Autoren allerdings in der Einschätzung, welche Faktoren die wichtigste Rolle spielen. Hans-Jürgen Wirth betont besonders die narzisstische Dimension. Amerika erliege »einer kollektiven narzisstischen Grandiositätsphantasie, wenn es annimmt, es sei unsterblich, unverwundbar und nicht auf andere Nationen angewiesen« (Wirth 2006, S. 106). Auch die Kriege in Afghanistan und im Irak interpretiert er in diesem Sinne: »Die Amerikaner haben sich […] nicht abhalten lassen, ihr Trauma vom 11. September in einem Akt narzisstischer Wut abzuwehren, um ihr grandioses Selbstbild zu reparieren« (ebd.). Gudrun Brockhaus (2003a) spricht in ihren Überlegungen zum 11. September ebenfalls von »Reparatur«, stellt aber ebenso wie David Becker den Aspekt der Ohnmacht etwas stärker in den Vordergrund. Die Einschätzungen konvergieren jedoch wiederum dahingehend, dass es für die Amerikaner auf kollektiver Ebene wichtig wäre, im Sinne von Traumabearbeitung die »eigene Endlichkeit und Verletzlichkeit anzuerkennen« (Wirth 2006, S. 6) bzw. Trauerarbeit leisten zu können, wie dies Thea Bauriedl und David Becker formulierten (Bauriedl/Becker in Kühner 2003; vgl. Bauriedl 2002).

> »Trauma ist das Thema von extremer Ohnmacht. Aus Trauma heraus finden sie nicht dadurch, dass sie allmächtig werden, sondern dadurch, dass sie die Ohnmacht, die sie erlitten haben, betrauern können. Und Trauerprozesse haben etwas damit zu tun, auch die eigene Ohnmacht zu integrieren« (Becker in Kühner 2003).

Diese Bearbeitung ist aus Sicht der zitierten AutorInnen jedoch gerade nicht gelungen, stattdessen sind kollektive Reaktionsmuster entstanden, durch die die scheinbar unaushaltbaren Gefühle vermieden werden. Brockhaus und Wirth sprechen in dem Zusammenhang explizit von Abwehr. Brockhaus nennt als solche Abwehr-Strategien u. a. die Suche nach Elternfiguren, nach Eindeutigkeit (eine (paranoide) Einteilung der Welt in gut und böse) und eine Idealisierung von Macht und Potenz (Brockhaus 2003a, S. 364ff.). Wirth führt aus, inwiefern George W. Bush in diesem Sinne mit seiner eigenen Pathologie (vgl. Frank

2004) die Bedürfnisse nach einer Führungsfigur erfülle, »die am fanatischsten die paranoide Ideologie vertritt und am heftigsten verspricht, dass er Rache als ausgleichende Gerechtigkeit üben werde, um das erschütterte grandiose Selbstbild wieder zu festigen« (Wirth 2002, S. 381f.; vgl. auch Wirth 2006, S. 103f.).

Wirth betont, dass es nicht darum gehe, die Weltpolitik aus der Pathologie bzw. Traumatisierung einzelner Führungsfiguren zu erklären, sondern dass Bush im Sinne der Massenpsychologie das »Ichideal« des Kollektivs repräsentiere (Wirth 2006, S. 104). Als weiterer massenpsychologischer Prozess führt Wirth (2002) den von Volkan beschriebenen Mechanismus an, dass eine kollektiv relevante Kränkung oder ein massiver Verlust, zu einem »gewählten Trauma« der Großgruppe werden könne (Volkan 1999a, 1999b). Die Großgruppe halte die Demütigung bewusst wach und mache sie zum zentralen Bezugspunkt der kollektiven Identität. Dadurch könne die gemeinsame Erinnerung – das gewählte Trauma – von Führungsfiguren zur Unterstützung politischer Entscheidungen mobilisiert und instrumentalisiert werden. Wichtige Grundlage für diesen Mechanismus ist bei Volkan eine »geteilte mentale Repräsentation«, die im Fall des 11. September besonders deutlich war. Martin Bergmann macht auf einen dritten massenpsychologischen Mechanismus aufmerksam, den er in den USA in besonderem Maße gegeben sieht, den der Gefühlsansteckung: Eine freie Gesellschaft erlaube auch die Freiheit, die eigenen Gefühle von Angst und Panik auszudrücken, die sich dadurch besonders schnell zu einem Gefühl entwickle, das massenhaft geteilt werde (vgl. Bergmann 2004, S. 402).

Abschließend lohnt noch ein kurzer Vergleich zwischen den psychologischen Folgen der Anschläge in New York und dem Rest der USA. Wie oben erwähnt, ist New York eine der multikulturellsten Städte der Welt: eine Wahlheimat gerade auch von vielen Nichtchristen, insbesondere Muslimen und Juden. Für die Terroristen waren die Türme des WTC jedoch offenbar in besonderer Weise Symbol nicht für New York, sondern für die Arroganz und Dominanz der USA im Allgemeinen. Paradoxerweise haben sie die stärksten konkreten Verluste dadurch gerade den Menschen zugefügt, die diese Arroganz im Vergleich zum Rest der USA am wenigsten verkörpern. Diese Paradoxie spiegelt sich meines Erachtens auch in den psychologischen Reaktionen. In New York hat der Anschlag die Menschen sehr konkret getroffen, ganz konkrete Verluste verursacht und als kollektive Stimmung der New Yorker offensichtlich insbesondere Trauer, Angst und Panik ausgelöst. Diese Panik hat sicher auch viele Fernsehzuschauer im Rest der USA und im Sinne einer generellen Erhöhung des Angstniveaus auch einen großen Teil der westlichen Welt erfasst. Dennoch ist naheliegend, dass sich diese Panik auf nationaler Ebene stärker als in New York mit dem Gefühl der Demütigung einfärbt. Wen das Trauma nicht konkret trifft, bei dem trifft das durch Fernsehbilder vermittelte Trauma offensichtlich eher die Ebene der kollektiven Identität. Sauls

Ausführungen weisen in eine ähnliche Richtung, wenn er betont, wie aus den konkreten Leidenserfahrungen eine offizielle Geschichte – Teil der nationalen Geschichte – werde, die ganz eigene Schlussfolgerungen impliziert. Ähnlich weist Horst-Eberhard Richter darauf hin, dass gerade die New Yorker zu 75% dagegen gewesen seien, dass die USA den Beschluss des Weltsicherheitsrates übergingen (Richter 2003, S. 410).

3.2.3   Angriff und Trauma der westlichen Welt?

In den ersten Reaktionen verschiedener führender Politiker in Europa erklärten diese ihre uneingeschränkte Solidarität und definierten den »attack on America« in einen Angriff auf die westliche Zivilisation um. Wie Becker kommentiert, habe man sich dadurch »gleich als Mitopfer präsentiert« (Becker in Kühner 2003, S. 131). Im Folgenden will ich an einigen ausgewählten Beispielen skizzieren, welche psychologischen Bedeutsamkeiten für die westliche Welt vermutet, untersucht oder beobachtet wurden. Die *kosmopolitische* Bedeutung des 11. Septembers insgesamt stellt ein eigenes, vielfältiges und hochinteressantes Forschungsfeld dar. Die aus Kurzfilmen internationaler Regisseure bestehende Kinoproduktion *11'09"01* lässt erahnen, wie sehr der 11. September einerseits weltweit wahrgenommen wurde, wie unglaublich unterschiedlich die Gefühle und Interpretationen jedoch sind (vgl. 11'09"01 – September 11) – je nachdem, von wo aus beobachtet wird. Es zeigt sich u.a., dass der 11. September als neue Vergleichsdimension für nationale Ereignisse gesetzt wurde. So thematisiert etwa ein Beitrag den gewaltsamen Sturz von Allende am 11.09.1978 als den chilenischen »11. September«, ein nationales Trauma, das von den USA mitverursacht wurde und nicht annähernd die weltweite Empathie und Aufmerksamkeit erfuhr. Wenn ich mich nun v.a. auf Auswirkungen in Deutschland beschränke, dann ist dies ein äußerst selektiver Ausschnitt. Im Sinne meiner Argumentation will ich damit nur Richtungen aufzeigen, in die gedacht werden kann, wenn die Auswirkungen des 11. September als Wirkungen »kollektiver Traumata« auf nicht direkt Betroffene erfasst werden sollen.

Ich beginne mit Nathan Sznaider, der eine Verknüpfung zwischen den Ereignissen des 11. September und seiner mit Daniel Levy entwickelten Hypothesen zur Globalisierung von Erinnerung herstellt (Snayder/Levy 2001). Snayder fasst sie so zusammen:

> »Derzeit ist die Entstehung eines bestimmten Typus von kollektiver Erinnerung zu beobachten, der über die Grenzen des Nationalstaates hinausgeht [...]. Die geteilten Erinnerungen an den Holocaust [...] schaffen die Grundlage für eine neue kosmopolitische Erinnerung. [...] Aber ist es möglich, sich an ein Ereignis [...]

außerhalb der ethnischen und nationalen Grenzen der jüdischen Opfer und der deutschen Täter zu erinnern? Kann dieses Ereignisses durch Menschen gedacht werden, die keine direkte Verbindung dazu haben?« (Sznaider 2003, S. 381)

In ihrem Buch beantworten Sznaider und Levy diese Frage mit einem eindeutigen Ja und begründen dies u. a. damit, dass der Holocaust nicht nur eine deutsch-jüdische Tragödie, sondern eine »Tragödie der Moderne« selbst sei. Der Holocaust sei für Menschen weltweit bedeutsam geworden, ein Maß »für humanistische und universalistische Identifikation« (ebd., S. 381). In dem ursprünglich bereits 2001 verfassten Artikel formuliert Sznaider dann eine Analogie zu den Ereignissen des 11. September:

»Man könnte sogar behaupten, dass es eine Verwandtschaft zwischen den Erinnerungen an den Holocaust und seine Folgen sowie den Ereignissen und Debatten nach dem 11. September dieses Jahres gibt« (ebd., S. 382).

Als wichtigen Faktor dafür identifiziert Sznaider transnationale Erinnerungskulturen.

Aus der Erinnerung an den Holocaust ist somit das Phänomen bekannt, dass ein Ereignis als äußerst relevant erlebt wird, auch wenn es nicht direkt die eigene (kollektive) Identität betrifft. Ähnliche Mechanismen werden nun für den 11. September angenommen.

Erste empirische Anhaltspunkte für eine mögliche kollektive Bedeutsamkeit bei nicht direkt Betroffenen liefern quantitative Untersuchungen aus dem Bereich der Meinungsforschung. Burkhart Brosig und Elmar Brähler diskutieren zusammenfassend die Ergebnisse verschiedener an Kindern und Erwachsenen durchgeführten Studien. Besonders interessierten dabei Untersuchungen, wo vor dem 11. September bereits erhobene Werte mit analogen Werten nach dem 11. September verglichen werden können. Sie fassen zusammen:

»Die Ereignisse des 11. September haben somit eine deutliche Reaktion in den Einstellungen, den Ängsten und dem Wohlbefinden der deutschen Bevölkerung verursacht« (Brosig/Brähler 2001, S. 332). Man könne bei Erwachsenen und Kindern einen Anstieg des allgemeinen Angstpegels, insbesondere der Angst vor Terroranschlägen und vor Krieg feststellen. Brosig und Brähler heben hervor, dass die messbare Angst gegenüber Ausländern und Migranten im Allgemeinen nicht zunehme, jedoch die Angst vor Muslimen und Juden und die Tendenz, Depressive oder Schizophrene nicht als Nachbarn haben zu wollen. Die beiden interpretieren:

»Die Tat vom 11. September wird möglicherweise als etwas rational Ungreifbares verstanden, d.h. die Täter versteht man in ihren Motiven nicht, und man möchte sich auch nicht mit deren Gedankenwelt beschäftigen und möchte solche ›irr-rationalen‹ Menschen nicht als Nachbarn haben« (ebd.).

Sie sprechen im Hinblick auf diese Ergebnisse auch von Regression im psychoanalytischen Sinne, durch Spaltungsprozesse werde die namenlose mit dem
11. September verbundene Angst bekämpft (ebd., S. 335).

Neben relativ einfach nachvollziehbaren Einstellungsänderungen werden
also von diesen beiden Autoren mit Blick auf die Daten tiefer gehende Auswirkungen vermutet. Wirth (2004) argumentiert ebenfalls in Richtung einer
tiefer gehenden, breit wirksamen Betroffenheit und verwendet hierfür die
Erfahrungen der eigenen therapeutischen Praxis als Gradmesser: Wichtige
politische Ereignisse würden von Patienten in laufenden Therapien in der
Regel nur thematisiert, wenn die Ereignisse für sie persönlich besonders bedeutsam seien. Sowohl die Reaktorkatastrophe von Tschernobyl 1986 als auch
der Golfkrieg von 1991 sei nur in wenigen laufenden Therapien angesprochen
worden, der 11. September hingegen von sehr vielen Patienten. Ähnlich wie die
zitierten New Yorker Therapeuten stellt Wirth bei seinen Patienten eine große
Bandbreite von Reaktionen fest, die er mit deren spezifischen psychischen
Konflikten und Erfahrungen in Verbindung bringt. Im Gegensatz zu den
amerikanischen Autoren schildert Wirth an dieser Stelle auch ein Beispiel für
die Identifikation mit den Tätern: Ein sonst aggressionsgehemmter, masochis-
tischer Patient habe sich offenbar teilweise mit den Terroristen identifiziert und
die Meinung formuliert, dass die Amerikaner nun für ihre arrogante Politik
bezahlen würden (vgl. Wirth 2004, S. 50). Andere Patienten hätten mit starker
Angst, massiver Verleugnung der Angst oder aber einer starken Identifikation
mit den New Yorkern reagiert. So habe sich ein Patient, der selbst eine sehr
positive Erinnerung an und Verbindung zu Manhattan empfand, durch die
Anschläge persönlich verwundet gefühlt.

Die von Wirths Patienten vorgebrachte Haltung, dass die Amerikaner zu
Recht bezahlen, erscheint mir nicht untypisch für in Deutschland verbreitete
Reaktionen. Zumindest wurde in abgeschwächter Form vielfach formuliert,
dass sich die Amerikaner nach diesem Anschlag nun damit auseinandersetzen
müssen, welches Bild man in der Welt von ihnen hat und wie sie dazu beitrü-
gen. Nach meiner Einschätzung führten solche wohlmeinenden Ratschläge zu
vielfachen Missverständnissen und Konflikten in vielen konkreten Kontakten
zwischen Amerikanern und Deutschen. In meiner früheren Interpretation
der Folgen des 11. September (Kühner 2003) habe ich dies in Anlehnung an
Gudrun Brockhaus als meist berechtigten Verdacht der Opfer interpretiert,
dass sich die Zuschauer häufig eher mit den Tätern identifizieren. Brockhaus
führt unter Bezug auf Anna Freuds Untersuchungen an KZ-Kindern und
deren Idealisierung der SS sowie auf Sofskys Thesen (2002) aus:

»Gewaltsituationen erzeugen bei den Zuschauern potentiell eine Identifikation mit den Tätern, weil scheinbar nur dies aus Ohnmacht und Hilflosigkeit
herausführt« (Brockhaus 2003a, S. 369). Auf Grund der starken Tabuisierung

solcher Gefühle und der Schuld und Scham, die sie hervorrufen, können sie selten thematisiert werden (vgl. ebd.). In der therapeutische Situation gelingt es offenbar etwas häufiger, nicht »politisch korrekt« zu reagieren (Wirth 2004, S. 52). Wirth fühlte sich bei den Zeichen heimlicher Sympathie mit den Terroristen an Mescaleros »klammheimliche Freude« über die Taten der RAF erinnert (ebd.). Man könne sie mit Horst Eberhard Richter interpretieren: »Die heimliche Macht des Ohnmächtigen und die verdrängte Ohnmacht des Mächtigen gleichen einander aus und machen die undurchschaute wechselseitige Abhängigkeit beider Gegner schlagartig sichtbar« (Richter 2002, S. 16).

Zusammenfassend ist zu sagen, dass die Ereignisse des 11. September im nicht direkt betroffenen Deutschland keineswegs nur eine Identifikation mit dem Trauma der Amerikaner ausgelöst haben, sondern vielfältige Identifikationen auch mit den Tätern. Das kollektive Trauma ist auf dieser Ebene eine kollektiv relevante Geschichte, die potenziell sehr Verschiedenes verkörpert oder symbolisiert: eigene unbewusste Konflikte um Aggression, Macht, Ohnmacht oder Gerechtigkeit, aber auch verschiedenste Einstellungen zu dem in diesem Ereignis enthaltenen globalen Problemen.

3.2.4 Ausdehnung und Wirkungsweisen des 9/11-Traumas

Auf der Basis dieser psychologischen Beobachtungen und Hypothesen zum 11. September will ich nun zusammenfassend abwägen, inwiefern man von in diesem Fall von einem »kollektiven Trauma« sprechen kann: *Wessen Trauma* ist der 11. September nun eigentlich? »Wessen Trauma« impliziert dabei sowohl die Frage nach der Beschreibung eines Kollektivs (wer ist traumatisiert?) als auch die Frage nach der Definitionsmacht im Sinne einer Aneignung des Traumas (wem »gehört« das Trauma?). Insofern thematisiere ich Ausdehnung und Besitz des Traumas. Ich frage dabei auch, welche Wirkungsweisen von Trauma auf den jeweiligen Ebenen zu finden sind: Wie kommt es psychologisch gesehen dazu, dass sich ein traumatisches Ereignis auf das jeweilige Kollektiv ausdehnt?

An Hand dieser Fragen entsteht eine Art Typologie der unterschiedlichen Formen »kollektiver Traumata«, die sich zum Teil auch auf vergleichbare traumatische Ereignisse übertragen lässt.

Massenhafte Traumatisierungen

Ich habe die hier entwickelten Ausführungen zum 11. September mit der engen psychologischen Definition begonnen und gefragt, wer durch das traumatische Ereignis individuell konkret als traumatisiert zu bezeichnen ist.

Auch wenn die Einschätzungen differieren, kann in geografischer, sozialer und emotionaler Nähe zum traumatischen Ereignis von massenhafter Traumatisierung Einzelner gesprochen werden. Ist es nun sinnvoll, solche massenhaften individuellen Traumatisierungen gleichzeitig als ein »kollektives Trauma« zu qualifizieren? Entsteht ein qualitativ neues Phänomen, das mehr ist als die Summe massenhafter individueller Traumatisierungen? Für jedes einzelne Opfer steht sicher die individuelle Erfahrung im Vordergrund. Dennoch gilt, dass für ein durch die weltweit wahrgenommenen Ereignisse des 11. Septembers verursachtes Trauma die bereits skizzierten Interdependenzen in besonderer Weise gelten dürften: Im Sinne sequenzieller Traumatisierung ist der individuelle traumatische Prozess sehr stark vom öffentlichen Diskurs über das Ereignis mitbeeinflusst, etwa durch die darauf folgenden Ereignisse wie der Krieg in Afghanistan und im Irak und die möglicherweise als Instrumentalisierung wahrgenommene Umwandlung des Traumas in nationale Geschichte (official history). Außerdem dürfte das individuelle Erleben vom Austausch mit ähnlich und anders Betroffenen und vom gemeinsamen Weiterleben in der insgesamt vom Trauma betroffenen Community geprägt sein. Einiges spricht deshalb dafür, dass es sinnvoll ist, die »Heilung« dieses Traumas nicht nur auf individueller, sondern auch auf Community-Ebene anzusiedeln. Insgesamt liegt in diesem Sinne bei den traumatisierten Opfern des 11. Septembers eine individuelle Traumtatisierung vor, die zugleich eine kollektive Traumatisierung beinhaltet (vgl. Wirth 2006, S. 101). Die kollektive Dimension verändert die intrapsychische Verarbeitung. Es ist daher gerechtfertigt, von einem qualitativ eigenen Phänomen zu sprechen, das man als eine Form von »kollektivem Trauma« bezeichnen kann. Die Wirkungsweise ist die Wirkungsweise direkter Traumatisierung, bei der durch die Massivität des Ereignisses die Verarbeitungsmöglichkeiten bei einer großen Anzahl von Menschen so überfordert wurden, dass eine langfristige Beschädigung zurückbleibt. Hilfreich und relevant könnte diese Kategorie insbesondere für die akute psychologische Katastrophenhilfe (disaster mental health) und für längerfristig konzipierte psychosoziale Interventionen nach man-made und nature-made disasters sein. Die Konzeptionalisierung als »Massentrauma« bzw. »kollektives Trauma« lenkt die Aufmerksamkeit auf die soziale Dimension des Traumas.

Es wurde aber auch deutlich, dass das traumatische Ereignis eine Bandbreite langfristiger psychischer Beeinträchtigung hervorruft, die nicht im engeren Sinne unter Trauma gefasst werden. Die Bezeichnung »Massentrauma« reduziert diese Bandbreite psychischer Folgen auf Traumafolgen. Dennoch rechtfertigt es m. E. die gemeinsame Beschädigung durch das gleiche Ereignis, die Gemeinsamkeit in den Vordergrund zu stellen. Dann wären in diese Konzeptionalisierung von Massentrauma allerdings auch chronische Ängste, Phobien, Depressionen oder erschwerte Trauerprozesse als Folge des traumatischen

Ereignisses mitaufzunehmen. Ich erinnere hier an den oben beschriebenen verwirrenden Sprachgebrauch, der Trauma als Ereignis oder als Folge des Ereignisses benutzt: Auch unter Massentraumata kann man entweder nur die im engeren Sinne traumatischen Folgen verstehen, oder aber die massenhaften psychischen Beeinträchtigungen durch das traumatische Ereignis.

Festzuhalten bleibt: Der 11. September kann auf dieser Ebene als kollektives Trauma im Sinne eines *Massentraumas* verstanden werden. Seine Wirkungsweise besteht in einer *direkten Traumatisierung* im Sinne psychischer Beeinträchtigung von massenhaft Einzelnen.

KOLLEKTIVIERTES TRAUMA

Verschiedene Autoren verorten eine Traumatisierung auf Ebene der kollektiven Identität. Übereinstimmend wird darauf hingewiesen, dass das Trauma insbesondere darin besteht, dass ein vorher bestehendes Selbstbild der Unverletzbarkeit angegriffen wurde. Wie ich in Kapitel III genauer ausführen werde, ist »kollektive Identität« ein metaphorischer Begriff. Psychologisch sinnvoll ist nur, »kollektive Identität« oder »soziale Identität« als Selbstanteil oder als den Teil der Identität zu bezeichnen, der auf einer Identifikation mit der Großgruppe beruht. Diese Identifikation bzw. die gefühlte Zugehörigkeit kann unterschiedlich stark sein und variiert kontextabhängig. Wenn nun die Terroranschläge als Angriff auf Amerika verstanden werden, dann sind die einzelnen Amerikaner in dem Ausmaß von dem Angriff betroffen, in dem sie sich jeweils mit Amerika und dem zugehörigen Selbstbild identifizieren. Volkan bezeichnet diesen Vorgang als Wahl, durch die die einzelnen Mitglieder das Ereignis zum identitätsrelevanten Marker, zum »gewählten Trauma« machen: Sie »kollektivieren« das Ereignis.

Da die meisten Amerikaner die Anschläge über die Fernsehbilder wahrnahmen, wurden sie nicht direkt durch das Miterleben beeinträchtigt sondern indirekt, vermittelt durch die mediale Darstellung. Man kann insofern von einer symbolvermittelten Traumatisierung sprechen. Der 11. September kann als kollektiviertes Trauma oder »gewähltes Trauma« (Volkan) im Sinne eines die kollektive Identität betreffenden Traumas verstanden werden. Die Wirkungsweise des Traumas ist die eines symbolvermittelten Traumas.

Es gibt einen engen Zusammenhang zwischen dieser Art von »kollektiviertem Trauma« und der politischen Instrumentalisierbarkeit. Ich möchte hier den Unterschied zwischen dem Massentrauma v. a. der New Yorker und dem kollektivierten Trauma der USA hervorheben: Was für die einen eine sehr direkte und konkrete Leidenserfahrung ist, wird für die anderen zu einer symbolvermittelten Beschädigung ihrer kollektiven Identität. Auch wenn die Stimmen der Opfer im Vergleich zu vielen anderen Katastrophen viel Gehör im öffentlichen und medialen Diskurs fanden, so ist die offizielle Geschichte doch eher die des kollektivierten Traumas. Wie oben skizziert, hätten sich die Mehrheit der New Yorker womöglich andere Konsequenzen aus dem traumatischen Ereignis gewünscht als die Mehrheit der Amerikaner. Wenn man Trauma hier mit Lamott (2003) auch als symbolisches Kapital versteht, dann haben sich in gewissem Sinne die Nation und die Politik das Trauma angeeignet.

Kollektiv relevantes traumatisches Referenzereignis

Auch in Deutschland wurden vielfältige psychologische Auswirkungen des traumatischen Ereignisses 9/11 festgestellt. Obwohl es sicher nationale Unterschiede gibt – man denke nur an die spezifische Vorerfahrung Deutschlands mit der Siegermacht USA – so deutet doch einiges darauf hin, dass es vergleichbare Auswirkungen in anderen Ländern der sogenannten westlichen Welt gibt (Luminet et al. 2004). Können diese ebenfalls als »kollektives Trauma« verstanden werden?

Hier ist wiederum das Konzept der kollektiven Identität relevant. Es ist eine weitere Ebene »kollektiver Identität«, sich als Teil der westlichen Welt zu sehen. Im öffentlichen Diskurs nach den Anschlägen ist diese Ebene stark betont worden, wenn der Angriff als Angriff auf die westliche Welt benannt wurde. Solche Aussagen lassen sich als eine weitere Form der Kollektivierung des Ereignisses verstehen. Die Reaktion der »westlichen Welt« ist der Reaktion der USA zum Teil ähnlich: Das traumatische Ereignis wird über die Medien vermittelt (symbolvermittelt) und im Diskurs zum kollektiv relevanten Ereignis gemacht. Aus psychologischer Sicht spielt dabei nicht nur der Diskurs, sondern das Ausmaß der Identifikation eine wichtige Rolle.

Daneben sind aber auch spezifische Identifikationen mit dem Realtrauma der New Yorker und die beschriebenen Identifikationen mit der – unterstellten – Botschaft der Terroristen denkbar. Insgesamt scheinen die Auswirkungen spätestens auf dieser Ebene jedoch so vielfältig zu sein, dass der Ausdruck »kollektiv« nur noch insofern angemessen ist, als das gleiche Ereignis für alle Angehörigen des Kollektivs relevant wird. In diesem Fall bezieht sich Trauma dann also nicht mehr auf die traumatischen Wirkungen sondern nur noch auf das traumatische Ereignis selbst. Im Sinne von Sznaiders Argument ist das Ereignis 9/11 nicht nur eine Tragödie zwischen den USA und islamistischen Terroristen, sondern eine weltweit relevante Tragödie – deren Sinn oder »message« unterschiedlich erlebt und verstanden wird.

Über die Grenzen der USA hinaus ist der 11. September also ein kollektives Trauma im Sinne eines *kollektiv relevanten traumatischen Referenzereignisses,* für das eine geteilte *symbolvermittelte* Repräsentation existiert.

4 Zusammenfassung von Kapitel I

»Individuelles Trauma« ist der seit dem 19. Jahrhundert unternommene Versuch, die langfristigen und schädigenden Folgen extremer Erlebnisse in Analogie zu einer bestimmten Form körperlicher (traumatischer) Verletzungen zu beschreiben. Weil Körper und Psyche jedoch nach einer jeweils gänzlich unterschiedlichen Logik funktionieren, bringt diese Übertragung die aus der Kritik am Begriff der psychischen Krankheit bekannten Schwierigkeiten mit sich: Die Eigendynamik der Krankheitsmetapher führt zu Verdinglichung und Vereinheitlichung, vergewaltigt und pathologisiert somit diversifizierte seelische Erlebensweisen. Zusätzlich ist bei Trauma noch eindeutiger als bei anderen sogenannten psychischen Krankheiten eine soziale und politische Verursachung auszumachen: Das Risiko, traumatisiert zu werden, ist von der Zugehörigkeit zu bestimmten verletzlichen Gruppen, von politischen Bedingungen (z.B. Diktatur) also insgesamt von Machtverhältnissen mitbestimmt. Viele der typischen traumaauslösenden Erlebnisse betreffen in diesem Sinne in spezifischer Weise bestimmte Gruppen oder Kollektive: z.B. Frauen, Kinder, Angehörige einer unterdrückten Minderheit, politisch Verfolgte. Außerdem lassen sich die von dem gleichen traumatisierenden Ereignis betroffenen Menschen als Opfergruppe oder Opferkollektiv in Bezug auf das Ereignis beschreiben. Diese beiden Beobachtungen legen die Annahme nahe, dass es ein eigenständiges sozialpsychologisches Phänomen geben könnte, dass als Gruppentrauma, geteiltes Trauma oder eben »kollektives Trauma« bezeichnet werden könnte.

Dieses Konstrukt impliziert die Übertragung der Krankheitsmetapher »Trauma« auf eine weitere Bedeutungsebene, die des Kollektivs: Kollektive psychische Prozesse wiederum gehorchen einer völlig anderen Logik als individuelle. Ein genauerer Blick auf die als typisch für Trauma beschriebenen psychischen Reaktionsformen zeigt, wie extrem vielfältig diese sind. Trauma scheint gerade durch die Einzigartigkeit und oft auch Einsamkeit des Erlebens gekennzeichnet, sodass das Konstrukt »kollektives Trauma« zunächst geradezu paradox anmutet. Dennoch lässt sich nicht von der Hand weisen, dass extreme Ereignisse, die für große Gruppen von Menschen relevant sind, spezifische sozialpsychologische Phänomene hervorbringen, über die sich nachzudenken lohnt. Aber ist es sinnvoll, sie als »kollektive Traumata« zu bezeichnen?

Am Beispiel der Terroranschläge des 11. September 2001 lässt sich zeigen, dass sich für dieses Ereignis auf ganz unterschiedlichen Ebenen traumatypische und traumaähnliche Phänomene beschreiben lassen. Es lassen sich auch einige sozialpsychologische Auswirkungen identifizieren, die man auf verschiedenen Ebenen mit je unterschiedlichen Argumenten theoretisch als »kollektive Traumata« bezeichnen könnte. So kann im Sinne massenhafter Traumatisierung von einem »kollektiven Trauma« der direkt Betroffenen in New York gesprochen werden. Klar davon zu unterscheiden ist die sozialpsychologische Auswirkung auf die »kollektive Identität« der US-Amerikaner, die eine politische Instrumentalisierbarkeit des Ereignisses ermöglichte. Der Angriff auf die »kollektive Identität« kann im Sinne einer weiteren metaphorischen Übertragung theoretisch als »kollektives Trauma« bezeichnet werden, sodass dann auch – theoretisch – die Instrumentalisierbarkeit bestimmter Ereignisse als Instrumentalisierung »kollektiver Traumata« zu bezeichnen wäre. Da das Ereignis über die Grenzen der USA hinaus weltweit über die Medien zur Kenntnis genommen wurde und im Diskurs vielfach zum »Angriff auf die westliche Welt« erklärt wurde, könnte der Kollektivbegriff in diesem Fall theoretisch auch noch weiter ausgedehnt werden und von einem »kollektiven Trauma« all derer gesprochen werden, die sich mit angegriffen fühlen, sich also mit dem Ereignis identifizieren.

Ich spreche hier von »können« und »theoretisch« und will damit keineswegs vorschlagen, dies auch zu tun. Ein wichtiges Ziel dieser Arbeit ist vielmehr, überhaupt aufzuzeigen, welche sozialpsychologischen Verwendungsweisen prinzipiell denkbar sind.

II

Kollektive Prozesse aus psychoanalytischer Sicht

Worum es in diesem Kapitel geht

Nachdem ich mich dem Konstrukt »kollektives Trauma« in Kapitel I vom Trauma kommend annäherte, bildet das folgende Kapitel die erste von drei Perspektiven auf »Kollektive«. Ich beginne den vom Kollektiv kommenden Zugang mit einer psychoanalytischen Perspektive auf kollektive Prozesse: Für diese ist Freuds Beitrag zur Massenpsychologie nach wie vor zentral (1.1). Auf ihn beziehen sich auch Alexander und Margarete Mitscherlich in ihrer berühmten Analyse *Die Unfähigkeit zu trauern*, in der sie sowohl kollektive Prozesse in der NS-Zeit selbst als auch die (fehlende) Erinnerungskultur in der Nachkriegszeit massenpsychologisch interpretierten (1.2). Stavros Mentzos schlägt mit seiner These von den »psychosozialen Funktionen« des Krieges einen selbstpsychologischen Ansatz zur Interpretation kollektiver Prozesse vor (2), Vamik Volkan untersucht explizit das Zusammenspiel von Großgruppenprozessen und traumatischen Referenzereignissen, die er »gewählte Traumata« nennt (3). Und schließlich liefert auch die Ethnopsychoanalyse eine spezifische interessante Sicht auf kollektive – gesellschaftliche – Prozesse (4). Im letzten Teil dieses Kapitels wird dann eine weitere Zwischenbilanz unternommen (5): Ich diskutiere zunächst allgemein die Anschlussfähigkeit der dargestellten Konzepte (5.1) und zeige dann an zwei Fallbeispielen, wie mithilfe der dargestellten psychoanalytischen Perspektive die Bedeutung von einschneidenden Ereignissen im »kollektiven Gedächtnis« beschrieben werden können (5.2). Das Fallbeispiel »Amselfeld-Mythos« zeigt, warum sich Trauma-Narrationen besonders gut für massenpsychologische Instrumentalisierungen eignen können. An der mitscherlichschen Analyse erläutere ich dann, warum diese den Trauma-Begriff kaum nutzen, wenn sie die »Unfähigkeit zu trauern« zu erklären versuchen.

1 Lesarten von »Massenpsychologie«

Vorbemerkung: Die Masse als Projektionsfläche

Der Politologe Helmut König untersucht in seiner 1992 erschienenen sozial-
historischen Studie *Zivilisation und Leidenschaften*, wie sich die Vorstellungen
von »Masse« vom Ende des 19. Jahrhunderts bis in die Gegenwart entwickelte.
Er stellt dabei fest:

> »Im Grunde kann die Auseinandersetzung mit der ›Masse‹ gar nichts anderes
> sein als eine Auseinandersetzung mit dem Massen*diskurs*. Zwar gibt es reale
> Erfahrungssubstrate, auf die sich der Diskurs […] stützen kann. Aber das
> ändert nur wenig daran dass ›Masse‹ im Wesentlichen als Projektionsfläche
> für Wahrnehmungen und Phantasien dient, die mit dem realen Gegenstand
> wenig zu tun haben« (König 1992, S. 17; Hv. im Original).

Obwohl König diese sehr skeptische Einschätzung der über Massen zu gewin-
nenden Erkenntnisse vorausschickt, bricht er später eine Lanze dafür, die grundlegenden Überlegungen der Massenpsychologie – wie sie zunächst z. B. von den
Franzosen Taine und Le Bon und dem Italiener Sighele formuliert wurden – trotz
mangelnder empirischer Grundlage ernstzunehmen. So stellt er fest, dass sich nach
jetzigem historischem Wissensstand die Massen in der Französischen Revolution
zwar völlig anders verhalten haben, als dies von Taine skizziert wurde. Dennoch
solle man sich von den Stilisierungen, Projektionen und normativen Aufladungen
der frühen Massenpsychologen nicht abhalten lassen, solche Überlegungen
»gleichsam als Wegweiser« (ebd., S. 148) zu dem inhärenten zentralen Thema
der Massenpsychologie zu benutzen. Und dieser Wegweiser ist für König:

> »Während der Prozeß der Zivilisation den Alltag der Menschen gewaltfreier
> und berechenbarer, stabiler und ausgeglichener machen sollte, kehrt mit den

flüchtigen und unbeständigen Massen der jähe Schock, etwas Unkalkulierbares, Gewalttätiges, Archaisches, ein Stück ungezähmter Triebnatur in die Zivilisation zurück« (ebd., S. 148).

Man könnte nun Königs eigene Feststellung weitertreiben und formulieren, dass hier seine spezifische Projektion auf das Massenthema sichtbar ist – aber darum soll es an dieser Stelle nicht gehen. Relevant für meine Argumentation ist vor allem, wie König mit der Spannung umgeht, die zwischen reiner Darstellung eines Diskurses und dem Wunsch, etwas Substanzielles auszusagen, offensichtlich immer besteht. Da sich Thesen über Massenpsychologie besonders schwer empirisch belegen lassen und fast immer spekulativen Charakter haben, spitzt sich das Problem hier zu; dazu kommt noch, dass es im Diskurs immer wieder eng mit der Ermöglichung des Holocaust und damit der schlimmsten Erschütterung des Denkens über uns selbst als Menschen verbunden wird (vgl. Lohmann 1992). Vor diesem Hintergrund werden im Folgenden die grundlegenden Konzepte mittels relevanter Beispiele skizziert und diskutiert.

1.1   Massenpsychologie und Freud

1.1.1   Freud als Sozialpsychologe

Das berühmte Zitat, dass die Individualpsychologie »von Anfang an auch gleichzeitig Sozialpsychologie« (Freud 1921c, S. 71) sei, steht bezeichnenderweise am Beginn von Freuds Einleitung zu seinem Essay »Massenpsychologie und Ich-Analyse«:

> »Die Individualpsychologie ist zwar auf den einzelnen Menschen eingestellt und verfolgt, auf welchen Wegen derselbe die Befriedigung seiner Triebregungen zu erreichen sucht, allein sie kommt dabei nur selten […] in die Lage, von den Beziehungen dieses Einzelnen zu anderen Individuen abzusehen« (ebd., S. 73).

Die explizit kulturkritischen Schriften wie »Massenpsychologie und Ich-Analyse« oder »Das Unbehagen an der Kultur« repräsentieren in diesem Sinne nur einen Ausschnitt dessen, was Freud zum Thema Zusammenspiel Individuum und Kollektiv (bzw. »Kultur« oder Gesellschaft) und damit der Sozialpsychologie zu bieten hat. In diesem Sinne kann man Freuds Begriffe insgesamt in vielfältiger Weise für gesellschaftstheoretische Überlegungen nutzen (vgl. Brunner 2001). Mit am systematischsten wird dies in der Ethnopsychoanalyse versucht, wenn sie z. B. Freuds Gedanken aufgreift, dass Verdrängung selbstverständlich durch »Kultur« (vgl. Freud 1890a) bedingt ist: Der gesellschaftliche Kontext (die spezifische »Kultur«) legt nahe, was verdrängt werden muss und was auftauchen darf, die individuelle psychische Organisation ist mithin gar nicht ohne das Kollektiv/die Gesellschaft zu denken.

In dem Essay »Massenpsychologie und Ich-Analyse« geht Freud über seine implizite Sozialpsychologie hinaus und fragt explizit, wie »Massen« funktionieren. Während der Begriff Massenpsychologie in der Alltagssprache meist in der eingegrenzten Bedeutung der kurzfristigen Massensituationen – als typisches Beispiel gilt dann das Fußballstadion oder die politische Großveranstaltung – verstanden wird, ging Freud selbst mit dem Massenbegriff sehr unspezifisch um und verwendet ihn synonym mit Gemeinschaft und Soziales (vgl. König 2002, S. 235), in Freuds eigenen Worten reicht sein Interesse von »stabilen Massen« (Freud 1921c, S. 90) zu »Massen kurzlebiger Art« (ebd.). Im Zentrum seines Interesses steht damit gar nicht unbedingt das, was heute im Deutschen unter Massenpsychologie verstanden wird, sondern was »Massen« insgesamt auch längerfristig zusammenhält. Freuds Überlegungen beziehen sich mit anderen Worten nicht nur auf akute Massensituationen, sondern auch auf Großgruppen und Kollektive. Diesem Verständnis entsprechend lautet die englische Übersetzung der Massenpsychologie »group psychology« und die französische »psychologie collective« (vgl. König 1992, S. 234).

1.1.2 Massenpsychologie vor Freud

Als Freud seine Ausführungen zur »Massenpsychologie und Ich-Analyse« schrieb, knüpfte er an eine damals stark vertretene Lehrmeinung an, deren berühmtester Vertreter der französische Arzt und Kulturpessimist Gustave Le Bon mit seinem Bestseller *Psychologie des Foules* (1895, zit. in Brunner 2001) war. Die Massenpsychologen (Le Bon, Tarde, Sighele) hegten eine ausgeprägte Skepsis gegen demokratische Ideen, die ihrer Meinung nach zu sehr an die individuelle Vernunft glaubten. Brunner fasst ihre Argumentation u. a. unter Bezugnahme auf Nye (1973) so zusammen:

Entgegen demokratischen Theorien hätten die Massenpsychologen ausgeführt, dass

»die Dynamik doch tatsächlich zunehmend von irrationalen und spontanen Mechanismen des Massenverhaltens beherrscht werde, das […] für eine evolutive Regression zu einer frühen, primitiveren Mentalität symptomatisch sei […]. Eine Masse zeichne sich durch einen besonderen Seelenzustand aus, der aus ihren Angehörigen Kreaturen mit herabgesetztem Verantwortungsgefühl mache, sie automatisch in einen Ausnahmezustand versetze und zu unvorhersehbarem Verhalten antreibe. Das befähige Menschen zu extrem tugendhaften oder extrem unmoralischen Handlungen, zu denen der einzelne sich nie bewusst entscheiden würde [...]. Die Mechanismen, die jene psychologischen Transformationen hervorbringen, wurden ›Imitation‹, ›Suggestion‹ oder ›Ansteckung‹ genannt« (Brunner 2001, S. 227f.).

Die Autoren, so Brunner weiter, seien von den damals viel beachteten Publikationen zur hypnotischen Suggestion beeinflusst gewesen und hätten sich die Wirkung von Massenführern auf die Masse analog zur Kontrolle des Hypnotiseurs vorgestellt.

Die wesentlichen dann von Freud diskutierten Elemente sind hier bereits enthalten:

➤   die Beobachtung hoher Irrationaliät;
➤   die Hypothese der »evolutiven Regression«;
➤   die Annahme eines kollektiven Seelenzustandes;
➤   das ambivalente Potential von Massen (extrem tugendhaft vs. unmoralisch);
➤   die Bedeutsamkeit des Unbewussten;
➤   das Erklärungsmuster Suggestion und der Bezug zur Hypnose.

1.1.3   Massenpsychologie mit Freud

Freuds Ausführungen lassen sich so verstehen, dass er im wesentlichen Le Bons Überlegungen beipflichtet – im Einleitungskapitel referiert er ihn sehr ausführlich und zustimmend –, dass ihm jedoch Erklärungen fehlen bzw. er nach besseren Erklärungen sucht und zu diesem Zweck die Beschreibungen der Massenpsychologie mit seinen eigenen Konzepten verknüpft.

Von den vielschichtigen Bedeutungen und Implikationen dieses wichtigen sozialpsychologischen Essays beschränke ich mich im Folgenden auf die, welche für meine weitere Argumentation wichtig sind. Die Darstellung orientiert sich dabei an den Lesarten von Adorno (1951), Mitscherlich (1977), Lohmann (1992), König (1992), Brunner (2001) und Reiche (2002).

Wieso wird das Individuum in der Masse so anders?

Liest man Freuds Essay, fällt auf, wie sehr Freud sein Erstaunen darüber formuliert, dass sich Individuen in der Masse so anders verhalten, als er es eigentlich gemäß seiner eigenen Konzepte erwarten würde. Mit anderen Worten: Wie viele Theoretiker kollektiver Prozesse vor und nach ihm ist er

von der Beobachtung fasziniert, dass Menschen ihre Individualität (ihr sons-
tiges Verhalten) als Mitglieder der Masse aufgeben. Eigene Eigenarten und
Eigenschaften treten zurück, wenn das Individuum unter den suggestiven
Einfluss anderer gerät.

Freud vermutet, dass eine spezifische Form von Libido eine Rolle spielen
müsse. Der Einzelne passe sich an, »weil ein Bedürfnis bei ihm besteht, eher
im Einvernehmen mit ihnen als im Gegensatz zu ihnen zu sein, also vielleicht
doch ›ihnen zuliebe‹« (Freud 1921c, S. 100).

Freud formuliert sehr deutlich und wiederholt, wie sehr diese Vermutung
im Widerspruch zu dem für ihn zentralen Phänomen der Gefühlsambivalenz
steht, der »Abstoßungen gegen nahestehende Fremde«. Normalerweise werde
Anderssein als Kritik und »Aufforderung zur Umgestaltung« (ebd., S. 111)
verstanden, vor diesem Hintergrund sollte man sich demnach in der Masse
gerade unter nicht allzu fremden Fremden theoretisch sehr unwohl fühlen.
Freud postuliert deshalb, dass in massenpsychologischen Situationen eine
starke Kraft gegen diesen eigentlich anzunehmenden Abstoßungsimpuls am
Werk sein müsse; diese Gegenkraft sieht er in einer spezifischen Form von
Liebe bzw. Libido.

König weist in seiner Auseinandersetzung mit dieser Frage darauf hin, dass
hierin das zentrale Problem liege, nämlich »die Unterschiede festzuhalten,
die zwischen den libidinösen Bindungen der Masse und den libidinösen Bindungen bestehen, wie sie für andere Formen der Vergesellschaftung typisch
sind« (König 1992, S. 239). Die wichtigste Aussage von Freud hierzu ist, dass
es sich um sogenannte zielgehemmte Libido handelt:

> »Es ist interessant zu sehen, dass gerade die zielgehemmten Sexualstrebungen so
> dauerhafte Bindungen der Menschen aneinander erzielen. [...] Die sinnliche Liebe
> ist dazu bestimmt, in der Befriedigung zu erlöschen; um andauern zu können,
> muß sie mit rein zärtlichen, d.h. zielgehemmten Komponenten von Anfang an
> versetzt sein oder eine solche Umsetzung erfahren« (Freud 1921c, S. 127).

Libido, Identifikation, Unterwerfung

Wie König ausdrücklich betont, bleibt diese Aussage als Antwort auf die Frage
nach der Kohäsion von »Massen an sich« unbefriedigend. In der Rezeption
von »Massenpsychologie und Ich-Analyse« steht der zweite Teil der Antwort
daher sehr stark im Vordergrund: die Bindung der Masse aneinander durch
Bindung an einen Führer, durch eine spezifische Form der Unterwerfung unter
eine Autorität. Manche Lesarten suggerieren, dass es in der Massenpsychologie
fast ausschließlich um die Bindung durch Unterwerfung unter den Führer gehe
(vgl. Volkan 2005) – und dass Freud sich eher weniger für die Bindung an sich

interessiert habe. Das liegt vermutlich daran, dass diese Form der Bindung an den Führer so frappierend auf die nationalsozialistische Massenpsychologie zu passen schien, wie das z. B. auch das Ehepaar Mitscherlich feststellt.

Wie beschrieben sieht Freud in der massenpsychologischen Situation ein für ihn erstaunliches Zurücktreten der libidinösen Besetzung des Selbst. Da in seiner (ökonomischen) Konzeption die Gesamtmenge der Libido gleich bleibt, vermutet er ausgleichende libidinöse Kräfte, die dieses Zurücktreten ermöglichen. Entscheidend ist nun, dass diese libidinösen Kräfte in Form von Identifizierung zur Wirkung kommen: Der individuelle Narzissmus wird durch Identifizierung eingeschränkt.

Grundsätzlich ist Identifizierung bei Freud ein entwicklungspsychologisch äußerst bedeutsamer (und im Übrigen der entwicklungspsychologisch früheste) Mechanismus: Er meint damit die Übernahme und Verinnerlichung von Objekten, die zur so wichtigen Differenzierung beim Individuum führe. In der normalen individuellen Entwicklung bleibt diese Identifizierung ambivalent, im Kontext der Massenpsychologie komme es jedoch zu einer Form von Identifizierung, die nicht mehr nur partiell sei. Mitscherlich schlägt in seiner Lesart der Massenpsychologie den Ausdruck »totale« Identifizierung vor (vgl. Lohmann 1992). In dieser totalen Form identifiziert sich dann die Masse mit einem Objekt, meist dem Führer der Masse. Im Gegensatz zur langsamen partiellen Verinnerlichung von Wertvorstellungen und der dementsprechenden Identifikation in der individuellen Entwicklung geschieht dies hier plötzlicher und totaler. Lohmann spricht von einem »oralen Modus der Einverleibung« (Lohmann 1992, S. 102) als einer unvermittelten (ohne langsame Entwicklung) und unkritischen Form der Identifikation mit dem Führer.

Ichideal und Lust am Aufgehen im Kollektiv

Freud erklärt den Vorgang mit spezifischen Vorgängen, die das Über-Ich (Gewissen) bzw. Ichideal betreffen. Dazu ist es notwendig, sich die Definition des Ichideals zu vergegenwärtigen, die im Übrigen ein weiteres gutes Beispiel für die selbstverständliche Verknüpfung individual- und sozialpsychologischer Prozesse bei Freud ist. Laplanche und Pontalis definieren das Ichideal wie folgt:

> »Von Freud im Rahmen seiner zweiten Theorie des psychischen Apparates verwendeter Ausdruck: Instanz der Persönlichkeit, die aus der Konvergenz des Narzissmus (Idealisierung des Ichs) und den Identifizierungen mit den Eltern, ihren Substituten und den kollektiven Idealen entsteht. Als gesonderte Instanz stellt das Ichideal ein Vorbild dar, an das das Subjekt sich anzugleichen sucht« (Laplanche/Pontalis 1972, S. 203).

Im Ichideal lebt die durch elterliche Kritik verloren gegangene Selbstver-
liebtheit (der Narzissmus) der Kindheit gewissermaßen weiter, es dient dem
Erwachsenen als impliziter Maßstab des Erreichten. In manchen Arbeiten
konzipiert Freud das Ichideal als getrennt vom Über-Ich, in anderen als
dessen Teil. In allen Defintionen sind Ichideal und Über-Ich jedoch deutlich
vom Ich abzugrenzen.

Freud sieht es nun als Wirkfaktor der Massenpsychologie an, dass hier eine
fremde Person vom Subjekt an die Stelle des eigenen Ichideals gesetzt wird.
Wenn alle Mitglieder der Masse dies mit der gleichen fremden Person – dem
Führer – tun, dann entsteht aus der Konvergenz der individuellen Ichideale
ein kollektives Ideal.

> »Eine [...] primäre Masse ist eine Anzahl von Individuen, die ein und dasselbe
> Objekt an die Stelle ihres Ichideals gesetzt und sich infolgedessen in ihrem Ich
> miteinander identifiziert haben« (Freud 1921c, S. 128).

Diese Ersetzung des Ichideals durch das Objekt illustriert Freud mit Analogien zu Verliebtheit und Hypnose, genauer gesagt, werde in der Hypnose das
Ichideal ebenfalls durch das Objekt ersetzt:

> »Von der Verliebtheit ist offenbar kein weiter Schritt zur Hypnose. Die Über-
> einstimmungen beider sind augenfällig: demütige Unterwerfung, Gefügigkeit,
> Kritiklosigkeit gegen den Hypnotiseur wie gegen das geliebte Objekt. Dieselbe
> Aufsaugung der eigenen Initiative; kein Zweifel, der Hypnotiseur ist an die
> Stelle des Ichideals getreten« (ebd., S. 126).

Einerseits kann man sich die Wirkung dieser »Verliebtheit« in den Führer
einer Masse kaum dramatisch genug vorstellen, andererseits interessieren
Freud aber auch Massen ohne Führer – und auch diese haben Bindungen untereinander, die viel mit der Übereinstimmung ihrer Ichideale zu tun haben.
Massen teilen bestimmte kollektive Ideale durch die Identifikation mit ihren
Eltern, Erziehern usw.: »Jeder einzelne ist Bestandteil von vielen Massen,
durch Identifizierung vielseitig gebunden, und hat sein Ichideal nach den
verschiedensten Vorbildern aufgebaut« (1921c, S. 144). Dieser Hinweis kann
so verstanden werden, dass in der spezifischen Situation ein möglicher Führer durchaus auf vorhandene kollektive Ideale aufbaut, sodass in der akuten
massenpsychologischen Situation zwar eine starke Vereinheitlichung erzeugt
wird, jedoch nichts völlig Neues entsteht.

Für das Verständnis kollektiver Prozesse ist meines Erachtens insbesondere
die Betonung des Libidinösen (Laplanche und Pontalis sprechen von verliebter
Hörigkeit) relevant, da damit ein Aspekt hervorgehoben wird, der in den

Hintergrund tritt, wenn man bestimmte massenpsychologische Prozesse als »kollektive Traumata« beschreibt. In vielen Lesarten der Massenpsychologie (z. B. Brockhaus 1998, Lohmann 1992) wird betont, dass der Einzelne den Zustand genießt, die kritische Hinterfragung abgeben zu können und sich dem Ichideal näher zu fühlen, als man das im alltäglichen Leben kann. Mit Freuds Worten: »Es kommt immer zu einer Empfindung von Triumph, wenn etwas im Ich mit dem Ichideal zusammenfällt« (ebd., S. 147).

Und Lohmann beschreibt sehr anschaulich:

> »In der Primitivität, die mit Identifizierungsprozessen verbunden ist, liegt, so scheint es, eine ungeheure Versuchung, die Last des Kulturerwerbs und der Kulturerhaltung, die uns auferlegt ist, abzuschütteln und ein Stück Triebnatur auszuleben. Identifizierung in dem Sinne, wie Freud den Begriff in Massenpsychologie und Ich-Analyse einführt, hat etwas zu tun mit der lustvoll-regressiven Aufkündigung von Abgrenzungsarbeit und Verhältnisbestimmungen, mit dem archaischen Wunsch, durch kannibalische Einverleibung eines Objekts an dessen phantasierter Allmacht teilzuhaben. Gerade die, wenn auch zielgehemmte, libidinöse Seite, die in der Identifizierung zum Zuge kommt, impliziert eine mächtige Verlockung zur Rückkehr zu einem Zustand der Undifferenziertheit, des fraglosen Einsseins« (Lohmann 1992, S. 71).

Es ist vermutlich diese lustvoll-regressive Seite, die Lohmann hier auch den Ausdruck Sucht anwenden lässt, Lohmann spricht hier nämlich von einer »Autoritäts- und Unterwerfungs*süchtigkeit*« (ebd.; Hv. A. K.).

»Unbehagen in der Kultur« und Massenpsychologie – die Rolle der Aggression

Freuds Essay kann auch heute noch als zentral für ein psychoanalytisches Verständnis von massenpsychologischen Phänomenen gelten. Spätere Autoren rekurrieren zwar auf neuere psychoanalytische Modelle (z. B. die Selbstpsychologie oder Objektbeziehungstheorie), bauen insgesamt aber zustimmend auf Freud auf. Bevor ich nun auf die Weiterentwicklungen, Differenzierungen und vor allem Anwendungen der Massenpsychologie bei späteren Autoren eingehe, füge ich ein Argument hinzu, das von Freud in der Massenpsychologie nur angedeutet und erst später expliziter formuliert wird: die Rolle der Aggression bzw. des Destruktionstriebes.

In dem massenpsychologischen Essay selbst finden sich nur einige Aussagen, die eher den Charakter von Nebenbemerkungen haben, wie etwa die folgende: »Der Führer oder die führende Idee könnten auch sozusagen negativ werden; der Haß gegen eine bestimmte Person oder Institution können ebenso einigend wirken und ähnliche Gefühlsbindungen hervorrufen wie die positive Anhänglichkeit« (ebd., S. 110).

Hier bleibt (noch) relativ unklar, wie Hass nach außen und »Gefühlsbindung« nach innen zusammenspielen. Präziser wird Freud erst neun Jahre später in seiner Schrift »Das Unbehagen an der Kultur« (1930a), dessen Grundgedanke der Zweifel an der prinzipiellen Kultureignung des Menschen ist. Aufgabe der Kultur bzw. der Gesellschaft sei, die Triebnatur des Menschen zu bändigen, den Freud von Natur aus gerade nicht als sozial oder gesellschaftsfähig bzw. kulturfähig ansieht:

> »Das gerne verleugnete Stück Wirklichkeit hinter alledem ist, dass der Mensch nicht ein sanftes, liebebedürftiges Wesen ist, das sich höchstens, wenn angegriffen, auch zu verteidigen vermag, sondern dass er zu seinen Triebbegabungen auch einen mächtigen Anteil von Aggressionsneigung rechnen darf« (Freud 1930a, S. 470).

Der Mitmensch sei daher immer auch eine Versuchung, die Aggression zu befriedigen, die »grausame Aggression wartet in der Regel eine Provokation ab oder stellt sich in den Dienst einer anderen Absicht« (ebd., S. 471). Wie in Freuds eigenen dann folgenden Beispielen (Kreuzfahrer, Hunnen, 1. Weltkrieg) deutlich wird, eignen sich massenpsychologische Situationen besonders gut dafür, der Aggression eine Möglichkeit zur Befriedigung zu bieten, wenn diese »in den Dienst einer anderen – [heute würde man vielleicht sagen kollektiven, idealisierten, narzisstisch besetzten; A.K.] – Absicht« (ebd. S. 471) (Idee) gestellt werden. Dieses Argument schließt meines Erachtens nahtlos an die Argumentation der »Massenpsychologie« an, Freud selbst verweist hier jedoch nicht auf seinen früheren Essay.

Etwas expliziter wird der Bezug wenig später im gleichen Text:

> »Es wird den Menschen offenbar nicht leicht, auf die Befriedigung dieser Aggressionsneigung zu verzichten; sie fühlen sich nicht wohl dabei. Der Vorteil eines kleineren Kulturkreises, dass er dem Trieb einen Ausweg an der Befeindung der Außenstehenden gestattet, ist nicht geringzuschätzen. Es ist immer möglich eine größere Menge von Menschen in Liebe aneinander zu binden, wenn nur andere für die Äußerung der Aggression übrig bleiben« (ebd., S. 473).

Man kann sogar mit Blick auf Freuds weitere Beispiele (vgl. ebd., S. 474) sagen, dass er fast einen kausalen Zusammenhang formuliert: je mehr die Liebe nach innen propagiert wird (z. B. im Christentum), desto größer die Intoleranz nach außen. Aggression und Libido wirken in der Massenpsychologie also doppelt zusammen: Massenpsychologische Situationen bieten die Möglichkeit, den natürlichen Aggressionstrieb – vermeintlich im Dienste einer guten Absicht – auszuleben. Gleichzeitig muss der Einzelne in der Masse seine natürliche »Abstoßung gegen nahe stehende Fremde« (Freud 1921c, S. 111) überwinden und findet im feindlichen Außen eine willkommene Gelegenheit, die unterdrückte Abneigung wahrzunehmen oder auszuleben. In seiner Lektüre des massenpsychologischen Essays formuliert Adorno (1951) diesen Zusammenhang so: Die immer vorhandene Ambivalenz, der Neid und die Verachtung gegen den symbolischen »Bruder« (den nahe stehenden Fremden) können sich die durch Identifizierung gebundenen Mitglieder der Wir-Gruppe nicht eingestehen. »Sie wird darum in einer völlig negativen Besetzung dieser niedrigen Tiere [vorher wird ausgeführt, dass Ungeziefer in Märchen und Traumsymbolik für den gehassten Bruder stehe; A. K.] ausgedrückt, mit dem Haß auf die Fremdgruppe verbunden und auf diese projiziert« (Adorno 1951, S. 355). Dieser Gedanke wird später für Adornos Konzept des autoritären Charakters zentral.

In Freuds späterem Text wird also deutlicher als im früheren, dass die Masse nicht nur positiv durch libidinöse Kräfte zusammengehalten wird, sondern dass dieser Zusammenhalt durch eine Projektion der negativen Gefühle nach außen bezahlt wird.

1.2   Massenpsychologie und die »Unfähigkeit zu trauern« in Deutschland

Die zentralen Hypothesen aus Freuds Massenpsychologie-Essay, insbesondere das Zusammenspiel von Führer und Masse, werden in den meisten Rezeptionen u. a. am Beispiel des nationalsozialistischen Führerstaates illustriert. So schreibt etwa Lohmann (1991, S. 71), dass Freud »ohne es zu wissen eine ziemlich exakte Analyse der nationalsozialistischen Herrschaft« geliefert habe (vgl. auch Adorno 1951). Der berühmteste und expliziteste Versuch dieser Verknüpfung ist die mit dem Titel »Die Unfähigkeit zu Trauern« überschriebene und 1967 zum ersten Mal veröffentlichte Studie von Alexander und Margarete Mitscherlich (1977). Im Folgenden werde ich zunächst die zentralen Aussagen dieser Studie darstellen, um sie später zusammenfassend als Anwendungsperspektive im Hinblick auf die Frage nach deren Bedeutung für ein Verständnis von »kollektiem Trauma« zu diskutieren.

1.2.1   Beunruhigende Beobachtungen als Ausgangspunkt

Als Ausgangsgedanken ihres Textes formulieren die Mitscherlichs die große Sorge, dass die nach 1945 in Deutschland von den Siegern eingeführte Demokratie und mit ihr das Bekenntnis zur »Gedankenfreiheit« ein äußerst fragiles Gebilde sein könnte. Sie haben den Eindruck, dass diese bundesrepublikanische Demokratie von 1967 nicht wirklich »geliebt« wird und womöglich gerade nur zufällig funktioniert, weil sie mit relativem Wohlstand einhergehe. »Wird diese Freiheit lebendig empfunden, oder ist sie ein günstiger Zufall [...]?« (Mitscherlich/Mitscherlich 1977, S. 8). Eine erste Begründung für diese Sorge ist, dass die Gedankenfreiheit »an den schwächsten Teil unserer seelischen Organisation, an unser kritisches Denkvermögen geknüpft« (ebd.) sei.

Die Mitscherlichs stützen ihre Argumentation sowohl auf klinische Beobachtungen an Patienten in einer psychosomatischen Abteilung als auch auf alltägliche Beobachtungen der gesellschaftlichen Entwicklung nach 1945. An den Patienten erstaunt sie, dass die Auseinandersetzung mit der Beteiligung an oder Verstrickung in die Verbrechen der NS-Zeit äußerst wenig zum Thema in den Psychotherapien wurde, sie haben den Eindruck, dass kaum jemand mit »Gefühlsbeteiligung« vom eigenen Erleben der damaligen Zeit berichtet, dass somit auch die Auseinandersetzung mit der eigenen Schuld kaum zum Thema wird. Offensichtlich leide die Täterseite in einem psychologischen Sinne nicht an den begangenen Taten. Angesichts der monströsen Ereignisse würde man außerdem auch auf kognitiver Ebene annehmen, so die Mitscherlichs, dass die Auseinandersetzung mit dem, was passiert ist – individuell und gesellschaftlich – das »drängendste Erkenntnisproblem« (ebd., S. 19) sei – aber auch das sei ganz und gar nicht der Fall. Insgesamt fällt ihnen nicht nur für die Auseinandersetzung mit der Vergangenheit, sondern auch insgesamt eine mangelnde Lebendigkeit und Beweglichkeit der Deutschen auf, und sie formulieren bereits eingangs, dass es sich bei diesem Phänomen um etwas handeln könnte, was man aus pathologisch verlaufenden Trauerprozessen kenne. Anders als in vielen anderen »psychohistorischen Studien« wird hier jedoch das Grundproblem sehr klar formuliert: Eine »Übertragung solcher Einzelerfahrung auf eine große Gruppe bereite jedoch erhebliche Schwierigkeiten, weil hier bei der Vielfalt der Lebensumstände und Charaktere neue unbekannte Faktoren hinzukommen« (ebd., S. 9).

Das Vorhaben wird deshalb – gemessen an der Rezeptionsgeschichte – äußerst bescheiden formuliert, die Autoren hoffen mit ihren Hypothesen »Einzeluntersuchungen anregen« zu können,

> »über den behaupteten Sachverhalt nämlich, dass zwischen dem in der Bundesrepublik herrschenden sozialen und politischen Immobilismus und Provinzialismus einerseits und der hartnäckig aufrechterhaltenen Abwehr von Erinnerungen, insbesondere der Sperrung gegen eigene Gefühlsbeteiligung an den jetzt verleugneten Vorgängen der Vergangenheit andererseits ein determinierender Zusammenhang besteht« (ebd.).

1.2.2 Massenpsychologische Annahmen über die NS-Zeit

Die Überlegungen von Alexander und Margarete Mitscherlich zur Psychodynamik der NS-Zeit selbst lesen sich zum Teil wie eine direkte Anwendung von Freuds oben skizziertem massenpsychologischen Ansatz. Sie kreisen dementsprechend um die Bedeutung des Führers und um das Gewissen bzw. das Ichideal der vielen Einzelnen, der Massen. Hitler habe es als charismatischer Führer im Sinne Max Webers geschafft, zum »kollektiven Ichideal« zu werden. Die Begabung des charismatischen Führers im Allgemeinen und Hitlers im Besonderen liege »recht eigentlich darin, die am schmerzlichsten durch eine gegenwärtige Notlage getroffenen Idealvorstellungen seiner Anhänger anzusprechen und hier Abhilfe in Aussicht zu stellen, und zwar mit einer Sicherheit, die seine unerschütterliche Kraft erkennen lässt« (Mitscherlich/Mitscherlich 1977, S. 72).

Analog zu Freud sprechen die Mitscherlichs dann auch von »Exaltation«, »Verliebtheit in den Führer« und einer Art »Symbiose«. Anders als Freud formulieren sie jedoch einen längeren Entwicklungsprozess, in dem das »vornazistische Gewissen« oder alte Gewissen in einen »Streit« mit dem neuen Gewissen gerate, in dem das Ichideal also nicht ganz so einfach ersetzt werden kann. Dies erstaunt nicht, da man ja für die NS-Zeit sagen kann, dass das »ursprüngliche« Gewissen viel radikaler als in anderen Massenbewegungen in Konflikt mit dem neu angebotenen Gewissen geraten musste. Die Mitscherlichs ziehen in ihrer Argumentation daher auch die viel zitierte Himmler-Rede heran, in der er das Gewissen »ganz normaler Männer« (vgl. Browning 1992) offensichtlich »umzudrehen« vermochte. Allgemeiner formulieren sie dann später, dass es angesichts der »überspannten Forderungen« auf jeden Fall zu einem Konflikt komme, dass jedoch »im Streit zwischen dem alten Gewissen und dem fetischhaft geschmeichelten Ichideal das Gewissen unterliegt« (Mitscherlich/Mitscherlich 1977, S. 72). Sie führen hier auch Freuds Triumphgefühl (s. o.) an, in dem sich das Ich von quälenden Zweifeln und Strafandrohungen frei fühle. Wenn der Führer das Ichideal ersetzt, kann man sich einerseits entspannt auf seine Entscheidungen verlassen (er werde schon wissen, was er tue) und gleichzeitig identifikatorisch an seiner Allmacht teilhaben:

»Er war ein Objekt, an das man sich anlehnte, dem man die Verantwortung übertrug, und ein inneres Objekt. Als solches repräsentierte und belebte er aufs Neue die Allmachtsvorstellungen, die wir aus der frühen Kindheit über uns hegen« (ebd., S. 35).

Eher am Rande taucht in den Überlegungen noch ein weiteres Argument auf. Die Nazibewegung vereinte ihre Anhänger nicht nur unter einem gemeinsamen positiven Ideal, sondern schürte in extremer Weise den »Haß gegen die älteren hergebrachten Autoritäten« (ebd., S. 61) und ermöglichte ein »Ausagieren eines ungewöhnlich ambivalenten Verhältnisses zur Vater-Autorität« (ebd.), indem die Anhänger sich an bisherigen Autoritäten oder Rivalen rächen konnten. Auch die Judenverfolgung und -vernichtung sehen die AutorInnen psychodynamisch als Möglichkeit, sich symbolisch am Inbegriff des »Rivalen« zu rächen. Insgesamt heben die Mitscherlichs die Rolle der Aggression in diesem Idealisierungs- und Identifikationsprozess stärker hervor als Freud in seinem massenpsychologischen Essay. So sehen sie eine Tendenz der Deutschen zur Idealisierung von Vorbildern (die Liebe zu den eigenen Idealen) und »erblicken darin den in der Ambivalenz gebundenen Gegenpart libidinöser Art zu den aggressiv-destruktiven Triebbedürfnissen. Bevor eine Aggression gezeigt werden durfte, musste sie als im Dienste des Ideals geschehend bezeichnet werden können« (ebd., S. 62f.). Die aggressiven Bedürfnisse als verleugneter Gegenpol wurden dann auf Minderheiten wie die Juden projiziert.

So weit die psychoanalytische Interpretation der NS-Zeit durch die Mitscherlichs.[12]

1.2.3 Die Unfähigkeit: Abwehr von Erinnerung, Trauer und Schuld

In ihren Reflexionen über die Nachkriegszeit argumentieren die Mitscherlichs vor allem damit, dass durch den Selbstmord Hitlers und die bedingungslose Kapitulation das kollektive und hoch aufgeladene Ichideal von einem Moment auf den anderen völlig entwertet worden war. Die im Titel benannte »Unfähigkeit zu Trauern« bezieht sich auf diesen Verlust des Führers. Sie führen jedoch ein weiteres Argument ein, dass dieser Argumentationslinie in gewisser Hinsicht – wie Gudrun Brockhaus (2006) ausführt – widerspricht. »Trotz aller ideologischen Beeinflussung«, so lassen uns die Autoren in einer Fußnote wissen, habe »eine Wahrnehmung der Schuld stattgefunden« (Mitscherlich/Mitscherlich 1977, S. 40) und deshalb mussten massive Schuldgefühle abgewehrt werden. In diesem Sinne war die Ersetzung des Ichideals dann offensichtlich doch nicht so total, sodass man sich den oben skizzierten Konflikt zwischen vornazistischem und umgedrehtem Gewissen wahrscheinlich durchaus häufiger und chronischer vorstellen kann.

Das bekannteste Argument des Buches lautet:

> »Die bedingungslose Kapitulation, der Einmarsch von Gegnern, die bis zum äußersten lächerlich gemacht oder verteufelt worden waren, ruft massive Vergeltungsängste hervor. Es ist diese Realangst, die das Gewissen neu zentriert. Bis zum Ende des Krieges bestanden Gewissenspflichten nur gegenüber dem Führer.

Sein Sturz bedeutete darüber hinaus eine *traumatische Entwertung des eigenen Ichideals*, mit dem man so weitgehend identisch geworden war. Wenn jetzt das vor-nazistische Gewissen wieder in Kraft trat – in seiner Macht repräsentiert durch die siegreichen Gegner –, so wurden neue Mechanismen benötigt, um nicht mit der Vergeltungsangst das Gefühl völligen Unwertes aufkommen zu lassen« (Mitscherlich/Mitscherlich 1977, S. 30; Hv. A. K.).

Dies ist eine der insgesamt zwei Stellen, in der die Mitscherlichs das Wort Trauma bzw. »traumatisch« verwenden, die Studie arbeitet ansonsten ganz ohne den Traumabegriff. Interessant ist, dass sich sowohl »traumatisch« als auch das »Trauern« im Titel nicht auf die realen Verluste bezieht, sondern dass die Mitscherlichs aus ihrer spezifischen Perspektive jene Entwertung des Ichideals für das psychologisch »Schlimmste« halten. Die »Vermeidung dieser Traumen« (ebd., S. 35), so schreiben sie fünf Seiten später explizit, hätten zu Derealisationen führen müssen, die Trauer um die Opfer habe erst an zweiter Stelle gestanden. Übrigens formulieren die Autoren (denen immer wieder Einfühlungsverweigerung in die Deutschen vorgeworfen wurde, vgl. Moser 1992) an dieser Stelle viel Verständnis für »Notfallreaktionen« auf die traumatische Entwertung, diese seien einem Überlebensschutz vergleichbar. Problematisch, so die Mitscherlichs weiter, sei allerdings »dass auch später keine adäquate Trauerarbeit um die Mitmenschen erfolgt sei« (Mitscherlich/ Mitscherlich 1977, S. 35).

Hier zeigt sich, inwiefern die massenpsychologische Interpretation der vorausgegangenen Situation – der NS-Zeit – eine sehr spezifische Deutung der Verarbeitung dieser Zeit nahelegt: Indem dem Ichideal und der narzisstischen Verliebtheit ein so hoher Stellenwert für die massenpsychologische Dynamik eingeräumt wird, stehen auch in der Verarbeitung die narzisstischen Verluste mehr im Vordergrund als die realen. Die Mitscherlichs betonen dementsprechend das intensive Schamgefühl, das »die bedingungslose Kapitulation nach so viel Hochmut« (ebd., S. 77) auslösen musste. Gemäß der Freudschen Unterscheidung zwischen Trauer um ein (um seiner selbst willen) geliebtes Objekt und Melancholie nach narzisstischer Entwertung (durch den Verlust) analysieren sie den kollektiven Prozess denn auch als »Abwehr einer *Melancholie der Massen*« (ebd., S. 36; Hv. A. K.), die u. a. durch den Abbruch aller »affektiven Brücken« (ebd., S. 38) ermöglicht werde.

Neben der Betonung der narzisstischen Dynamik führen Margarete und Alexander Mitscherlich jedoch wie bereits angedeutet eine zweite Argumentationslinie ein, durch die ihre Gegenwartsdiagnose verständlicher wird: die Abwehr massiver Schuldgefühle auf Grund von realer Schuld. Diese Abwehr funktioniert in ihrer Deutung wie ein »infantiler Selbstschutz« gegen Angst, Schuld und Scham, nämlich durch Verdrängung, Verleugnung und Projektion.

Diese infantile Abwehr wirke von außen »grotesk« (ebd., S. 27), da jedoch das ganze Kollektiv betroffen sei, gelinge die Abwehr im Vergleich zur individuellen Schuld äußerst leicht (vgl. ebd., S. 46).

Als konkrete Reaktionsmuster beschreiben die Mitscherlichs eine Gefühlsstarre und Derealisierung, die schnelle Identifikation mit den Siegern und ein manisches Ungeschehenmachen, das sich in den »gewaltigen kollektiven Anstrengungen des Wiederaufbaus« (ebd., S. 40) zeige. Die Derealisierung wird am Beispiel eines Patienten illustriert, der sich zwar nach einiger Anstrengung an beschämende Szenen in seiner Rolle als Unteroffizier erinnern kann, diese Szenen jedoch ohne jegliche emotionale Beteiligung so erzählt, als gehe es um jemand anderen (vgl. ebd., S. 49). Als weiteren zentralen Mechanismus der Schuldabwehr nennen sie noch die weit verbreitete Argumentationsfigur, dass der Führer an allem schuld gewesen sei, man habe unter dem Druck bösartiger Verfolger gehandelt und nicht anders gekonnt (vgl. ebd., S. 26). Wenn man den Deutschen zuhöre, könne man den Eindruck bekommen, »Deutschland sei nie ›braun‹ gewesen, es habe 1945 höchstens eine Gruppe brauner, d.h. fremder ›Besetzer‹ verloren« (ebd., S. 45). Um die Schuld nicht spüren zu müssen wird alles fremd gemacht. Hier konvergieren die verschiedenen Argumentationslinien: Die Verliebtheit in die Situation, die Begeisterung und Faszination, die mit dem kollektiven Ichideal zusammenhängen, können nicht zugegeben werden, weil sonst die Schuld mit anerkannt werden müsste.[13] An der Analyse der Mitscherlichs ist aus der Perspektive meiner Argumentation interessant, wie konsequent die Autoren ihre Analyse von kollektiven Nachwirkungen mit massenpsychologischen Hypothesen über das auslösende Ereignis verbinden. Außerdem fällt aus heutiger Sicht das fast vollständige Fehlen des Traumabegriffs auf. Diese Überlegungen greife ich später auf, wenn ich die Studie explizit als Fallbeispiel nutze.

2 Kollektive Prozesse als »psychosoziale Arrangements«

Als weitere Perspektive im Hinblick auf die Frage, wie kollektive Phänomene unter dem Aspekt der Massenpsychologie gesehen werden können, kann der Ansatz von Stavros Mentzos gesehen werden. Ihn interessiert eine sehr spezifische Variante von Massenpsychologie, nämlich die Mobilisierbarkeit von – meist nationalen – Kollektiven für Kriege. Er bezeichnet diese Mobilisierbarkeit als »psychosoziales Arrangement« zwischen Machteliten (die einen Krieg wollen) und vielen Einzelnen (Massen), die sich aus psychologischen Gründen für den Krieg gewinnen lassen. Er selbst verortet seine Hypothesen in der Tradition der Massenpsychologie und stellt fest, dass es relativ gleichgültig sei, »ob man als Oberbegriff für solche Analysen den alten, ehrwürdigen Terminus ›Massenpsychologie‹ benutzt oder besser mit einer Reihe von Konzepten wie ›psychosozialem Arrangement‹, ›institutioneller Abwehr‹, ›kollektive Identifikationen‹, ›nationale Selbststereotype‹ arbeitet« (Mentzos 2002, S. 205). Im Vergleich zur klassischen Massenpsychologie grenzt er demnach den Gegenstand ein, und von den vielen theoretischen Facetten fokussiert er vor allem auf das Verhältnis von Führer und Masse. Er greift dabei Freud'sche Grundgedanken im Prinzip zustimmend auf und versucht sie mit aktuelleren psychoanalytischen Konzepten (v. a. der Selbstpsychologie) und eigenen Modellen zu verknüpfen.

Um »kollektives Trauma« theoretisch erfassen und reflektieren zu können, scheint dieser Ansatz aus zwei Gründen ertragreich: Mit seinem Konzept des »Arrangements« präsentiert er zum einen eine interessante Lösungsvariante für das Problem der psychologischen Aussagen über Kollektive: Wenn ein Kollektiv zwar nicht als psychologische Entität begriffen werden kann (wie implizit im »kollektiven Trauma«), so können doch die vielen Einzelnen unter bestimmten Bedingungen aus psychologischen Motiven ein »Arrangement« eingehen, das eine Art kollektiven Zustand schafft.

Zum anderen liefert Mentzos mit seiner bereits dargestellten Unterscheidung zwischen autonomen und heteronomen Scham- und Schuldgefühlen meines Erachtens eine ertragreiche Differenzierung der massenpsychologischen Überlegungen zum Gewissen.

2.1   Krieg erfüllt psychosoziale Funktionen

»Psychologische Bipolaritäten wie die zwischen Passivität und Aktivität, zwischen dem Bedürfnis nach Nähe und der Distanzsuche, aber insbesondere (und übergreifend) zwischen Selbstbezogenheit (Autonomie) und Objektbezogenheit (Bindung) stellen wichtige, charakteristische Merkmale jeder menschlichen psychischen Entwicklung dar. […] Auch wenn sie immer wieder *vorübergehend* in einen Antagonismus geraten können, so ermöglicht ein relativ ungestörter dynamischer Prozeß echte dialektische Aufhebungen und somit nicht nur neue Formen und Stufen der Entwicklung, sondern überhaupt echte neue Schöpfungen« (Mentzos 2002, S. 77).

Diese Vorstellung eines Grundkonflikts, der in der psychischen Entwicklung immer wieder idealiter in dialektischen Lösungen aufgehoben werden kann, ist zentral für Mentzos' Überlegungen. Psychische Schwierigkeiten entstehen, wenn solche Grundkonflikte (bzw. der zentrale übergreifende Grundkonflikt zwischen Autonomie und Bindung) nicht kreativ gelöst werden können, sondern zu Konflikten erstarren, »die die weitere freie dynamische Entwicklung verhindern« (ebd.). Als Ursache für das Erstarren nennt er Traumatisierungen, die meist aus äußerst frustrierenden Erfahrungen mit den frühen Bezugspersonen resultieren. Mentzos spricht dann von »einseitigen Fixierungen« auf einen der beiden Pole, statt zu Lösungen des »Sowohl-als-auch-Typs« komme es zu »Entweder-oder-Lösungen«. Er unterscheidet dabei zwischen eher seltenen extremen Fixierungen, die als psychische Störungen im engeren Sinne betrachtet werden können auf der einen Seite, und Dispositionen zu einseitigen Lösungen, die bestimmte Charakterstrukturen bedingen, auf der anderen.

»Daraus resultieren Verhaltensweisen, Einstellungen und Haltungen, die wir im Alltag als egoistisch, uneinfühlsam, aggressiv, sadistisch, eigennützig oder aber unterwürfig, überangepasst, aggressionsgehemmt oder unsicher bezeichnen. Daß solche, auf diese Weise entstandene Dispositionen und Handlungsbereitschaften von großer Bedeutung für die Austragung von Interessenskonflikten sind, versteht sich von selbst« (Mentzos 2002, S. 78f.).

Entscheidend für Mentzos sind dann nicht die extremen Fixierungen, sondern jene Dispositionen zu einer einseitigen Lösung des Grundkonflikts. Mentzos spricht von Interdependenzen des äußeren Konflikts (der gesellschaftlichen Ebene) mit dem inneren: Eine bestimmte Gesellschaftsform, Normen und Schichtzugehörigkeit begünstigen spezifische Lösungsvarianten, umgekehrt haben diese – man könnte sagen kollektiv bevorzugten – Varianten Einfluss auf gesellschaftliche Strukturen. Dies entspricht m. E. dem Grundgedanken der Ethnopsychoanalyse, die ganz allgemein von einer kulturspezifischen Verdrängung ausgeht.

Was bedeutet dies nun für die Kriegsbereitschaft? Er betont, dass die beschriebenen psychologischen Dynamiken nicht die Kriegsursache sind – diese bleibe politisch, ökonomisch und aus materiellen Interessenskonflikten zu erklären –, sondern dass es ihm um das Phänomen der »Mobilisierbarkeit« gehe. Dementsprechend interessiert ihn vor allem die Wirkung der Kriegspropaganda, die auf eine bestimmte psychische Empfänglichkeit treffe und nur durch diese wirksam werden könne.

»Offensichtlich gehen *private* intrapsychische Spannungen und Konflikte in die ›Rechnung‹ mit ein. Ressentiments, Wut aus privaten narzisstischen Kränkungen, Schuldgefühle aus privaten Ambivalenzkonflikten fließen, wenngleich indirekt, in den großen Strom der Kriegsmotivation ein« (ebd., S. 164).

Mentzos spricht hier von einem Zusammenspiel zwischen psychischer Bereitschaft, »Empfänglichkeit« und geschickten Synchronisateuren, die diese Bereitschaft zu nutzen und in kollektive Narrative zu übersetzen verstehen. Bedürfnisse können nicht komplett aus dem Nichts erzeugt werden, sondern es kann nur etwas verstärkt werden, was schon da ist. Konkreter nennt er als Faktoren, die die Synchronisateure nutzen können:

> »aufgestaute (reaktiv entstandene) Aggressionen, weit mehr noch narzisstische Bedürfnisse, Hunger nach Anerkennung und Bestätigung, Identitätsverlangen, Gruppenzugehörigkeit, Abenteuerlust, Selbstwerterhöhung oder Abwechslungssuche« (ebd., S. 165).

Neben diesen individuellen Dynamiken wendet er sein Modell auch auf die kollektive Ebene an, wie in folgender Ausführung, in der er »Spaltung, Projektion und Realexternalisierung« erklärt und sich dabei implizit auf den Golfkrieg von 1991 bezieht.

> »Angehörige einer Nation werden von einem inneren Konflikt bewusst oder halbbewusst gequält. Einerseits lieben und mögen sie sich selbst und ihre Nation im Sinn eines ›gesunden‹ Narzissmus und sind stolz auf sich. Andererseits haben sie aufgrund verschiedener Vorkommnisse Schuldgefühle und schämen sich, bis hin zu Verachtungsgefühlen« (ebd., S. 162).

Finde sich dann z.B. ein »real böser« Diktator, dann lasse sich das Böse auf ihn projizieren und bekämpfen, im Falle des 1991er Golfkriegs der Diktator Saddam Hussein. Die Nation, die Mentzos an früheren Vorkommnissen leiden sieht, ist die USA, die an Schamgefühlen in Bezug auf die »Schande Vietnam« kranke. So erklärt Mentzos, dass in den Argumentationen rund um diesen Golfkrieg vor allem die strategischen, nicht die ethischen Fehler des Vietnam-Kriegs im Vordergrund standen, man habe es technisch besser machen wollen, nicht ethisch.

Zusammengefasst unterstellt Mentzos mit der Hypothese der »psychosozialen Funktion«, dass der Krieg ein Therapeutikum sein könne, mit dem viele Einzelne (unbewusst) die Hoffnung verbinden, individuelle und gleichzeitig kollektive Kränkungen heilen zu können.

2.2 Identifikation und Führer aus selbstpsychologischer Sicht

Wie oben bereits beschrieben, kommt Mentzos' allgemeines Modell zur Kriegsbegeisterung ohne einen einzelnen charismatischen Führer aus. Er spricht von dem Kriegsinteresse von Machteliten und geschickter Propaganda, die auch ohne die Konzentration auf eine einzelne Führerperson wirken kann. Dennoch entwickelt er auch Hypothesen über die spezifische Form von psychosozialem Arrangement, das Massen mit einem charismatischen Führer eingehen. Er bezieht sich dabei auf Max Webers Begriff des charismatischen Führers, dieser habe jedoch die Wirksamkeit zu sehr in der Person der charismatisch begabten Person und zu wenig das Zusammenspiel zwischen Masse und Führer gesehen. Mentzos stellt die These auf, dass Freuds grundlegende Hypothesen über dieses Zusammenspiel von moderneren psychoanalytischen Konzepten aus der Selbstpsychologie differenziert werden können.[14] Dies habe z.B. Stefan Breuer (1982) gezeigt, der die frühen kohutschen Konzepte mit der Massenpsychologie verbinde. Breuer spricht von Störungen der idealisierenden Libido, die die Gefolgsleute nach idealisierten Objekten suchen lassen. Während diese Störungen »gleichsam das Rekrutierungsfeld für totale religiöse und politische Bewegungen erzeugen, sorgen die Störungen des Größenselbst für die nötigen messianischen Führer und charismatischen Persönlichkeiten, die anderen als idealisiertes Selbstobjekt dienen können« (Breuer 1982, zit. nach Mentzos 2002, S. 197).

Zentral für Mentzos ist der Begriff des »Größenselbst«, das von Kohut als normale Entwicklungsphase gedacht wird. Das kleine Kind bewerte seine Ich-Aktivität und Ich-Fähigkeiten über, werde in der realen Erfahrung desillusioniert und kompensiere dies dann dadurch, dass es in der Fantasie an der Größe, Stärke und Güte der dann idealisierten Elternfiguren teilnehme. Als solche idealisierten Elternfiguren können in der weiteren Entwicklung dann auch andere Verwandte, Lehrer, Repräsentanten des eigenen Dorfes, der Stadt oder des Staates fungieren – ganz analog zu Freud geht es also um für die individuelle Entwicklung wichtige zunehmend differenziertere, partiellere Identifikationen. Die selbstpsychologische Argumentation beschreibt dabei meines Erachtens kaum qualitativ andere Prozesse als Freud, sie sieht nur die Funktion etwas anders, wenn sie die »Selbstwertstabilisierung« so deutlich hervorhebt. Menzos betont dementsprechend, dass kollektive Begeisterung auf Selbstwertstabilisierung basiere. Diese werde nur unter bestimmten Bedingungen zum Problem:

> »Gefährlich werden solche Prozesse, wenn sie
> – erstens *quantitativ* die Oberhand gewinnen [...],
> – sich zweitens *qualitativ regressiv* in Richtung primitiver, globaler, unkritischer Identifizierungen (oder besser Introjektionen) mit Führern entwickeln [...],
> – sich als *rasch* wachsendes kollektives Phänomen *ausbreiten* und [...],
> – durch eine bewusste Propaganda oder auch Kollusionen mit dem *Größenselbst* [...] des Führers ein verhängnisvolles *(psychosoziales) Arrangement eingehen*« (ebd., S. 203; Hv. A. K.).

Mentzos führt weiter aus, dass die Funktion des Führers nicht überschätzt werden und dieser nicht dämonisiert werden solle, es handele sich letztlich um alltägliche Prozesse, die erst in bestimmten politischen Konstellationen gefährlich werden können. Er betont wiederholt, dass diese Prozesse nicht spontan automatisch ablaufen, sondern als »Ausnutzung breit gestreuter normaler und neurotischer Bereitschaften« (ebd., S. 204) gesehen werden können.

2.3   Schuld, Scham und die Umkehrung des Gewissens

Die Phänomene Schuld und Scham wurden bereits als wichtige und typische individuelle Trauma-Phänomene dargestellt. In Mentzos Überlegungen zu kollektiven Prozessen spielen sie ebenfalls eine wichtige Rolle. Während die Mitscherlichs die berüchtigte Himmler-Rede global als Beispiel für die (kollektiv wirksame) »Umkehrung des Gewissens« verwenden, differenziert Mentzos diese Umkehrung im Sinne seiner Unterscheidung zwischen heteronomem und autonomem Schuld- und Schamgefühl.

> »Himmler versuchte (oft mit Erfolg) bei seinen Offizieren Schuld- und Schamgefühle für den Fall zu evozieren, dass sie nicht den ›Mut‹ und die innere

>Konsequenz‹ besaßen, den Judenmord gründlich durchzuführen [...]. Die Täter sollten, nach Meinung Himmlers, keine Schuld und Schamgefühle haben (ich würde sagen: autonome, natürliche, mitmenschliche), wenn sie Frauen und Kinder ermordeten, sondern umgekehrt, wenn sie sie nicht ermordeten, denn damit würden sie gegen ein (ich würde sagen: heteronomes) Prinzip verstoßen: Deutschland und der Führer ›über alles‹« (Mentzos 2002, S. 118).

Ähnlich interpretiert er das für das Verständnis massenpsychologischer Prozesse zentrale Milgram-Experiment: Die Versuchspersonen hatten dort den Auftrag, anderen vermeintlichen Probanden »Elektroschocks« zu verabreichen. Nur ein Teil der Versuchspersonen widersetzte sich den Anweisungen, litt dann aber unter Schuldgefühlen gegenüber den Versuchsleitern, in der Lesart Mentzos also unter heteronomen Schuldgefühlen. Der größere Teil der Versuchspersonen verabreichte die Elektroschocks und ging dabei über ihr natürliches Mitgefühl – mit Mentzos über ihre autonomen Schuldgefühle – hinweg. Sowohl der Widerstand als auch die Unterwerfung unter eine Autorität ist somit mit je unterschiedlichen Schuldgefühlen verbunden. Mentzos geht also ähnlich wie Margarete und Alexander Mitscherlich davon aus, dass nicht »gewissenloses« Verhalten zum Problem werde, sondern dass ein neues nazistisches Gewissen entstanden sei (vgl. den dort als »Streit« bezeichneten Konflikt zwischen vornazistischem und nazistischem Gewissen: wenn das neue Gewissen sich vollständig durchgesetzt hätte, gäbe es keinen Konflikt, d.h., die oben erwähnte Ersetzung des Ichideals ist dann nicht absolut.

3   Großgruppenidentität, gewählte Traumata und gewählte Ruhmesblätter

Als weiterer psychonalytischer Beitrag zum Verständnis kollektiver Prozesse wird der Zugang von Vamik Volkan vorgestellt. Dabei kann nicht beansprucht werden, dem inzwischen umfangreichen Werk von Vamik Volkan zu den verschiedensten Facetten der »Psychodynamik internationaler Beziehungen« (vgl. Volkan/Montville/Julius 1990; Volkan 1998a, 1998b, 2005) gerecht zu werden. Im Kontext der Frage nach kollektivem Trauma beziehe ich mich vor allem auf die Aspekte seiner Überlegungen, die für das Verständnis seines Konzepts »gewählter Traumata« wichtig sind. Volkan entwickelt sein Konzept im Rahmen eines generellen Interesses für die Psychologie der Großgruppe. Mit dem Ausdruck »chosen trauma« will er darauf hinweisen, dass nicht jedes die Großgruppe betreffende schreckliche Ereignis in den Kanon der allen präsenten, prägenden geschichtlichen Tatsachen aufgenommen wird, sondern nur ganz bestimmte von den nachfolgenden Generationen in diesem Sinne bewahrt werden und die Erinnerung daran gepflegt wird. Er betont damit den gleichen Aspekt, den ich vorläufig als »kollektiviertes« Trauma bezeichnet habe (vgl. Kapitel I).

Volkan legt dabei Wert auf die Feststellung, dass das »gewählte Trauma« nur eines von mehreren möglichen Charakteristika einer spezifischen Großgruppenidentität ist. So ist die Identität einer Großgruppe bei Volkan nicht nur von einem »erniedrigenden Unglück« (oder von mehreren) geprägt, sondern auch von geteilten Erlebnissen des Triumphes, die Volkan analog als »gewählte Ruhmesblätter« bezeichnet.

Wie Volkan selbst bemerkt, unterliegt die Entstehung von »gewählten Ruhmesblättern« wesentlich weniger komplexen Prozessen als die Entstehung gewählter Traumata, beide weisen jedoch auch einige Gemeinsamkeiten auf.

»Nationen feiern ihren Unabhängigkeitstag, und alle Gruppen haben ritualisierte Erinnerungen an Ereignisse und Personen, deren geistige Repräsentanzen auch ein geteiltes, gemeinsames Erfolgs- und Triumphgefühl unter den Gruppenmitgliedern mit einschließen« (Volkan 1999b, S. 70).

Wichtige mit dem Unabhängigkeits- oder Nationalfeiertag verbundene Ereignisse oder Personen werden im Laufe der Zeit mythologisiert, ihre »geistigen Repräsentanzen« werden als »gewählte Ruhmesblätter« zu Merkmalen der Großgruppenidentität.

> »Solche gewählten Ruhmesblätter werden durch die Eltern/Lehrer-Kind Interaktion und die Teilnahme an den Feierlichkeiten, mit denen vergangener erfolg- und ruhmreicher Ereignisse gedacht wird, durch generationsübergreifende Überlieferungen an die nachfolgenden Generationen weitergegeben. [...] Die geistigen Repräsentanzen von gewählten Ruhmesblättern sind mit den Derivaten des libidinösen Triebes besetzt; es ist schön und macht Freude, sie mit den nachfolgenden Generationen zu teilen« (Volkan 1999b, S. 70).

Entscheidend für eine so verstandene Psychodynamik von Konflikten zwischen Großgruppen ist, dass politische oder religiöse Führer in stressintensiven Zeiten oder kriegsähnlichen Situationen auf solche Ereignisse rekurrieren, um das Selbstwertgefühl der Gruppe zu stärken. Volkan bezeichnet solche Phasen als Großgruppenregression (vgl. Volkan 2005).

Die Erinnerung an die »gewählten Ruhmesblätter« begeistere die Gruppenmitglieder unter anderem deshalb, weil ein bereits vorhandenes, von allen geteiltes Gruppenmerkmal dadurch aktiviert wird. Auch ein geteiltes Trauma kann den Zusammenhalt der Großgruppe unterstützen, jedoch sind sowohl die Prozesse, in denen ein Trauma »gewählt« wird, als auch die Art und Weise, wie es wirkt, ungleich komplexer. Volkan definiert ein gewähltes Trauma folgendermaßen:

> »Gewählte Traumata beziehen sich auf die geistige Repräsentanz von einem Ereignis, das dazu führte, dass eine Gruppe die durch eine andere Gruppe schwere Verluste hinnehmen musste, dahin gebracht wurde, dass sie sich hilflos und als Opfer fühlte und eine demütigende Verletzung miteinander zu teilen hatte. Da eine Gruppe es nicht selbst wählt, Opfer zu werden oder Demütigungen zu erleiden, erheben manche Einwände gegen den Begriff ›gewählte Traumata‹. Ich glaube jedoch, dass er die bewusste Wahl der Gruppe widerspiegelt, die geistige Repräsentanz von einem Ereignis einer vergangenen Generation der eigenen Identität hinzuzufügen« (Volkan 1999b, S. 73).

Und er führt weiter aus, dass eine Großgruppe die Erinnerungen an die Traumata der Vorfahren über die Generationen hinweg bewusst nähre (ebd.). Ähnlich wie auf »gewählte Ruhmesblätter« kann von den jeweiligen Machthabern auf »gewählte Traumata« zurückgegriffen werden, um das Zusammengehörigkeitsgefühl zu erhöhen. Volkan weist an anderer Stelle jedoch auch darauf hin, dass sich die Funktion des gewählten Traumas über die Generationen ändern könne:

>»In einer Generation kann es die Gruppenidentität als Gruppe von Opfern stützen. In einer anderen Generation mag es dazu dienen, der Gruppe eine Identität als Rächer zu verleihen. Ein gewähltes Trauma kann auch im kollektiven ›Gedächtnis‹ einer Gruppe schlummern. In Zeiten der Spannung, wenn die Identität der Gruppe gefährdet wird, wird es reaktiviert und kann von den Führern dazu verwendet werden, die von der Gruppe geteilten Gefühle über sich selbst und den Feind zu schüren. Das Zeitgefühl bricht zusammen und das gewählte Trauma wird so erlebt, als hätte es erst gestern stattgefunden: Gefühle, Wahrnehmungen und Erwartungen, die mit einem Ereignis und Feind der Vergangenheit assoziiert werden, verschmelzen mit jenen, die sich auf Ereignisse und Feinde der Gegenwart beziehen und führen so zu Fehlanpassungen im Gruppenverhalten, irrationalen Entscheidungen und Widerstand gegenüber Veränderungen« (Volkan 1999c, S. 21).

Die Aktivierung alter Verletzungen durch z.B. Milošević, Tudzman und Karadžić ist ein typisches Beispiel für die bewusste Instrumentalisierung eines kollektiv relevanten traumatischen Bezugsereignisses durch politische Führer. »Kollektive Traumata« lassen sich demnach als eine Art Reservoir rasch aktivierbarer kollektiver Affekte verstehen, das es im Moment der (tatsächlichen oder eingebildeten) Gefahr erlaubt einen einheitlichen politischen Mehrheitswillen zu erzeugen. Als Beispiel kann der Kosovo-Krieg genannt werden: Volkan sieht den Haupteffekt der serbischen Propaganda in diesem Zusammenhang darin, dass tatsächlich die 600 Jahre alte Erinnerung an die gegen die Osmanen verlorene Schlacht am Amselfeld geweckt wurde. Volkan selbst schreibt:

>»Der auf diese Weise erleichterte Zusammenbruch des Zeitgefühls bereitete die Serben emotional auf die Gräueltaten vor, die sie in der Folge gegen die bosnischen Moslems begingen, welche als eine Art Verlängerung der Osmanen betrachtet werden. Die Gruppenidentität der Serben wurde durch die ungebrochene emotionale Macht dieses weit in der Vergangenheit liegenden Ereignisses verstärkt und mit neuem Leben erfüllt – auf Kosten der Nicht-Serben« (Volkan 1999c, S. 22f.).

Dass sich diese emotionale Macht – in diesem Beispiel über Jahrhunderte – erhalten kann, erklärt Volkan mit verschiedenen psychologischen Prozessen, die im Folgenden dargestellt werden.

Die Entstehung »gewählter Traumata«

Eine zentrale Vorstellung in Zusammenhang mit »gewählten« Traumata besagt, dass die einzelnen Gruppenmitglieder jeweils nicht nur individuelle Erinnerungen an das Unglück haben, sondern dass ein gemeinsames Unglück auch starke gemeinsame Erinnerungen stiftet:

> »Die Auswirkungen eines großen und erniedrigenden Unglücks, das alle oder die meisten Angehörigen einer Großgruppe direkt betrifft, schmieden eine Verbindung zwischen der Psychologie des einzelnen und jener der Gruppe. Unmittelbar nach solch einem Ereignis beginnt dessen mentale Repräsentation, die allen Mitgliedern gemeinsam ist, Form anzunehmen. Diese mentale Repräsentation besteht aus der kompakten Sammlung gemeinsamer Gefühle, Vorstellungen, Phantasien und aus Interpretationen des Ereignisses sowie aus Bildern bedeutender Gestalten, etwa eines gefallenen Führers. Ein mentaler Schutz gegen schmerzhafte oder inakzeptable Gefühle oder Gedanken gehört auch dazu« (Volkan 1999a, S. 65).

Die »kollektive« Erinnerung an das Trauma betrifft also nach Volkans Auffassung verschiedene Ebenen: Nicht nur Erinnerungen der unterschiedlichen Gruppenmitglieder gleichen sich, auch Fantasien, Vorstellungen und Interpretationen werden Teil einer gemeinsamen geistigen Repräsentanz.

Geteilt wird neben der mentalen Repräsentanz auch ein mentaler Schutz, den Volkan jedoch nicht näher definiert. Diese Fantasien, Vorstellungen und Interpretationen beziehen sich auf die kollektiven Reaktionen unmittelbar nach dem Ereignis. Um die langfristigen Effekte zu erklären, spricht Volkan in Anlehnung an Margarete und Alexander Mitscherlich von einem misslingenden kollektiven Trauerprozess, wobei sich die unerledigte Trauer im Sinne einer transgenerationellen Weitergabe auf die nachkommenden Generationen auswirke:

> »Wenn die mentale Repräsentation so belastend wird, dass Mitglieder der Gruppe nicht mehr im Stande sind, das Trauern über ihre Verluste einzuleiten oder zu Ende zu bringen oder ihre Gefühle der Erniedrigung umzukehren, dann werden ihre Bilder von ihrem Selbst an spätere Generationen in der Hoffnung weitergegeben, dass andere fähig sein werden zu trauern und zu bewerkstelligen, was frühere Generationen nicht leisten konnten. Weil die traumatisierten Selbstbilder, die von den Mitgliedern der Gruppe weitergegeben werden, sich auf das gleiche Unglück beziehen, werden sie Teil der Gruppenidentität« (Volkan 1999a, S. 66f.).

In dieser Sicht haben die Nachkommen von den Vorfahren die Aufgabe übertragen bekommen, das Trauma stellvertretend zu bewältigen. Volkan spricht an anderer Stelle von einem Deponieren der »geistigen Repräsentanz in der sich entwickelnden Selbstrepräsentanz der Kinder« (Volkan 1999b, S. 74). Wenn es also einer Großgruppe innerhalb einer Generation nicht gelinge, die Gefühle narzisstischer Verletzung und Demütigung umzukehren bzw. zu reparieren, werden die Nachkommen nach Auffassung Volkans anfällig für den beschriebenen Zusammenbruch des Zeitgefühls, für das plötzliche Wiederauftauchen alter Gefühle, für irrationale Entscheidungen und Fehlanpassungen. Hier zeigt sich, inwiefern Volkan in seiner Sicht auf kollektive Traumata sowohl den Aspekt der »Wahl« sieht als auch einen Ursache-Wirkungs-Mechanismus annimmt. Das Trauma wird von der Großgruppe unbewusst gewählt, aber gleichzeitig sind die Mitglieder der Großgruppe bei Volkan durchaus im Sinne der transgenerationellen Weitergabe durch das Ereignis selbst beschädigt.

4 Kollektive Prozesse und Ethnopsychoanalyse

4.1 Ethnopsychoanalyse als Massenpsychologie

Als einen weiteren wichtigen psychoanalytischen Zugang zu kollektiven Prozessen will ich nun mit der Ethnopsychoanalyse noch einen Ansatz vorstellen, der nicht auf die Massenpsychologie rekurriert.

Obwohl sich EthnopsychoanalytikerInnen insgesamt viel mit den kulturkritischen Schriften Freuds – also auch der Massenpsychologie – beschäftigen, kann die Ethnopsychoanalyse nicht speziell in der Tradition der Massenpsychologie verortet werden, sie steht vielmehr in einer allgemeinen Tradition, die die Psychoanalyse als Individualpsychologie und stets zugleich als Sozialpsychologie sieht (vgl. Freud 1921c, s. o.).

Der ethnopsychoanalytische Ansatz greift in diesem Sinne den Freud'schen Grundgedanken auf, dass die psychische Organisation des Individuums, insbesondere die Verdrängung, selbstverständlich durch »Kultur« (vgl. Freud 1890a) bedingt sei. Was die kulturvergleichende Psychologie meist nur deskriptiv als kulturell unterschiedliche Werthaltungen, Grundüberzeugungen oder grundlegende Orientierungen beschreibt – z. B. die kollektivistische vs. individualistische Orientierung bei Hofstede (1997) – will die Ethnopsychoanalyse mit psychodynamischen Konzepten nicht nur beschreiben, sondern auch verstehen. So werden unterschiedliche Überzeugungen etwa dadurch erklärt, dass sich d. h. Über-Ich und Unbewusstes, den gesellschaftlichen Anforderungen anpasst. Die psychische Struktur und die Ausformung der grundlegenden Konflikte zwischen Triebwünschen einerseits und den Anforderungen zum Triebverzicht andererseits sind dann zu einem großen Teil kulturspezifisch. Berühmte Züricher Ethnopsychoanalytiker wie Paul Parin, Goldy Parin-Mattéy, Fritz Morgenthaler und Mario Erdheim interessierte und faszinierte dabei unter anderem die Möglichkeit, das Funktionieren von Herrschaft, die Tendenz zu Stabilität von Herrschaftsformen (Anpassung) und das Potential zu »Kulturwandel« (Widerstand) besser erklären zu können. Als Beispiel sei hier erneut der Aufsatz von Paul Parin »Die Angst der Mächtigen vor öffentlicher Trauer« genannt (vgl. Kapitel I).

Im Hinblick auf die Frage nach dem »kollektiven Trauma« erscheint der Ansatz von Mario Erdheim besonders relevant. Seine Konzeptionalisierung der »gesellschaftlichen Produktion von Unbewusstheit« lässt sich zum einen gut in die Reihe der massenpsychologischen Ansätze einordnen, andererseits liefert er mit seinem Plädoyer für den Begriff des »gesellschaftlichen« statt des »ethnischen Unbewussten« wichtige Überlegungen, die analog für »kollektives Trauma« gedacht werden können.

4.2   Die gesellschaftlichen Produktion von Unbewußtheit (Erdheim)

Die hier dargestellten Thesen stammen aus Erdheims wichtigem Werk *Die gesellschaftliche* Produktion *von Unbewußtheit* (1982; Hv. A. K.). Bereits das Wort »Produktion« verweist auf Erdheims dynamisches Kulturverständnis: Kulturelle Evolution erfolgt bei ihm immer unter dem »Vorzeichen von Herrschaft«. Um Herrschaft zu errichten und zu erhalten, müsse der Widerstand gegen Herrschaft in spezifischer Weise kontrolliert werden. Dieser Widerstand, so die zentrale These, müsse unbewusst gemacht werden:

> »[D]a die Aufrichtung von Herrschaft nicht so sehr unter dem Druck von Einsichten, sondern von Gewalt stattfand, war das, was unbewusst gemacht werden sollte, die Aggression, welche sich gegen die ihre Macht ausdehnende Herrschaft richtete. Durch die Unbewußtmachung sollte verhindert werden, daß das durch die Machtträger hervorgerufene Anwachsen des Aggressionspotentials der Beherrschten in Kritik und aktiven Widerstand umschlagen konnte« (Erdheim 1982, S. XIV)[15].

Diese etwas grobe Formulierung suggeriert auf den ersten Blick, dass die »Machtträger« sehr aktiv und direkt auf das Unbewusste der »Beherrschten« Einfluss nehmen. Im Detail von Erdheims Analysen wird dann jedoch deutlich, dass die zunächst so einheitlich und einfach klingende »Produktion« als viele einzelne, kleine Produktionen gedacht werden muss, in denen Subjekte in der Auseinandersetzung mit ihrer Kultur (konkret: mit Eltern, Lehrern, Vorbildern) ein spezifisches Über-Ich/Ichideal bzw. Unbewusstes erwerben.

So entwickelt Erdheim den differenzierten Grundgedanken weiter:

> »Jede Kultur gestattet gewissen Phantasien, Trieben und anderen Manifestationen des Psychischen den Zutritt ins Bewußtsein und verlangt, dass

andere verdrängt werden. *Unbewußt muß all das werden, was die Stabilität der Kultur bedroht.* Mit Freud können wir annehmen, dass es sich dabei um bestimmte libidinöse und aggressive Strebungen handeln wird, die von der Gesellschaft geächtet werden« (Erdheim 1982, S. 221; Hv. A. K.).

Um zu erklären, warum Subjekte langfristig nicht gezwungen werden müssen, sich einer spezifischen Herrschaft zu unterwerfen, sondern diese Unterwerfung mittragen, rekurriert Erdheim auf ein Konzept von Paul Parin und Goldy Parin-Matthéy. Sie sprechen analog zu Abwehrmechanismen (im Sinne des von Anna Freud eingeführten Begriffs) von »Anpassungsmechanismen«, mit denen Individuen auf die Einflüsse der sozialen Umwelt reagieren. Am Beispiel der Anpassung durch »Identifikation mit der von der Gesellschaft bereit gestellten Rolle« zeigen Parin und Parin-Mathéy, wie sehr die Anpassung als positiv und freiwillig erlebt werde. Das Erfüllen der Rollenerwartungen stabilisiere das Ich, es beruhige Verlassenheits- und Trennungsängste; durch die Anpassung gehört das Individuum dazu und müsse viel weniger Angst ertragen (vgl. Parin/Parin-Matthey 1978; Erdheim 1982). Für Erdheim sind solche Anpassungsmechanismen deshalb wichtiger Bestandteil der Produktion von Unbewusstheit: »Die Institution und die Stellung, die das Individuum darin einnimmt, bestimmen, was wahrgenommen und erkannt werden darf« (Erdheim 1982, S. 220). Hier wird der auf kultureller Ebene schwer zu beschreibende Mechanismus der »Produktion von Unbewusstheit« auf die Ebene von Institutionen angewandt: Um dazuzugehören und keine Verlassenheitsängste spüren zu müssen, tragen Individuen die spezifischen Verdrängungen ihrer jeweiligen Institution mit.

Dabei grenzt sich Erdheim explizit von der Definition des »ethnischen Unbewussten« des Ethnopsychoanalytikers Georges Devereux (1956) ab. Devereux spricht vom ethnischen Unbewussten eines Individuums, den »er gemeinsam mit der Mehrzahl der Mitglieder seiner Kultur besitzt« (Devereux 1956, S. 23f., zit. nach Erdheim 1982, S. 220). Erdheim präferiert den Begriff des Gesellschaftlichen, da dieser sich besser differenzieren lasse, »z. B. in soziale Klassen, Herrscher und Beherrschte« (ebd., S. 220). Erkennbar ist eine Analogie mit dem Problem des »kollektiven Traumas«:

> »[D]as Ethnische hingegen täuscht eine Homogenität vor, die etwa den Situationen des Kulturwandels und den dadurch zugespitzten Machtkämpfen nicht gerecht wird. Ergänzen möchte ich auch, daß es nicht nur Phantasien, Triebe und andere Manifestationen des Psychischen sind, die ins Bewusstsein zugelassen oder verdrängt werden müssen, sondern auch Wahrnehmungen der äußeren Realität. Das *gesellschaftlich Unbewußte* ist also jener Teil des Unbewußten eines Individuums, den es gemeinsam mit den Mitgliedern seiner sozialen Klasse hat (wobei ›Klasse‹ den Stellenwert im Machtsystem angibt)« (ebd. 220f.; Hv. im Original).

Zweierlei ist hier zu bemerken:

Wird der Begriff des Gesellschaftlichen so zur Differenzierung verwendet, wie Erdheim das hier vorschlägt, bietet er tatsächlich erhebliche Vorteile im Vergleich zum Begriff des Kollektiven. Insbesondere der Verweis auf Machtkämpfe ist bedeutsam. Wie bereits dargestellt, sind es gerade die Interessenskonflikte in Bezug auf das Gedenken an ein kollektives Trauma, welche die Dynamik des »kollektiven« so erheblich von der des individuellen Traumas unterscheiden.

Interessant ist daher, wie Erdheim sich zum Begriff des Kollektiven äußert. In der hier zitierten Definition spricht er zum einen sehr deutlich die Variante an, nach der das »Kollektive« keine eigene Entität ist, sondern es um kollektive bzw. gesellschaftliche *Anteile* im Individuum geht. Daneben definiert er im gleichen Text jedoch auch eine Entität: »Das gesellschaftlich Unbewußte ist somit wie ein Behälter, der all das aufnehmen muß, was eine Gesellschaft gegen ihren Willen verändern könnte« (ebd., S. 221).

Mit der zwar vorsichtigen Formulierung »wie ein Behälter« entwirft Erdheim damit darüber hinaus das Bild einer externen Einheit, in der die verschiedenen Unbewussten quasi zusammenfließen. Tatsächlich formuliert Erdheim im Folgenden seine Aussagen zum gesellschaftlich Unbewussten so, als würden in diesem Behälter analoge Prozesse wie im Unbewussten der Einzelnen ablaufen: »In diesem Unbewußten gebieten die selben Kräfte, die Freud für das Es annahm« (ebd.). So verstanden denkt Erdheim damit auch den »kulturellen Neuerer« als einen individuell Abweichenden, und nicht mehr als einen, der mit der Summe vieler einzelner gesellschaftlich geprägter Unbewussten seiner Mitmenschen konfrontiert wird, sondern mit dem Inhalt des gesamten Behälters: »Wer auf Neues, von der Kultur nicht Akzeptiertes stößt, muß auch all die Ängste, Schuldgefühle und Verunsicherungen ertragen, die aufgrund jener Verbindungen im Unbewußten zustande gekommen sind« (ebd., S. 221). Erdheim wirkt an dieser Stelle theoretisch und sprachlich nicht eindeutig, jedoch scheint es auch, dass er hier – wie viele AutorInnen, die um eine adäquate psychologische Vorstellung vom Kollektiven ringen – zwar das Problem sieht und immer wieder Klarstellungen vornimmt, in der Argumentation aber doch zwischen den beiden Varianten oszilliert.

Trotz dieser Unschärfe leistet Erdheim meines Erachtens mit seinem Konzept der gesellschaftlichen Produktion von Unbewusstheit einen zentralen Beitrag zum Verständnis kollektiver Prozesse. Anknüpfend an die bisher dargestellten Überlegungen könnte man diesen so zusammenfassen: Für den Zusammenhalt von Massen spielt neben gemeinsamen Idealen auch das Unbewusste eine zentrale Rolle. Weil Dazugehören so wichtig (entlastend, Angst mindernd) ist, drängen Mitglieder von »Massen« oft die gleichen Strebungen, Gefühle aber auch Realitäten ins Unbewusste ab.

5 Zwischenbilanz II: Kollektive Traumata als Auslöser und Bezugspunkt kollektiver Prozesse

Auf der Basis der hier vorgestellten psychoanalytischen Beiträge zum Verständnis kollektiver Prozesse werden nun zusammenfassend Schlussfolgerungen im Hinblick auf das Konzept »kollektives Trauma« dargestellt.

Aus einer begriffs-konstruktiven Perspektive lässt sich fragen: Wie können »kollektive Traumata« mithilfe psychoanalytischer Interpretationen kollektiver Prozesse beschrieben werden? Wie *ergänzen* sich demnach das Konstrukt »kollektives Trauma« und die Hypothesen zur Massenpsychologie bzw. zu kollektiven Prozessen? Dazu gehört die differenzierende Frage: Welcher Art sind die so beschriebenen »kollektiven Traumata« und auf welcher Ebene sind sie jeweils anzusiedeln? Als Anwendungsperspektive bietet sich dazu die von Volkan stets als Beispiel für ein »gewähltes Trauma« angeführte Schlacht vom Amselfeld an. Man kann die von Serbenführer Milošević 600 Jahre später im Sinne einer Mobilisierung der Massen genutzte »Erzählung der Ereignisse vom Amselfeld« als »massenpsychologisch missbrauchbare Trauma-Narration« verstehen.

Aus begriffskritischer Perspektive lassen sich die Konzepte der »Massenpsychologie« und »(kollektives) Trauma« jedoch auch als *alternative* Konzepte lesen. So fällt z.B. bei einer Lektüre der Ausführungen von Margarete und Alexander Mitscherlich aus heutiger Sicht auf, dass diese ihre Beobachtungen zur »Unfähigkeit zu Trauern« fast ausschließlich mit den Deutungsmustern der Freudschen Massenpsychologie verknüpfen und den Begriff Trauma nur an einer Stelle verwenden (vgl. Bohleber 2007). Der Traumabegriff scheint in den 60er-Jahren noch nicht naheliegend gewesen zu sein – ganz im Kontrast zu aktuellen Diskursen zur Aufarbeitung des Nationalsozialismus:

In den letzten Jahren schlagen verschiedene Autoren vor, z.B. auch von einem Tätertrauma der Deutschen zu sprechen (vgl. Giesen 2004; A. Assmann 1999). Dieses wird als eine spezifische Form von kollektivem bzw. »kulturellem Trauma« (Giesen 2004) bezeichnet. Wie etwa Guido Vitiello in seiner

Analyse der ethischen und theoretischen Implikationen dieses Begriffs zeigt, handelt es sich hierbei um eine äußerst problematische Konstruktion (vgl. Vitiello 2006)[16].

Dagegen steht der Ansatz der Mitscherlichs, die ihre Erklärungen ohne die Konstrukte »Tätertrauma«, »kollektives Trauma« und überhaupt weitgehend ohne den Traumabegriff angelegt haben. Spannend ist daher die Frage, ob und inwieweit diese theoretischen Konzepte jeweils anschlussfähig sind.

5.1   Zur Anschlussfähigkeit der dargestellten Konzepte

Wie dargestellt, interessierten Freud in seinem Essay »Massenpsychologie und Ich-Analyse« sowohl stabile Massen als auch akute Massensituationen. Ich skizziere daher in einem ersten Schritt in Anlehnung an diese Unterteilung den Beitrag der dargestellten Konzepte zum Verständnis »relativ stabiler Kollektive« (5.1.1). In einem zweiten Schritt werden dann die Aktivierbarkeit bestimmter kollektiver Prozesse und die vermuteten Bedingungen für solche situationsspezifischen Aktivierungen (5.1.2) diskutiert.

5.1.1   Psychoanalytische Erklärungen für den Zusammenhalt von Kollektiven

Freud hatte relativ stabile Kollektive im Blick, wenn er betonte, dass jeder Mensch verschiedenen »Massen« angehöre, an die er durch Identifizierung vielseitig gebunden sei. Schlüsselkonzept für das Verständnis dieser Bindung durch Identifizierung ist die entwicklungspsychologische Hypothese, dass Menschen ihr Ichideal nach den verschiedensten Vorbildern aufbauen. Die jeweiligen Vorbilder gehören Kollektiven an, denen sich die Individuen dann ebenfalls zugehörig fühlen. Kollektive werden in dieser Sichtweise demnach vor allem durch hohe Übereinstimmung der Ichideale zusammengehalten. Wichtiger Faktor hierfür ist, dass diese Inhalte der Ichideale libidinös besetzt und dadurch auch die Bindungen an die Kollektive libidinös sind. Für die skizzierte Interpretation akuter Massensituationen wird dies besonders wichtig. Volkans Feststellung, dass die mentalen Repräsentanzen »gewählter Ruhmesblätter« einer Großgruppe mit den »Derivaten des libidinösen Triebes besetzt« (Volkan 1999b, S. 70) seien, knüpft an diese Freud'sche Vorstellung an: Die von Generation zu Generation liebevoll und gerne weiter erzählten positiven Narrationen transportieren und stärken die Inhalte des kollektiven Ichideals. Komplexer ist die Funktion der »gewählten Traumata«, die Volkan als die zweite Variante der »allen präsenten geschichtlichen Tatsachen« einer

Großgruppe bezeichnet (ebd.). Damit sind solche weitergegebenen »Erzählungen kollektiver Traumata« einerseits Erzählungen über Demütigung und Verlust, sie transportieren implizit aber auch Ichideale. Volkan fasst unter das Konzept der kollektiven »mentalen Repräsentanz« (ebd.) gewählter Traumata die Bilder bedeutender Gestalten, Gefühle, Fantasien, Interpretationen des Ereignisses und nicht zuletzt eine gemeinsame Abwehr gegen inakzeptable Gefühle.

Was durch das Wort Trauma hier in den Hintergrund tritt, und was auch von Volkan nur indirekt angesprochen wird, lässt sich unter Bezug auf »Das Unbehagen an der Kultur« ergänzen: Erzählungen von »gewählten Traumata« sind auch Erzählungen über Feinde, die dieses Trauma zugefügt haben. Wie Freud dort (1930a) ausführt, teilen Kollektive nicht nur Bindungen und Erinnerungen, sondern auch gemeinsame Außenfeinde, auf die die Aggression verschoben werden kann.

Auch Erdheim und Mentzos machen Aussagen über stabile Kollektive. Erdheim interessiert hierbei vor allem, wie psychoanalytische Konzepte die Stabilisierung von Herrschaft erklären. Unter Bezug auf Parin geht er davon aus, dass »Anpassungsmechanismen« ein Gefühl von Zugehörigkeit stiften und damit Verlassenheits- und Trennungsängste beruhigen. Zugleich »einigen« sich Mitglieder von Kollektiven und Institutionen darauf, welche Wahrnehmungen und Gefühle unbewusst sein sollen, d.h. auf eine gemeinsame Produktion von Unbewusstheit. Im Gegensatz zu Devereux' pauschalerem Begriff des »ethnischen Unbewussten« führt Erdheim den Begriff des »gesellschaftlichen Unbewußten« ein und verweist darauf, dass Individuen auch innerhalb der gleichen Ethnie oder Kultur je nach Machtposition durchaus Unterschiedliches verdrängen müssen. In diesem Konzept sind kleinere »Kollektive« innerhalb einer Ethnie dann durch vergleichbare Interessenslagen gekennzeichnet, die ähnliche Abwehrmuster nahelegen. Mentzos formuliert in Bezug auf sein Schlüsselkonzept der »einseitigen Lösungen von Grundkonflikten« einen sehr verwandten Grundgedanken, wenn er sagt, dass Gesellschaftsform, Normen und Schichtzugehörigkeit bestimmte Lösungsvarianten für diese Grundkonflikte nahelegen. Kollektive werden in dieser Sicht durch ähnliche »Lösungsmuster« zusammengehalten.

5.1.2 Die »Mobilisierbarkeit« von Kollektiven: Massenpsychologie im engeren Sinne

Die mit einem stabilen Kollektiv geteilten Ideale, Abwehrmuster oder Dispositionen mögen für Individuen im Alltag irrelevant oder kaum merkbar sein. Es gibt jedoch Situationen, in denen die Verbundenheit mit dem Kollektiv plötzlich wichtig wird und zugleich neue Gemeinsamkeiten im Sinne einer Vereinheitlichung von Gefühlen, Interpretationen und Wertsetzungen produziert werden. Dies ist häufig (jedoch nicht zwingend) in Krisensituationen der Fall, in denen sich das Kollektiv bedroht fühlt, viele einzelne Mitglieder potenziell regredieren und nach Halt in einer starken Führungsfigur suchen. Solchen Führungsfiguren gelingt es dann häufig, die Kollektive in spezifischer Weise zu mobilisieren, d. h. eine kollektive Stimmung zu erzeugen. In der Tradition der Freud'schen Massenpsychologie wird ein der Hypnose bzw. der Verliebtheit ähnlicher Zustand der Massen postuliert: Individuen genießen den regredierten Zustand, lassen ihre kritische (trennende) Urteilskraft lustvoll fallen und genießen ein Gefühl fraglosen Einsseins. Diese positive Stimmung entsteht nicht zuletzt durch das Gefühl, dem (narzisstisch besetzten) Ichideal nahe zu kommen: die einzelnen Ichideale gleichen sich an bzw. werden durch das Ichideal des Führers ersetzt und die Großgruppe erlebt jenes von Freud angenommene Triumphgefühl, wenn Ich und Ichideal zusammenfallen. Es gibt Faktoren, die solche Prozesse begünstigen können. Offensichtlich gelingen solche Mobilisierungen besonders gut, wenn Führer glaubhaft in Aussicht stellen, dass Kränkungen und Demütigungen repariert bzw. Ungerechtigkeiten wiedergutgemacht werden können. Mentzos spricht von einem »psychosozialen Arrangement« zwischen Massen und Führern, das deshalb eingegangen werde, weil die Linderung sowohl von kollektiven als auch individuellen Kränkungen erwartet werde. Die von Volkan angenommenen »gewählten Ruhmesblätter« und die »gewählten Traumata« können für solche Mobilisierungen eine äußerst wichtige Rolle spielen. Volkan geht von einem Reservoir geteilter Gefühle aus, das in Krisensituationen aktiviert werde. Da diese Gefühle mit den mentalen Repräsentanzen von Ruhmesblättern oder Traumen verknüpft sind, werden auch diese alten Repräsentanzen wieder belebt, wenn die Erzählungen aufgefrischt werden. Durch eine Revitalisierung »gewählter Traumen« könne es zu einem Zusammenbruch des Zeitgefühls kommen, in der die Gefühle so erlebt werden, als sei das traumatische Ereignis eben erst geschehen. In diesem Sinne können Führungsfiguren »Erzählungen über Traumata« besonders gut zur Aktivierung von Kollektiven nutzen. Vor diesem Hintergrund lassen sich die mit einem »kollektiven Trauma« verbundene idealtypische akute massenpsychologische Situation als eine Art Viereck verstehen:

1.   Es entsteht eine *Krisensituation*, durch die sich ein Kollektiv als Kollektiv bedroht fühlt.

2.   Das *Kollektiv* eignet sich durch geteilte, relativ stabile Merkmale (Abwehrmuster, einseitige Lösungen des Grundkonflikts, Disposition zur Kränkbarkeit, kollektive Ideale) zur Mobilisierung für spezifische Ziele, von denen sich viele Mitglieder psychischen Gewinn versprechen.

3. Ein *Führer* schafft es besonders gut, als starke Figur wahrgenommen zu werden, die Abhilfe (Linderung von Kränkungen) verspricht.
4. Eine spezifische kollektiv relevante *Trauma-Narration* eignet sich besonders gut zur Mobilisierung, weil sie Erfahrungen von Ungerechtigkeit enthält, an geteilte Ichideale anknüpft und appelliert und die Verschiebung der Aggression auf einen Feind ermöglicht.

Mit dieser Skizze will ich im Hinblick auf meine Argumentation vor allem zeigen, dass es eine sehr spezifische Form von »kollektivem Trauma« ist, das sich für eine Mobilsierung im Sinne der Massenpsychologie eignet. Ich spreche hier bewusst von einer kollektiv relevanten Trauma-*Narration*, um hervorzuheben, dass hier nicht die reale Traumatisierung im Vordergrund steht, sondern die Aneignung des Traumas.

5.2 Fallbeispiele: Kollektive Traumata aus massenpsychologischer Sicht

Die Revitalisierung der »Schlacht vom Amselfeld« durch Milošević kann als ein idealtypisches Beispiel für eine Instrumentalisierung gesehen werden. Im Folgenden wird es daher unter diesem Aspekt vor- und dargestellt.

Als weitere Anwendungsperspektive diskutiere ich die Schlussfolgerungen, die die Mitscherlichs aus ihrer massenpsychologischen Analyse der NS-Zeit ableiten.

5.2.1 Massenpsychologisch missbrauchbare Trauma-Narration: Der Amselfeld-Mythos

Der Stellenwert der 1389 gegen die Türken verlorenen »Schlacht vom Amselfeld« für das Selbstverständnis der Serben, für religiöse Traditionen, für Geschichtsbewusstsein und Folklore, und nicht zuletzt die politische Instrumentalisierung der Schlacht durch Milošević, hat WissenschaftlerInnen verschiedenster Disziplinen und JournalistInnen zu differenzierten Analysen veranlasst. Diese Analysen konvergieren in der Einschätzung, dass die Erzählung über die Schlacht im Kontext des kulturellen und sozialen Gedächtnisses, in Liedern, Mythen und privaten Erzählungen eine enorme Rolle für die Serben als Kollektiv spielt. Viele Autoren sind sich außerdem einig, dass die aktive Revitalisierung der Erinnerung an die Schlacht entscheidend zur Kriegsmotivation der Serben und zur Ermöglichen der ethnischen Säuberungen im Kosovo 1998/99 beigetragen hat. Aus den vielen Facetten dieses Zusammenhangs greife ich den Aspekt heraus, inwiefern sich die Narration über die Schlacht für eine Mobilisierung im Sinne der oben skizzierten massenpsychologischen Erkenntnisse eignete. Ich orientiere mich dabei vor allem an den Darstellungen von Volkan (1999b) und Wirth (2002), die für ihre psychoanalytischen Interpretationen selbst auf Einschätzungen u. a. von HistorikerInnen, PolitologInnen und JournalistInnen zurückgreifen (vgl. Wirth 2002, S. 20).

Was ist der Inhalt der serbischen Erzählung über die Schlacht? Für die Serben markiert die verlorene Schlacht den Untergang eines serbischen Staates und den Beginn einer 500-jährigen Unterwerfung Serbiens unter die Herrschaft der Türken und ist somit auch mit all den Erzählungen über die 500-jährige Unterdrückung verknüpft. Für die Erzählung vom Ereignis selbst spielt der Heerführer der Serben Fürst Lazar eine entscheidende Rolle. Obwohl dieser im Kontext der Schlacht getötet wurde und die Schlacht verlor, wird er zugleich als Held und Retter des christlichen Abendlandes vor einer vollständigen Eroberung durch den Islam in Gestalt der Türken gesehen. In dieser Konstruktion sehen sich die Serben als Puffer, der das christliche Abendland geschützt habe, aber für diese Leistung nicht anerkannt werden, sie sind dadurch eine Art verkannte Märtyrer (vgl. Wirth 2002, S. 316ff.; Volkan 1999b, S. 89ff.). Zusätzlich wurde nicht nur die religiöse Dimension des Kampfes der »serbischen Christen gegen die islamische Türken« in den Vordergrund gestellt, sondern insgesamt wurden das Ereignis und vor allem die Figur Lazar im Kontext der Mythenbildung zunehmend religiös aufgeladen. So erzählt ein bekanntes Volkslied davon, dass Lazar zwar die irdische Schlacht verloren, dafür jedoch ein himmlisches Königreich gewonnen habe; diese Alternative sei ihm vor der Schlacht prophezeit worden und er habe sich bewusst für das himmlische Königreich entschieden. Die verlorene Schlacht ist somit in doppelter Hinsicht zugleich eine gewonnene Schlacht, da sie nicht nur einen Schutz des Abendlandes sondern eine Opferung für ein höherwertiges religiöses Ziel beinhaltet. Lazar wurde innerhalb der orthodoxen Kirche dann als Seliger verehrt, seine sterblichen Überreste wurden aufbewahrt. Im Laufe der Zeit wiesen die Erzählungen über Lazar zunehmend Ähnlichkeiten mit dem Opfertod Jesu Christi auf, die in der Interpretation mancher Autoren mit einer Erwartung einer Auferstehung des Serbenreiches weckt (vgl. Wirth 2002, S. 317ff.).

Wie in dieser kurzen Skizze sichtbar wird, enthält die Erzählung über die verlorene Schlacht sehr viele Elemente, die sie zu einer idealen Narration für die Mobilisierung massenpsychologischer Prozesse machen kann. Die Narration erzählt mehrfach von Demütigungen und Kränkungen: Der Verlust der Schlacht an sich ist demütigend und zieht eine Folge von Demütigungen durch die Türken nach sich. Zusätzlich wird den Serben vom christlichen Abendland verwehrt, als Retter gegen die islamische Gefahr anerkannt zu werden, eine Anerkennung, die ihnen eigentlich zustünde. Durch die religiöse Umdeutung ist die Erzählung aber zugleich zur Erzählung eines Sieges geworden und enthält die Ankündigung eines zukünftigen Sieges, einer Auferstehung. In paradoxer Weise verkörpert die verlorene Schlacht einen ethnischen Stolz, der sich u. a. auf Heldentum und Opferbereitschaft bezieht. Da die Niederlage zugleich als Unrecht erzählt wird, impliziert sie die Vorstellung moralischer Überlegenheit, die bedeutet sich endlich ins Recht setzen oder rächen zu dürfen. Wie Wirth beschreibt, taucht diese Figur auch in einem berühmt gewordenen Satz auf, den Milošević 1986 im Kosovo zu einem älteren Serben sagte, der berichtet hatte, von der albanischen Polizisten geschlagen worden zu sein: »Niemand soll euch je wieder schlagen« (vgl. Wirth 2002, S. 290). Der Satz wurde im Fernsehen vielfach wiederholt und drückte offensichtlich ein verbreitetes Grundgefühl aus, dass einem Unrecht getan werde und dass man sich das nicht mehr bieten lassen will. Als Deutung lässt sich die These aufstellen, dass Milošević' Satz hypnotisch im Sinne der Massenpsychologie wirken konnte, weil er sowohl vor dem Hintergrund der aktuellen Erfahrung als auch in enger Verbindung zu der kollektiv erinnerten Schlacht gehört wurde.

Diese Anwendungsperspektive ist somit als »idealtypisch« einzuschätzen, da hier die massenpsychologische Wirksamkeit der Narration in Relation zu den realen psychologischen Auswirkungen des historischen Ereignisses eindeutig im Vordergrund steht. Ich denke nicht, dass man im engeren Sinne einen Mechanismus von transgenerationeller Weitergabe von konkreten Beschädigungen über 600 Jahre annehmen kann. Wie Wirth betont, wurde in der Instrumentalisierung der Schlacht gegen die als Repräsentanten der Türken wahrgenommenen muslimischen Kosovo-Albaner die historische Tatsache ignoriert, dass 1389 mindestens zwei albanische Feldherren auf serbischer Seite gekämpft hatten (ebd. 323), sodass es auch albanische Nachkommen der konkreten Kämpfer geben müsste. Es handelt sich hier demnach deutlich nicht um die Weitergabe konkreter Erfahrungen der Vorfahren, sondern um die Aneignung der Narration durch die Serben bzw. deren kollektiver Identifikation mit dieser Narration.

Dennoch stellt sich die Frage nach der Bedeutung der historischen »Realerfahrung«. Auch wenn man in vielen der als »kollektive Traumen« diskutierbaren Fälle den Mechanismus der Instrumentalisierung von Narrationen in ähnlicher Weise annehmen kann, so ist doch die historische Grundlage der Narration sehr unterschiedlich. Erstens beziehen sich die Narrationen sehr oft auf Ereignisse, die wesentlich kürzer zurückliegen. Der Rekurs der Nazis auf die »Schande von Versailles« in Kombination mit der »Dolchstoß-Legende« wirkte im Sinne einer massenpsychologisch nutzbaren »Demütigungs-Narration«, die ähnlich wie das Amselfeld auch sehr stark die Komponente der Ungerechtigkeit enthält. Allerdings dürfte die Narration hier vielfältige Verbindungen mit den konkreten Kriegserfahrungen eingegangen sein, die in dem Fall die Wirkung möglicherweise eher abschwächten. Ähnlich verbinden sich im Beispiel des »11. September« massenpsychologische Instrumentalisierung und Realerfahrung der New Yorker: Auch wenn es in der offiziellen Narration angeblich auch um die Restitution der konkreten Opfer geht, positionieren sich diese zur offiziellen Narration möglicherweise oft anders als das symbolisch sich traumatisiert fühlende Kollektiv. Wie bereits dargestellt, hat das möglicherweise damit zu tun, dass für die direkten Opfer der Verlust im Vordergrund steht und erst für die indirekten mehr die Kränkung.

Ich habe mich in dieser Darstellung im Sinne meiner Argumentation auf die »Instrumentalisierbarkeit« konzentriert, um eine bestimmte Ebene zu verdeutlichen. Diese trifft möglicherweise generell mehr die Ebene der Kränkung als die Ebene von Trauma, sodass man eher von »Kränkungs-Narrationen« als von »Trauma-Narrationen« sprechen sollte. Die Beobachtung verweist jedoch auch darauf, dass möglicherweise generell »kollektives Trauma« im Sinne von »kollektiver Kränkung« verwendet wird bzw. Trauma und Kränkung verwechselt werden (vgl. Brumlik 2006). Dieser Gedanke trifft auch auf die folgenden Überlegungen zu den Thesen der Mitscherlichs zu.

5.2.2   Die »Unfähigkeit zu trauern« als Abwehr von Melancholie: traumatische Kränkung?

Die Studie der Mitscherlichs ist im doppelten Sinne Teil des Diskurses über die sogenannte »Vergangenheitsbewältigung« in Deutschland. Sie war mehr als 20 Jahre nach 1945 einerseits eine der ersten systematischen Metareflexionen über diese »Vergangenheitsbewältigung«, zugleich ist das Buch und seine nun 40-jährige Rezeptionsgeschichte selbst als ein Teil dieser »Vergangenheitsbewältigung« verstehbar. Interessanterweise spielte in der Rezeptionsgeschichte die inhaltliche Auseinandersetzung, insbesondere mit den massenpsychologischen Hypothesen, eine untergeordnete Rolle. Neben der aggressiven Zurückweisung des wahrgenommenen Vorwurfs (vgl. Moser 1992) dominiert eine intuitive Zustimmung zu der vermeintlichen Aussage des Titels, der als Unfähigkeit der Deutschen zur Trauerarbeit missverstanden wird. Die Differenzierung zwischen Trauer und Melancholie wird kaum aufgegriffen. Dabei stand für die Mitscherlichs nicht der Objekt-Verlust sondern die für die Melancholie kennzeichnende Selbstentwertung, d. h. die narzisstische Dimension (implizit) im Zentrum der Überlegungen. Im Folgenden werden ihre Überlegungen erneut im Hinblick auf die hier entwickelte Argumentation zusammengeführt.

Ausgangspunkt der Mitscherlichs ist ihre Gegenwartdiagnose, eine psychologische Einschätzung der 1967 aktuellen gesellschaftlichen Situation, die sich aus »Spontanbeobachtungen« und deren psychoanalytischer Interpretation speiste. Zentrales Element dieser Einschätzung ist dabei die eigene Irritation und Beunruhigung der Autoren, der befremdliche Eindruck, dass in Deutschland etwas fehle. Im Bemühen, dieses Fehlen zu beschreiben, beziehen sie sich auf Beobachtungen, die verschiedene Ebenen betreffen: Da sind Patienten, die ohne Affektbeteiligung Vergangenes erzählen. Da ist eine Demokratie, die ihnen unbelebt und ungeliebt erscheint. Und vor allem ist da eine Vergangenheit, von der die Mitscherlichs erwarten würden, dass das Verstehen dieser Vergangenheit doch eigentlich das »drängendste Erkenntnisproblem« sei. Jedoch fehle für dieses wie für andere »drängende Gegenwartsprobleme« jegliches von Emotionen getragene Engagement. Gemeinsamer Nenner dieser Einschätzung sind somit fehlende Gefühle und fehlende libidinöse Besetzungen.

Margarete und Alexander Mitscherlich versuchen nun, die Ursachen dieser kollektiven Tendenzen psychoanalytisch genauer zu verstehen. Sie beginnen ihre Interpretation dort, wo Libido und Affekte noch in hohem Maße vorhanden zu sein schienen: in der Phase der massenpsychologischen Mobilisierung der Deutschen durch den »Führer« und durch die nationalsozialistische Ideologie. Sie nehmen an, dass sich in der NS-Zeit die von Freud als Massenpsychologie beschriebenen kollektiven Prozesse abspielten: »[E]s war herrlich, ein Volk der Auserwählten zu sein« (Mitscherlich/Mitscherlich 1977, S. 25), und man könnte mit Freud ergänzen, dass es herrlich war, denn »es kommt immer zu einer Empfindung von Triumph, wenn etwas im Ich mit dem Ichideal zusammenfällt« (Freud 1921c, S. 147). Als verstärkenden Faktor für diesen Prozess vermuten die Mitscherlichs, dass die Deutschen auf Grund ihrer spezifischen Liebe zu ihren Idealen in besonderer Weise für diese Mobilisierung anfällig waren: »Diese deutsche Art, das schier Unerreichbare kompromisslos zu lieben, dass das Erreichbare darüber verloren geht, wiederholt sich in der deutschen Geschichte seit dem Heiligen Römischen Reich Deutscher Nation« (Mitscherlich/Mitscherlich 1977, S. 16). Der »Führer« konnte an diese bestehende Tendenz anknüpfen und wurde zum hochgradig libidinös besetzten Repräsentanten eines kollektiven Ichideals, der so stark besetzt war, dass man »noch nicht zweifelte [...], als die Heimat in Trümmer fiel« (ebd., S. 37). Auf dieser zentralen Einschätzung der kollektiven Prozesse während der NS-Zeit basieren dann auch die Interpretationen der Mitscherlichs bezüglich der Nachkriegszeit. Der wichtigste Bruch oder Einschnitt für die Deutschen sei der Verlust des »Führers«, wobei es nicht um den Führer als Objekt gehe, sondern um die Ideale und Identifikationen, die er verkörpert habe. Ganz im Sinne der Unterscheidung zwischen Trauer und Melancholie habe eine »außerordentliche Herabsetzung« des »Ich-Gefühls« (Freud 1917e, S. 431, zit. nach Mitscherlich/Mitscherlich 1977, S. 37) gedroht. Es ist im Kontext dieses Arguments, dass die Mitscherlichs den ansonsten kaum verwendeten

Ausdruck Trauma benutzen und von einer »traumatischen Entwertung des Ichideals« (Mitscherlich/Mitscherlich 1977, S. 30) sprechen. Allerdings benutzen sie den Trauma-Begriff an dieser Stelle nicht im Sinne einer kollektiven Diagnose, sondern im Sinne drohender unerträglicher Gefühle, die abgewehrt werden mussten. Explizit bezeichnen die Mitscherlichs die »*Vermeidung* dieser Traumen« (ebd., S. 35; Hv. A. K.) als den wichtigsten psychischen Prozess, der wie eine Notfallreaktion abgelaufen sei. Um diese unerträglichen Gefühle nicht spüren zu müssen, seien auch die vorangegangenen Gefühle – wir könnten sagen: Das narzisstische Hochgefühl – derealisiert und nicht mehr erinnert worden. Mit diesem Mechanismus erklären die Autoren die generelle Tendenz zum Fehlen von affektiver und libidinöser Besetzung.

Zusammenfassung

Zusammengefasst enthält diese Anwendungsperspektive zwei zentrale Anregungen für die Frage nach einem differenzierten Verständnis der Frage nach »kollektivem Trauma«: In ihren Überlegungen zu den kollektiven Folgen der Katastrophe konzentrieren sich die Mitscherlichs in einem ersten Schritt auf die kollektiven Prozesse, die die Katastrophe ausmachten. Erst aus den Hypothesen über die sozialpsychologischen Bedingungen der Katastrophe leiten sie dann die Hypothesen für deren sozialpsychologische Folgen ab. Die zweite Anregung besteht darin, dass die Perspektive der Massenpsychologie die Funktion kollektiver Ichideale akzentuiert. Das Ichideal ist in diesem Sinne eines der wichtigsten psychologischen Verbindungsglieder zwischen individuellen und kollektiven psychischen Prozessen. Diese Anregung kann daher sowohl in eine Argumentation für als auch gegen das Konstrukt »kollektives Trauma« verwendet werden:

Einerseits ließe sich Folgendes ableiten: Statt individuelle Trauma-Symptome auf kollektive Prozesse zu übertragen, sollte man doch besser – wie die Mitscherlichs – systematisch das vorhandene Instrumentarium zur Analyse kollektiver Prozesse und jeweils auf das historische Ereignis und auf dessen Folgen anwenden. Es gibt individualpsychologische Konzepte wie etwa das Ichideal, die kollektiv anschlussfähig sind, ohne dass dabei ein Kategorienfehler begangen wird. Sinnvollerweise sollte daher besser von einer kollektiv wirksamen Entwertung von Idealen statt von »kollektivem Trauma« gesprochen werden.

Andererseits nutzen die Mitscherlichs genau an der Stelle den Begriff Trauma, um das extreme Ausmaß der Entwertung zu bezeichnen. Implizit sprechen sie also von einem »kollektiven Trauma« im Sinne einer traumatischen kollektiven Kränkung. Ich werde auf diese Frage der Kränkung als Alternative zu manchen Verwendungsweisen von Trauma in Kapitel V zurückkommen.

6   Zusammenfassung von Kapitel II

Es zeigte sich, dass es aus psychoanalytischer Sicht sinnvoll und begründbar ist, kollektive psychologische Prozesse als eigenständige Phänomene anzunehmen, die qualitativ etwas anderes sind als die Summe individueller Erlebensweisen. Dabei ist zwischen dem generellen Einfluss stabiler Kollektive auf die psychische Organisation und akuten massenpsychologischen Situationen zu unterscheiden: Da die Individualpsychologie immer auch Sozialpsychologie ist, ist das Erleben jedes Menschen von seiner Einbindung in unterschiedliche Kollektive beeinflusst; Abwehrmuster, Dispositionen und prägende Wertvorstellungen sind durch Zugehörigkeiten mitbestimmt. In akuten massenpsychologischen Situationen werden einerseits diese Gemeinsamkeiten aktiviert, und dieser Effekt wird durch die Entstehung und Aktivierung neuer Gemeinsamkeiten potenziert. Es entsteht eine starke Tendenz zur Vereinheitlichung von Erlebensweisen. Psychoanalytische Schlüsselkonzepte sowohl für das Verständnis stabiler als auch akuter Massen sind Ichideal und Libido: Ichideale sind libidinös besetzt, Massen sind durch die Konvergenz von Ichidealen aneinander gebunden und insgesamt ist die Bindung von Individuen an Kollektive als »libidinös« zu beschreiben.

Inwiefern lassen sich solche kollektiven Prozesse mit dem Konstrukt »kollektives Trauma« verknüpfen? Wenn man unter »kollektiven Traumata« mit Vamik Volkan kollektiv relevante extreme Erfahrungen von Verlust und Demütigung versteht, dann sind diese zunächst wichtige (stabile) Marker der Großgruppenidentität. Als solche können sie im Sinne der akuten massenpsychologischen Mobilisierbarkeit instrumentalisiert werden: geteilte, für alle relevante »Trauma-Narrationen« können z. B. von Führungsfiguren bewusst aktiviert werden. Da sie kollektive Ichideale enthalten und an diese appellieren, eignen sie sich besonders gut zur Mobilsierung von Massen. In diesem Sinne sind sie jedoch eher als Narrationen des Unrechts, der Unschuld oder der Kränkung zu bezeichnen, sodass ich hier von »Trauma-Narrationen« im

Sinne von »Kränkungs-Narrationen« spreche. Ein so verstandenes »kollektives Trauma« ist demnach eine von vier typischen Zutaten einer idealtypischen traumabezogenen massenpsychologischen Situation, die aus einer akuten Bedrohung, einer mobilisierbaren Masse, einer Führerfigur und eben jener instrumentalisierbaren Narration besteht. Die von Milošević zur Mobilisierung der Serben genutzte kollektiv bekannte Narration von der verlorenen Schlacht am Amselfeld lässt sich in diesem Sinne interpretieren.

Es bleibt daher weiterhin fraglich, ob die für die Beschreibung kollektiver Prozesse in diesem Fall aber auch generell die Trauma-Metapher sinnvoll ist.

Im Folgenden werde ich darstellen, wie die Phänomene »kollektives Trauma« und kollektive Identität zusammen gedacht werden können.

III

Trauma
und kollektive Identität

Vorbemerkung:
Kollektives Trauma und kollektive
Identität als verwandte Fehlschlüsse

Wie bereits an mehreren Stellen ausgeführt, liegt ein Kernproblem des Konstrukts »kollektive Traumata« in der impliziten Übertragung einer individualpsychologischen Kategorie – in diesem Fall sogar einer komplexen Diagnose – auf einen davon gänzlich verschiedenen Gegenstand. Beim Gebrauch des Konstrukts kollektive Identität findet sich dieses Problem ganz analog. Jürgen Straub formuliert es in einem kritischen Überblicksartikel zum Identitätsdiskurs folgendermaßen:

> »Die Bedeutungsverschiebung, die der Identitätsbegriff dabei annimmt, liegt auf der Hand: Aus der (psychologischen) Identität und ›Identitätsarbeit‹ einer einzelnen Person wird die Einheit vieler und deren ›Begründung‹. Ein gängiger Zweifel drängt sich wie von selbst auf: Ist es nicht doch so, dass man durch das bloße Anhängsel ›kollektiv‹ einen individualpsychologischen Begriff missbraucht, um die Existenz und Einheit von etwas zu suggerieren, das es vielleicht ›gar nicht gibt‹ – das jedenfalls nie und nimmer so existiert, wie es eine leibhaftige Person tut?« (Straub 1998a, S. 98)

Interessant ist, dass der Psychologe Straub hier bereits 1998 wie selbstverständlich von einem »gängigen Zweifel« spricht, der sich aufdränge. Folgt man dem Historiker Lutz Niethammer, der in seiner fast 700 Seiten umfassenden Zusammenstellung zu *Kollektiver Identität* den *Heimlichen Quellen einer unheimlichen Konjunktur* (so der Untertitel des im Jahr 2000 erschienenen Buches) auf der Spur ist, dann ist Straub offensichtlich zumindest bis zum Jahr 2000 mit diesem selbstverständlichen Zweifel noch eine eher seltene Ausnahme geblieben: Niethammers Ausführungen zum »Reden von kollektiver Identität im 20. Jahrhundert« durchzieht jedenfalls ein Unterton ungläubigen Kopfschüttelns angesichts der von ihm an unzähligen Beispielen dargestellten in der Regel auch im Wissenschaftskontext völlig unreflektierten Benutzung des Begriffs »kollektive Identität«.

Die Parallele zum Traumadiskurs ist überdeutlich: Auch hier gilt, dass der Zweifel am Konstrukt »Kollektivtrauma« theoretisch so naheliegend ist wie sein unreflektierter Gebrauch üblich. Offensichtlich hat auch hier die Übertragung des individualpsychologischen Begriffs eine hohe Suggestivkraft und lädt zum unreflektierten Gebrauch oder gar »Missbrauch« ein. Meines Erachtens klingt sowohl bei Niethammer als auch bei Straub an, dass sich hier die Empörung des Wissenschaftlers mit moralischer Empörung verbindet – ein erster Hinweis auf die unten genauer ausgeführte Verbindung von politischer und erkenntnisbezogener Bedeutung des Konzepts.

Der Blick in die Literatur zu »kollektiver Identität« zeigte bisher bereits, dass hier nicht nur theoretisch ein analoges Problem besteht, sondern dass das Problem auch im Diskurs ähnliche Effekte produziert: Eine »charmante« Verleugnung des theoretischen Problems (Niethammer 2000, S. 17) auf der einen, und moralische und theoretische Empörung auf der anderen Seite. Diese Feststellung legte nahe, dass sich auch ein zweiter Blick lohnt: Daher ist im Folgenden zu fragen, ob es noch weitere solche parallele Phänomene gibt, wie diese zu bewerten sind und ob sich daraus für einen kritischen Traumadiskurs und kollektive Traumata etwas »lernen« lässt.

Der besseren Darstellbarkeit halber führe ich dazu eine (an sich unmögliche) Trennung zwischen (sozialwissenschaftlichem) Identitätsdiskurs allgemein – der immer auch Fragen der Kollektivität impliziert – und spezifischen Fragen im Diskurs über kollektive Identität ein. Im Kontext des vorliegenden Buches handelt es sich angesichts der Fülle von Literatur nicht um einen Überblick, sondern um einen Ausschnitt, der auf eine eher metatheoretische Ebene fokussiert (vgl. Keupp/Hohl 2006; Kraus 2006; Mecheril 2006; Straub 2006; Supik 2005; Niethammer 2000; Keupp et al. 1999; Straub 1998; Wagner 1998; Keupp/Höfer 1997; Hall 1994, 1996).

1 Zum sozialwissenschaftlichen Identitätsdiskurs

1.1 Identität als allzu beliebter Schlüsselbegriff

Mehrere Einführungsartikel bzw. Überblicke zum Identitätsdiskurs weisen auf einen interessanten Umgang mit der sogenannten »Inflation« des Begriffes hin, die sowohl für die Sozialwissenschaften als auch für die Alltagssprache festgestellt wird. Da diese Inflationsdiagnose offensichtlich schon sehr lange ein typischer Topos des Identitätsdiskurses ist (vgl. z.B. Gleason 1983), gibt es inzwischen eine aktualisierte Figur, eine Meta-Reflexion dieses üblichen Topos. So stellen z.B. Keupp und KollegInnen (1999) mit Blick auf eine zehnjährige empirische Längsschnittuntersuchung zur Identitätsarbeit von Adoleszenten fast schon gelassen fest, dass Identität bereits vor Beginn der Studie als »Inflationsbegriff Nr. 1« (Brunner 1987) bezeichnet worden war. Man habe sich davon nicht abhalten lassen, da die »gesellschaftliche Verbreitung, die dieses Thema erfahren hat, nicht als Indikator für ein gesichertes Terrain gesellschaftlichen Wissens gedeutet« wurde, sondern im Gegenteil als Hinweis darauf, dass »nicht mehr selbstverständlich ist, was Identität ausmacht« (Keupp et al. 1999, S. 8). Es lohne sich, am Identitätsbegriff festzuhalten, da er »in prismatischer Form die Folgen aktueller Modernisierungprozesse für Subjekte« (Keupp et al. 1999, S. 9) bündele. Genau deshalb hielten Keupp und KollegInnen es für sinnvoll, mit einer groß angelegten Untersuchung zu einer empirischen Rückbindung des Identitätsbegriffs beizutragen.

Auch Niethammer geht ausführlich auf die Inflation ein, zieht jedoch eine andere Konsequenz. Er zitiert zur Einführung in sein Buch aus einem Aufsatz mit dem Titel »Identifying Identity« von Philip Gleason. Wie früher der Begriff ›romantisch‹, so Gleason, bedeute der Begriff ›Identität‹ nun so vieles, dass er gar nichts mehr bedeute, und er folgert:

»Wenn die Dinge diesen Punkt überschritten haben, macht es keinen Sinn mehr zu fragen, was Identität ›wirklich bedeutet‹. Sinnvollere Fragen lauten: ›Was können wir über die Kanäle herausfinden, durch die das Wort zu diesem weit verbreiteten Gebrauch gekommen ist?‹ Und: ›Welche Elemente im Hintergrund seines Auftauchens helfen zur Erklärung seiner außerordentlichen Popularität?‹« (Gleason 1983, zit. nach Niethammer 2000, S. 9)

Neben der Feststellung, dass nun offensichtlich auch die Inflationsdiagnose inflationiert, ist an dieser Beobachtung Verschiedenes interessant: Empirisch zu Identität arbeitende SozialwissenschaftlerInnen scheinen zwar zu Rechtfertigungen gezwungen, können dann aber offensichtlich gerade die Inflation als Begründung nutzen, warum noch zu Identität zu forschen sei. Man kann aber auch die Konsequenz ziehen, sich vor allem mit den Hintergründen der Popularität selbst zu beschäftigen, wie Niethammer das tut. Auffällig ist, dass Niethammer sich zunächst auf einen Kollegen bezieht, der diese Zugänge stark polarisiert und die Diffusion als Begründung heranzieht, um die Suche nach der »wirklichen Bedeutung« von Identität für obsolet zu erklären. In den weiteren Ausführungen stört sich Niethammer jedenfalls – wie oben erwähnt – weniger an der von Gleason unterstellten naiven Suche nach der wirklichen Bedeutung als an der fehlenden konzeptionellen Gründlichkeit und dem fehlenden Kontingenzbewusstsein. Neben der Figur »Inflation der Inflation« kann deshalb als weitere vorläufige Beobachtung eine Tendenz zur Polarisierung zwischen naiver und dekonstruktiver Position festgehalten werden.

1.2   Die Kritik starrer Identitätskonzepte: Dezentrierungen

Keupp spricht nicht nur von Polarisierung, sondern greift zu starken Metaphern, um seine Sicht auf die Dynamik der Debatte zu beschreiben: »Die Debatte um die Identität gleicht einer Kampfstätte, bei der viel Pulver verschossen wird. [...] Da werden gewaltige Wortkaskaden aufgeboten, um die Differenzen zwischen modernen und postmodernen Entwürfen ordentlich zu inszenieren oder zu leugnen« (Keupp et al. 1999, S. 26). Offensichtlich müssen sich WissenschaftlerInnen in diesem Feld ziemlich anstrengen, um richtig verstanden und nicht »falsch« (zu modern oder zu postmodern) positioniert zu werden. Dazu werden offensichtlich Unterschiede entweder nivelliert oder maximiert. Worauf in diesem Zitat mit den Chiffren »modern« und »postmodern« angespielt wird, wird oft auch als »Dekonstruktion«, als »linguistic turn« (de Saussure) oder übergreifend und mit Stuart Hall als »Dezentrierungen« bezeichnet. Die Argumentationslinie lautet, dass in der abendländischen Philosophie und Geisteswissenschaft lange eine Vorstellung vom autonomen, rational handelnden (kohärenten) Subjekt/Individuum geherrscht habe und dass diese Vorstellung durch verschiedene Theorieentwicklungen im 20. Jahrhundert radikal in Frage gestellt worden sei.[17] Hall selbst formuliert:

> »Gegenüber dem Versprechen der Modernität von der großen Zukunft: ›Ich bin, ich bin der westliche Mensch, also weiß ich alles. Alles beginnt mit mir‹ sagt der Modernismus: ›Immer langsam. Was ist mit der Vergangenheit? Was ist mit den Sprachen, die du sprichst? Was ist mit dem unbewußten Leben, über das du nichts weißt? Was ist mit all den Dingen, die dich sprechen?‹« (Hall 1999, S. 86 zit. nach Supik 2005, S. 18)

Im Einzelnen macht Hall fünf Dezentrierungen aus:

1. Der Marxismus habe darauf hingewiesen, dass der menschliche Willen die geschichtliche Entwicklung nur unwesentlich bestimme, Fortschritt sei vielmehr ein blinder Prozess.
2. Freud habe gezeigt, dass das Subjekt nicht »Herr im eigenen Haus« sei, sondern von unbewussten Wünschen bestimmt.
3. De Saussure führe aus, wie sehr unser Denken durch Sprache vorstrukturiert sei, wir sprechen demnach nicht autonom, sondern »es spricht uns«.
4. Ganz analog seien bei Foucault die Diskurse vor dem Menschen da und erzeugen erst das Subjekt durch Subjektivierungsprozesse.
5. Und schließlich habe der Feminismus analysiert, wie androzentrisch die abendländische Subjektkonzeption sei und das Private als politisch erklärt. (vgl. Hall 1994; Hall/du Gay 1996)

Was bedeuten diese Dezentrierungen für den Identitätsdiskurs? Mein Eindruck ist, dass sozialwissenschaftliche Beiträge zum Identitätsdiskurs nicht (mehr) einfach über diese Dezentrierungen hinwegsehen können (vgl. Straub 2006). So rezipiert auch der experimentelle Sozialpsychologe Bernd Simon in dem 2004 erschienen Buch *Identity in Modern Society* Stuart Hall mit großer Selbstverständlichkeit. SozialwissenschaftlerInnen müssen sich zumindest ansatzweise darauf beziehen, und sie positionieren sich dabei offenbar oft in dem von Keupp beschriebenen aggressiven Gestus. Wagner kommentiert dazu noch 1998, dass die dekonstruktivistischen Kritiken der Identitätslogik auch 30 Jahre nach dem »linguistic turn« nur sehr selektiv aufgenommen worden seien, da man – genau betrachtet – die eigenen Grundannahmen eigentlich viel mehr in Frage stellen müsse, als das bisher geschehe (vgl. Wagner 1998, S. 57). Die Verwendung des Identitätsbegriff selbst lasse sich nur rechtfertigen lasse, wenn man sich zu dessen »Entwurfscharakter« öffne (ebd., S. 68).

VERZICHT ODER MODIFIKATIONEN?

Dieser mahnende Schlussgedanke seines Überblicks verweist auf ein zentrales
Argument der Debatte, aus dem unterschiedliche Schlüsse gezogen werden:

> »Die gegenwärtige Welt ist weder schlicht ›da‹, noch durch die Vergangenheit
> vorbestimmt; sie ist die Schöpfung aus einer Vielzahl von Möglichkeiten, die
> in dem gerade vergangenen Moment bestanden. Jedes Schreiben über Identi-
> tät ist in Gefahr, ein Fest-Schreiben, ein Still-Stellen zu werden, das diesem
> Charakter der Welt und der Menschen in ihr nicht gerecht werden kann«
> (Wagner 1998, S. 72).

Es ist vor allem dieser Charakter des Statischen, der nach Meinung von radikalen KritikerInnen so sehr im Identitätsbegriff selbst enthalten ist, dass
man auch auf einen modifizierten Identitätsbegriff lieber verzichten sollte.
Ein verwandtes Argument formuliert Floya Anthias, die den in postmodernen und poststrukturalistischen Modifikationen liegenden Fortschritt zwar
durchaus anerkennt, aber dennoch lieber von einer »Erzählung von Zugehörigkeit« oder von »Positionalität« (Anthias 2003, S. 21) sprechen möchte
(vgl. Supik 2005, S. 45). Das zentrale Argument hierbei ist, dass Identität
einfach zu sehr von der Assoziation von Besitz (possessive property) belastet
sei (vgl. ebd.).
　Insgesamt bekommt man den Eindruck, dass die von Hall als Dezentrierungen bezeichneten Erschütterungen des Denkens nicht nur Identität,
sondern viele statischen Vorstellungen von unserem Sein in der Welt fragwürdig und alle beweglicheren Konzepte passender erscheinen lassen. Über
das Phänomen als solches herrscht weitgehend Einigkeit, nicht jedoch über
die Konsequenz, statische Konzepte wie Identität ganz abzuschaffen. Häufig
wird ein Kompromiss gesucht.

1.3   Modifikationen des Identitätsbegriffs

An diesem Punkt zeigt sich der oben geforderte Entwurfcharakter. Dazu
erneut Gedanken aus dem Einleitungskapitel von Keupp und KollegInnen:
Diese beziehen sich explizit auf eine »Dekonstruktion« der Vorstellungen
von »Einheit, Kontinuität, Kohärenz, Entwicklungslogik oder Fortschritt«.
Dagegen stellen sie Begriffe wie »Kontingenz, Diskontinuität, Fragmentierung,
Bruch, Zerstreuung, Reflexivität oder Übergänge«, die, so wird formuliert,
»zentrale Merkmale der Welterfahrung [heute besser, AK] thematisieren«
(Keupp et al. 1999, S. 30). In diesem Kontext werde Identität nicht mehr als

»Entstehung eines inneren Kerns thematisiert, sondern ihre Herstellung, ihr Produktionscharakter mit dem Begriff ›alltäglicher *Identitätsarbeit*‹« die »als permanente Passungsarbeit zwischen inneren und äußeren Welten« (ebd.; Hv. A. K.) beschrieben wird. Auch Anthias' »*possessive property*«-Argument taucht auf, wenn Keupp und KollegInnen davon sprechen, dass es in diesem Identitätsbegriff gerade nicht mehr um abschließbare »*Kapitalbildung*« gehe, sondern um verschiedene Identitäts*projekte*, »wahrscheinlich sogar um die gleichzeitige Verfolgung unterschiedlicher und teilweise widersprüchlicher Projekte, die in ihrer Multiplizität in ganz neuer Weise die Frage nach Kohärenz und Dauerhaftigkeit bedeutsamer Orientierungen des eigenen Lebens stellen« (ebd.; Hv. A. K.).

Die Liste ließe sich fortsetzen (z. B. durch Identitätsentwürfe, Identitätsbildungsprozesse oder die berühmt gewordene Patchwork-Identität), und weist in eine einheitliche Richtung: Der Kompromiss liegt darin, die Kritik konstruktiv zu wenden und sie sowohl in das Denken der Identität als auch in die Begriffe zu integrieren.

Die gerade skizzierten Versuche öffnen also einen statischen Begriff in Richtung Bewegung, Prozesshaftigkeit, Herstellung und Fragmentierung. Der britische Sozialpsychologe und Begründer der Positioning Theory, Rom Harré, formuliert dies übrigens als generelle Entwicklung im Hinblick auf psychologische Konzepte: »Studies of the dynamics of social actions, for example the *making* of friends, displaced studies of the conditions under which static states, such as *friendship*, were brought about« (Harré/Moghaddam 2003, S. 3; Hv. im Original).

Man könnte dies als Kompromiss lesen, der sich vor allem gegen die Statik abgrenzt und diese – von der Statik kommend – gewissermaßen aufweicht. Umgekehrt kann man die Bemühungen von Hall so verstehen, dass er von der »Auflösung« ausgeht und im »Aufgelösten« nach (zumindest vorübergehend) festen Punkten sucht. Hall wendet sich explizit gegen jene radikalen Rezeptionen der Dekonstruktion, die sich im »endlosen Gleiten« des Signifikanten verlieren und damit einem »anything goes« das Wort reden (vgl. Supik 2005, S. 49; Mecheril 2006, S. 123). Hall hält an dem Begriff der Identität fest, und bezeichnet sie in Anlehnung an Laclaus »Knotenpunkte« (vgl. Supik 2005, S. 49) als die (auftrennbare) Naht (*suture*) zwischen diskursiven Praktiken (die dem Subjekt Positionen zuweisen) und der Subjektposition.

> »Ich benutze Identität für die Nahtstelle zwischen den Diskursen und sozialen Praktiken [...] auf der einen Seite und den Prozessen, die unsere Subjektivität herstellen. [...] In diesem Sinne sind Identitäten immer nur vorübergehende Verbindungspunkte zu den Subjektpositionen, die die diskursiven Praktiken für uns herstellen« (Hall 1996, S. 5f.; Übersetzung A. K.).[18]

Nun ist eine weitere, relevante Beobachtung festzustellen: Die engagierte Auseinandersetzung um den Begriff Identität ist wahrscheinlich nur dann richtig zu verstehen, wenn man sich klar macht, dass rund um den Begriff Identität erkenntnistheoretische und politische Anliegen eine äußerst interessante Verbindung eingehen. Oft bleibt die Verbindung implizit, die (britischen) Cultural Studies, als dessen prominentester Vertreter Stuart Hall gesehen wird, machen sie explizit. Paul Mecheril versucht dies mit dem Ausdruck der »*erkenntnispolitischen Brille*« der Cultural Studies auf den Begriff zu bringen und attestiert ihnen eine »*erkenntnisbezogenen und politischen Anliegen* gleichermaßen« verpflichtete »Analyse von alltagskulturellen Praktiken und Strukturen« (Mecheril 2006, S. 117; Hv. A. K.). Aleida Assmann und Heidrun Friese formulieren analog für postkoloniales und feministisches Interesse an kollektiver Identität: »Diese Theorien gehen fließend über in Formen einer kulturpolitischen Praxis, da sie Identität mit Artikulation, Stimme und Handlungsermächtigung verbinden« (Assmann/Friese 1998, S. 13). In besonderer Weise gilt diese Verbindung für den nun darzustellenden Begriff der »kollektiven Identität« und die sich darauf beziehenden Identitätspolitiken.

2 Zum Diskurs über kollektive Identität

In den Cultural Studies ist der Bezug von Wissenschaft und Politik explizit ausgesprochen, und somit ist auch das Konstrukt »kollektive/kulturelle Identität« Gegenstand intensiver Debatten und Reflexionen in genau diesem Spannungsfeld. An einer Auseinandersetzung mit dieser Verbindung bzw. der politisch-ideologischen Aufladung des Begriffs scheinen auch kritische Definitionsversuche von kollektiver Identität nicht vorbeizukommen. Sie sind Teil des interessierenden Phänomens. Im Folgenden wird daher zuerst ein vergleichsweise einfach zu beschreibendes zentrales Phänomen skizziert werden, über das relativ große Einigkeit besteht und das sich auf die Definition kollektiver Identität als Anteil personaler Identität bezieht. Danach zeige ich an einigen Beispielen auf, wie Autoren mit den theoretischen und »erkenntnispolitischen« Schwierigkeiten rund um dieses Konstrukt ringen. Hier wird es wichtig, den Begriff der Identitätspolitik genauer unter die Lupe zu nehmen.

2.1 »Kollektive Identität« als situationsspezifische Aktivierung

Im Kontext der vorliegenden Arbeit, in der sich von ganz verschiedenen Seiten dem komplizierten Phänomen Kollektivität genähert wird, sind in unterschiedlichsten Theorietraditionen und Disziplinen verschiedene Variationen zu diesem Thema erkennbar. So spricht etwa Mentzos in seinen Ausführungen zum Krieg von der »Kaskade der Wir-Bildungen« (Mentzos 2002, S. 127) oder Volkan (2006) von der »Großgruppenidentität«. Tatsächlich passt die Bezeichnung »Variationen zum Thema« am besten, denn verschiedene Autoren formulieren mit unterschiedlichen Akzentuierungen im Grunde eine immer gleiche Vorstellung: Individuen, so wird gesagt, verfügen prinzipiell über ganz unterschiedliche Zugehörigkeiten (Geschlecht, Schicht, Region, Nation usw.), die im Alltag irrelevant sein mögen, aber in bestimmten Situationen oder Kontexten plötzlich äußerst relevant sind und auch hoch emotional besetzt werden können. Interessant ist, dass viele der Autoren ihre je eigenen Metaphern (z. B. Vamik Volkans »Zeltplane« der Großgruppenidentität) entwickeln und ihre Variante des Arguments häufig mit dem Gestus der Neuerfindung vortragen und sich selten auf vorangegangene Theorien beziehen. Ausnahmen bilden dabei die beiden Theoriestränge der »Social Identity Theory« der experimentellen Sozialpsychologie und der »Fiktion« kollektiver sozialer Identität, wie sie von den Cultural Studies formuliert wird.

»SOCIAL IDENTITY THEORY« UND »SELF CATEGORIZATION THEORY«

Da sich die experimentelle Sozialpsychologie besonders auf die Theorietradition der kognitiven Psychologie bezieht, steht in ihren Theoriebildungen zu Identität der kognitive Aspekt (social cognition) im Vordergrund, also das weitgehend bewusste Selbstkonzept, das die Person von sich hat. »Soziale Identität« ist dann Teil dieses Selbstkonzepts und leitet sich in der klassischen Definition von Tajfel aus der Zugehörigkeit zu sozialen Gruppen her. Die »social identity« ist damit »derjenigen *Anteil* des individuellen Selbstkonzeptes, der sich auf das Wissen um die Mitgliedschaft in einer sozialen Gruppe (oder sozialer Gruppen) bezieht und mit dem Wert und der emotionalen Bedeutung verbunden ist, die diese Mitgliedschaft für jemand besitzt« (Tajfel 1978, S. 63; Übersetzung und Hv. A. K.).

Die Social Identity Theory (SIT) wurde u. a. von Turner (1985) zur »Selbstkategorisierungstheorie« (SCT) weiterentwickelt. Hier wird dann nicht mehr von einer Ableitung der sozialen Identität aus der Gruppenzugehörigkeit gesprochen, sondern explizit von einer Summe kognitiver Repräsentationen, die Menschen von sich haben und die man als nebeneinander existierende Selbstkategorisierungen sehen kann. Je nach Bezugsrahmen sind unterschiedliche Selbstkategorisierungen für das Individuum relevant, in der Theoriesprache der SCT wird dies dann als »salient« bezeichnet. Sie können danach unterschieden werden, ob in ihnen die *personale* Identität des Individuums (also seine individuellen Selbstkategorisierungen) »salient« werden, oder ob die *soziale* Identität und damit die Ähnlichkeiten mit anderen Gruppenmitgliedern und die Unterschiede zu anderen Gruppen betont werden. Die SCT betont dadurch eine starke Kontextabhängigkeit der jeweiligen sozialen oder individuellen Selbstkategorisierung. Die Verschiebung vom Ich zum Wir wird dabei fast dramatisch als »Depersonalisierung« bezeichnet, der Unterschied zwischen personaler und sozialer Identität als »fundamental« (vgl. Utz 1999, S. 42). Als die Salienz verstärkende Bedingungen werden Ähnlichkeit, gemeinsames Schicksal, Nähe und Bedrohung genannt (vgl. Utz 1991; Turner 1985).

Kollektive Identität
als »Privilegierung von Signifikanten«

Die Vorstellung von »kollektiver Identität« in den Cultural Studies knüpft an die Vorstellung an, dass die (individuelle) Positionierung des Subjekts nicht beliebig ist, sondern dass es die sogenannten privilegierten (und nicht nur die »endlos gleitenden« Signifikanten gibt). Im Vergleich zu der eher allgemeinen Formulierung, dass ein bestimmter Kontext eine soziale Identität »salient« werden lässt, betont Hall unter Bezugnahme auf Laclau und Mouffe, dass sich eine kollektive Identität meist aus der Differenz konstituiere. Philipp Sarasin erläutert dies am Beispiel der deutschen Identität: Das Deutschsein sei für einen Deutschen im Alltag in der Regel irrelevant, d. h., in der hier verwendeten Terminologie sei es »nur eines von vielen Gliedern in der Signifikantenkette«. Dieses Glied der Kette werde jedoch plötzlich privilegiert, wenn etwas Nicht-Deutsches zum relevanten Bezugspunkt werde. Sarasin führt das Beispiel eines Deutsch-Französischen-Krieges an, in dem dann plötzlich Deutschsein sehr wichtig werden könne. Ohne das antagonistisch wahrgenommene Gegenüber trete die Bedeutung dann wieder zurück (vgl. Sarasin 2001, S. 69). In diesem Sinne spricht Hall davon, dass man gar nicht über Identität sprechen könne, ohne über Differenz zu sprechen, Identität werde eben erst durch die Differenz konstituiert (vgl. Hall/Maharaj 2001)[19].

Interessant ist in diesem Zusammenhang auch der Hinweis von Laclau, dass die Kategorie an sich – im obigen Beispiel der »signifier« Deutsche Identität – besonders bedeutungsarm bzw. bedeutungsleer sein könne, aber sich gerade dadurch besonders gut für die Privilegierung eignen würde. Sarasin referiert den Gedanken so: »Je leerer diese ›empty signifiers‹ sind, je unklarer ihr Signifikat bleibt, desto besser eignen sie sich offensichtlich für ihre Funktion als Steppunkte und als Marker für den konstitutiven Antagonismus« (Sarasin 2001, S. 69).

Diese Hypothese ist meines Erachtens aus verschiedenen Gründen bemerkenswert, nicht zuletzt weil sie gewissermaßen im Gegensatz zu dem steht, was Identitätspolitik (zumindest in ihrer klassischen Spielart) den Subjekten suggerieren möchte. Später werde ich diesen Gedanken aufgreifen.

2.2   Erkenntnispolitische und theoretische Schwierigkeiten

Behältermetapher und Identifikation

In einem kurzen aktuellen Überblick über Ansätze zur »kollektiven Identität« resümiert Wolfgang Kraus:

> »Kollektive Identität war also ein Thema, das die Identitätsforschung im Gefolge Eriksons von zwei Seiten im Blick hatte. Zum einen aus der Sicht des Subjekts, das sich auf eine kollektive, primär nationale, Identität bezieht und darin verortet, und zum anderen mit Blick auf das Kollektiv, dem selbst eine *Identität zugesprochen* werden kann« (Kraus 2006, S. 149; Hv. A. K.).

Hier liegt eine weitere Variante jener theoretischen Schwierigkeit vor, die bereits an verschiedenen Stellen angesprochen wurde: So hatte ich hinsichtlich Erdheims Konzept darauf hingewiesen, dass er einerseits explizit nur den »gesellschaftlichen Anteil« im individuellen Unbewussten (»die eine Seite«) theoretisieren möchte, dann aber doch von dem »gesellschaftlichen Unbewussten« als einer unabhängigen Einheit, einer Art Behälter, spricht. Erdheims Formulierung ist als wissenschaftliche Formulierung fragwürdig, sie drückt aber indirekt einen zentralen sozialpsychologischen Tatbestand aus. Auch wenn der Container bzw. Behälter nicht als solcher existiert, so ist doch die Beliebtheit dieser Vorstellung eines Containers gerade in seiner symbolischen Existenz ein wichtiges soziales und theoretisches Phänomen. In dem bereits referierten skeptischen Text von Jürgen Straub zitiert dieser eine prägnante Zuspitzung dieser Überlegung durch Jan Assmann:

»Den ›Sozialkörper‹ gibt es nicht im Sinne sichtbarer, greifbarer Wirklichkeit. Er ist eine Metapher, eine imaginäre Größe, ein soziales Konstrukt. Als solches aber gehört er durchaus der Wirklichkeit an« (Assmann 1992, S. 132, zit. nach Straub 1998, S. 98). Anders formuliert: Wenn von kollektiver Identität in diesem zweiten Sinne die Rede ist, dann reden SozialwissenschaftlerInnen nicht von demjenigen Inhalt des Behälters, der kollektiv fantasiert wird und als »echt« erscheint, sondern von dem Phänomen, *dass und wie* da etwas kollektiv fantasiert bzw. »zugesprochen« wird. Wie bei der individuellen Identität interessiert daher zunächst die Herstellung und der Prozess, also die »kollektive Identitäts*arbeit*«. Über die reine Beschreibung des Prozesses – z. B. des Vorgangs, den ich mit »Aktivierung« überschrieben habe – geht eine zweite Perspektive insofern hinaus, als sie sich sehr wohl auch für den Inhalt des Behälters bzw. der Behälter interessiert, ohne an die damit verbundenen essentialistischen Vorstellungen zu glauben. So spricht etwa Kraus von »vielen *Identifikation*sangeboten in einem breiten, medial vermittelten und virtuell verfügbaren *Sortiment*« (Kraus 2006, S. 150; Hv. im Original), durch das veränderte Wir-Bezüge entstehen. Entscheidend sind hier die Begriffe Sortiment und Identifikation. Sortiment verweist auf den Inhalt und das Vorhandensein verschiedener möglicher Behälter, Identifikation auf den psychologisch interessanten Vorgang der Identifikation mit diesem Inhalt. Ich zitiere noch einmal Assmann:

> »Unter einer *kollektiven* oder *Wir-Identität* verstehen wir das Bild, das eine Gruppe von sich aufbaut und mit dem sich die Mitglieder identifizieren. Kollektive Identität ist eine Frage der *Identifikation* seitens der beteiligten Individuen. Es gibt sie nicht ›an sich‹, sondern immer nur in dem Maße, wie sich bestimmte Individuen zu ihr bekennen« (Assmann 1992, S. 132 zit. nach Straub 1998, S. 98; Hv. J. S.).

Verwendungsweisen und Formen:
Vorschrift, Nachschrift, echte und unechte Kollektive

Straub selbst versucht eine Verdeutlichung dieser sozialwissenschaftlichen Herangehensweise dadurch, dass er explizit von zwei voneinander abzugrenzenden »Verwendungsweisen des Begriffs kollektive Identität« (Straub 1998, S. 98) spricht, die sich nach seiner Einschätzung zunächst vor allem dadurch unterschieden, »*wie sie überhaupt dazu kommen*« (ebd.; Hv. im Original) von Kollektiven zu sprechen:

> »Man kann diesbezüglich einen *normierenden* von einem *rekonstruktiven* Typus abgrenzen. Während der erstere im Hinblick auf die (angeblichen) Angehörigen eines Kollektivs gemeinsame Merkmale, eine für alle ›bindende‹ und ›verbindliche‹ geschichtliche und praktische Kohärenz (bloß) vorgibt oder vorschreibt, inszeniert und suggeriert, vielleicht oktroyiert, schließt der zweite Typus an die Praxis sowie die Selbst- und Weltverständnisse der betreffenden Subjekte an, um im Sinne einer rekonstruktiven, interpretativen Sozial- und Kulturwissenschaft zur Beschreibung der interessierenden kollektiven Identität zu gelangen« (Straub 1998, S. 98f.; Hv. im Original).

Straub bezeichnet dabei die erste Verwendung als »*normierende Vorschrift*«, die zweite als »*rekonstruktive Nachschrift*« (ebd.; Hv. im Original).

Assmans oben zitierte Definition entspreche der rekonstruktiven Nachschrift, wohingegen Straub die erste Verwendungsweise z. B. mit der Kritik von Niethammer (die dieser bereits vor dem zitierten Buch in einem Artikel formuliert hatte) in Verbindung bringt. Neben dieser grundlegenden expliziten Unterscheidung führt Straub jedoch noch weitere ein. Zunächst spricht er (ebd., Hv. im Original), wiederum in Anlehnung an Assmann, von »Inklusion und Exklusion, Integration und Distinktion« die er als »*allgemeine* Charakteristika kollektiver Identitätsbildung« von kollektiven »Pseudo-Identitäten« unterscheidet. Für solche Pseudo-Identitäten sei kennzeichnend, »dass das Selbst- und Fremdbild extrem stereotyp, erfahrungsarm oder erfahrungsleer ist« (ebd., S. 100). Diese Formulierung erinnert unmittelbar an den »empty signifier« bei Hall bzw. Laclau und dessen Hinweis, dass dieser sich angeblich so besonders gut für die Aufladung oder Privilegierung eigne. Straub führt an dieser Stelle außerdem noch das Kriterium der Größe ein und grenzt die erwähnte Pseudo-Identität anonymer Großgruppen gegen »echte« Wir-Gruppen ab, deren »Wir« sich aus realer Interaktion speise:

»Während sich die Angehörigen echter, in Verhältnissen direkter Kommunikation und Interaktion gewachsener Wir-Gruppen tatsächlich mit der Tradition und Praxis, mit Orientierungen und Zielen der Gruppe identifizieren und sich entsprechend verhalten, ist dies im Falle anonymer Großgruppen oftmals fraglich« (ebd., S. 100).

Diese Unterscheidung zwischen echten und unechten Wir-Gruppen ist bedeutsam, da wir es dann nämlich nicht nur mit verschiedenen Verwendungsweisen, sondern auch mit verschiedenen Formen von Kollektiven zu tun haben: Auf der einen Seite stünden solche, in denen Kollektivität aus direkter Interaktion resultiert und sich in einem psychologischen Sinne wirklich (empirisch) finden ließe (damit mehr als ein »empty signifier« wäre), auf der anderen Seite wären dann die anonymen Großgruppen zu finden, die einen stereotypen, erfahrungsarmen »empty signifier« aufblähen.

Ergänzend möchte ich einen weiteren Einwand gegen eine simple Verwendung kollektiver Identität vorstellen, der von Peter Wagner ins Feld geführt wird. Während Straub die Vereinheitlichung unterschiedlicher Personen im Kontext normierender kollektiver Identität hervorhebt, betont dieser die Unterdrückung der »Zeitlichkeit«:

»Eine klassische Analyse kollektiver Identität würde gemeinsame Orientierungen einer Gruppe von Menschen in der Gegenwart aufzeigen und aus diesen auf eine lange Geschichte gemeinsamer Erfahrungen schließen, die für diese ursächlich ist. In historischer Untersuchung würde letzteres überprüft, und das Kollektiv könnte sozialwissenschaftlich konstituiert werden – als ›Kultur‹ oder ›Gesellschaft‹. Allerdings nähme eine solche Argumentationslinie historische Konstanz und Kausalität an und unterdrückte Zeitlichkeit« (Wagner 1998, S. 69).

Es ist diese historische Konstanz- und Ursachenzuschreibung, die für Wagner fraglich ist und durch die die zeitliche Veränderung »unterdrückt« werde. Unterdrückt werde dabei auch die Tatsache, dass eine vermeintlich »gemeinsame Geschichte« sich in sehr unterschiedlichen Erfahrungen niederschlagen kann. Insgesamt könne Geschichte viel weniger erklären, als oft angenommen werde. Und mit Blick auf nationale Identität führt er aus:

> »Die Beschwörung von ›gemeinsamer Geschichte‹, beispielsweise in Theorien nationaler Identität, ist eine Vorgehensweise, die immer in der jeweiligen Gegenwart vorgenommen wird – als eine spezifische Repräsentation der Vergangenheit, die diese mit Blick auf die Schaffung von Gemeinsamkeiten bearbeitet. [...] Aber es ist nicht die Vergangenheit in Form ›gemeinsamer Geschichte‹, die diese Wirkung produziert, sondern die gegenwärtige Interaktion zwischen denjenigen, die vorschlagen, die Vergangenheit als etwas geteiltes anzusehen, und denjenigen, die sich davon überzeugen lassen und diese Repräsentation für ihre eigenen Orientierungen in der sozialen Welt annehmen« (Wagner 1998, S. 70).

In anderen Worten: Wie die gemeinsame Identität ist auch die (dazu gehörige) gemeinsame Vergangenheit immer ein Konstrukt der Gegenwart. Wagner formuliert hier eine Überlegung, die auch für den Diskurs zu kollektivem Gedächtnis zentral ist und die ich später noch ausführlicher darstellen werde. An dieser Stelle soll vorläufig festgehalten werden, dass der Begriff »kollektive Identität« nicht nur interindividuelle Unterschiede, sondern auch unterschiedliche Zeiten einebnet.

ZUSAMMENFASSUNG

Straub und Wagner zeigen exemplarisch eine Auseinandersetzung mit verschiedenen Grundfragen, die auch für »kollektives Trauma« von Bedeutung sind. Ich fasse sie hier zusammen und komme später darauf zurück:

Es gibt einen logisch begründbaren Zweifel an der einfachen Übertragung von Identität auf Kollektive, kollektive Identität existiert nicht analog zu individueller. Mit der völligen Ablehnung des Begriffs ist es jedoch nicht getan, da »kollektive Identität« in dreierlei Hinsicht zu interessieren hat: Relativ einig ist man sich über die Aktivierbarkeit individueller Bezugnahmen auf Kollektives in spezifischen Situationen. Komplizierter ist die zweite Lesart: Auch wenn es »kollektive Identität« nicht im Sinne eines Behälters gibt, so hat doch die Metapher eine sehr hohe Suggestivkraft und wird dadurch sozialwissenschaftlich relevante »Realität«. Es gibt aber nicht nur die Metapher, sondern es gibt auch aus sozialwissenschaftlicher Sicht »echte kollektive

Prozesse« etwa im Sinne konkreter sozialer Interaktionen (vgl. Kapitel IV). Die interpretative Rekonstruktion dieser Prozesse hat es jedoch schwer, sich von beliebten (normativen, politisierten) Denkfiguren zu kollektiver Identität abzugrenzen. Sie bewegt sich im Spannungsfeld zwischen einer vermuteten »Essenz« kollektiver Prozesse und identitätspolitischen Positionierungen.

2.3   Zum Phänomen der Identitätspolitiken allgemein

IDENTITÄT, ANERKENNUNG, INTERESSEN

Was aber ist Identitätspolitik?
Überlegungen zur Konstruktion kollektiver Identität sind jeweils eng mit der Vorstellung von Identitätspolitik verknüpft. Wenn Straub von der normierenden Vorschrift spricht, die »(angeblichen) Angehörigen eines Kollektivs gemeinsame Merkmale, eine für alle ›bindende‹ und ›verbindliche‹ geschichtliche und praktische Kohärenz [...] inszeniert und suggeriert, vielleicht oktroyiert« (Straub 1998, S. 98), dann spielt er damit auf eine bestimmte Form der Identitätspolitik an, die kollektive Identität in spezifischer Weise verwendet. Die angesprochene Inszenierung oder Oktroyierung erfolgt nicht zweckfrei, sondern mit dem Ziel, Interessen durchzusetzen, die mit der gemeinsamen Identität begründet werden. Solche Verbindungen von »Konstruktion einer (kollektiven) Identität« und daran geknüpfte Rechte oder Ansprüche werden als Identitätspolitik bezeichnet: Wir-Gruppen machen Politik, indem sie sich auf ihre Identität als zentrales Argument berufen.

Diese voraussetzungsreiche Figur scheint so mächtig geworden, dass, wer von Identität spricht, implizit auch schon von den damit verbundenen Ansprüchen spricht. Konsequenterweise nimmt Heiner Keupp (vgl. auch Eickelpusch/Rademacher 2004, S. 56) den Gedanken der Identitätspolitik deshalb gleich mit in die Definition von Identitätskonstruktion auf:

> »Identitätskonstruktionen begründen eine sinnhafte Ordnung darüber, dass sie Grenzen ziehen für das, was mich oder uns betrifft und sie tun das durch Abgrenzung zum Anderen, durch Differenzsetzungen. Sie schaffen ›claims‹, die wir für uns beanspruchen, sie definieren Rechte, die daraus folgen, sie produzieren Motivationen für die Verteidigung und Ausweitung von claims« (Keupp 2004, S. 287).

Interessanterweise knüpft Identitätspolitik damit einerseits an den Konstruktionsgedanken an, andererseits erscheint sie hier nun tatsächlich doch als eine Art Besitz (s.o.), aus dem man etwas ableiten kann. Kraus formuliert, dass

Identität in diesem Kontext zu einer »Schlüsselressource und -voraussetzung politischen und sozialen Handelns« (Kraus 2006, S. 152) werde. Identitätspolitik ziele darauf ab, den »Zugang zu sozialer Ankerkennung und anderen zentralen Ressourcen« (ebd.) zu verbessern. Mit sozialer Anerkennung ist dabei bereits das Stichwort angesprochen, das überhaupt erklärt, warum Identitätspolitik so gut funktioniert bzw. wann Identitätspolitik besonders gut funktioniert. Parallel zur Explosion des Identitätsdiskurses hat sich zunehmend die Sichtweise verbreitet, dass es im politischen und sozialen Handeln nicht in erster Linie um die Austragung von Interessenskonflikten gehe, sondern um soziale Anerkennung bzw. um die Anerkennung von Identitäten (vgl. Taylor 1997). Wichtig ist dabei m.E., dass sich hier nicht die Grundfragen politischen Handelns an sich verändern, sondern dass sich eine bestimmte Lesart dieser Grundfragen stärker durchgesetzt hat. So geht es z.B. in einer zwischen den politischen PhilosophInnen Axel Honneth und Nancy Fraser geführten Debatte (Fraser/Honneth 2003) darum, ob man die alte Frage nach sozialer Gerechtigkeit besser als Frage von ›Umverteilung‹ zwischen Gruppen oder als Frage von ›Anerkennung‹ unterschiedlicher Gruppen analysieren sollte. In der Debatte wird u.a. deutlich, wie die sogenannte »politics of recognition« (vgl. auch Taylor 1997) und die verschiedenen Versionen von »identity politics« zusammenspielen bzw. sich ergänzen: Wenn Anerkennung das zentrale Argument wird, dann werden nicht mehr Interessen direkt formuliert, sondern Konflikte werden über Identität und daraus abgeleitete Ansprüche ausgetragen.

Die Verschiebung der Sichtweise hin zu »Anerkennung von Identität« gilt für die politische Praxis und für die theoretische/sozialwissenschaftliche Reflexion. In der bereits mehrfach zitierten Auseinandersetzung mit dem Identitätsbegriff in den Sozialwissenschaften stellt Wagner fest, dass der Identitätsbegriff »den des Interesses, der noch vor etwa zwei Jahrzehnten die Diskurse beherrschte, weitgehend verdrängt« (Wagner 1998, S. 48) habe. Statt von »Rollen und Interessen« sei von »Bedeutungen und Werten« die Rede. »Menschen leben in Kulturen zusammen und erkennen die Gleich- oder Fremdartigkeit der Anderen nicht an deren Klassenlage, sondern an der Identität« (ebd.).

BANDBREITE, SPIELARTEN UND EINSCHÄTZUNGEN VON IDENTITÄTSPOLITIK

Wenn Identitätspolitik so allgemein die Verbindung von Identitätskonstruktionen mit Interessen bzw. Ansprüchen ausdrückt, wird verständlich, dass der Begriff eine große Bandbreite von solchem strategischen Operieren mit der Identität umfasst. Heiner Keupp formuliert:

>Identitätspolitik sind nun alle symbolischen und realen Handlungen, über die anderen und einem selbst angezeigt werden soll, wo das Eigene vom Fremden abgegrenzt werden muß, wo Bedrohungen dieser Grenzziehungen gesehen werden und abgewehrt werden müssen. Identitätspolitik findet jeden Tag und überall statt, in der Mikropolitik persönlicher Begegnungen, in der Kommunikation zwischen Gruppen und Organisationen, in den Beziehungen zwischen Staaten« (Keupp 2004, S. 287f.).

Identitätspolitik ist dann also nicht nur ein Typus oder eine Lesart von politischem Handeln im großen Maßstab, sondern auch der Mikropolitik alltäglicher Interaktionssituationen. Jegliche Interaktion enthält Aspekte – oder kann zumindest so interpretiert werden – der identitätspolitischen Denkfigur: »Weil ich so bin, steht mir das zu.«

Innerhalb dieser Bandbreite erscheint es sinnvoll, zwischen drei Perspektiven zu unterscheiden:

➤ subjektive Identitätspolitik (z. B. als individuelle strategische Positionierung);
➤ Identitätspolitiken von etablierten Majoritäten (z. B. nationale Identitätspolitik);
➤ Identitätspolitiken von entwerteten Minderheiten (z. B. schwullesbische Identitätspolitik).

Ich skizziere kurz diese drei grundlegenden Perspektiven, bevor ich dann jeweils spezifisch auf Nationale Identität und die Identitätspolitiken bei Stuart Hall eingehe.

Die subjektive Identitätspolitik kann als identitätspolitische Lesart oder Facette der bereits erwähnten »Identitätsarbeit« verstanden werden. Sie lässt sich sehr gut an den Thesen des britischen Sozialpsychologen Rom Harré erklären: Harré zeigt im Rahmen seiner »positioning theory«, wie Individuen in wichtigen Situationen sich und andere positionieren, dabei verfügbare Ressourcen und kulturell etablierte Erzählmuster (»story lines«) strategisch einsetzen, um Ziele zu erreichen (vgl. Slocum/Harré 2003). Sie nutzen dabei sowohl kollektive Zugehörigkeiten als auch individuelle Eigenschaften, die sie in der Interaktionssituation gezielt einsetzen (vgl. Harré/Moghaddam 2003). Diese Positionierungen können rein individuell sein oder sich auf kollektive Identitäten beziehen (vgl. Taylor et al. 2003).

Wenn etablierte Mehrheiten wie beispielsweise Mehrheitsangehörige in multikulturellen Gesellschaften vorhandene Privilegien verteidigen, dann argumentieren sie ebenfalls sehr oft »identitätspolitisch«. Weil sie deutsch, englisch etc. sind, stehe ihnen mehr zu. Zygmunt Baumann (1992) skizziert diese Verbindung in einem Aufsatz mit dem Titel »Boden, Blut, Identität«.

In den dargestellten Überlegungen zu kollektiver Identität haben sich Jürgen Straub und Peter Wagner mit ihren Bezugnahmen auf »demagogische Inszenierungen« oder »Beschwörung von Geschichte« bereits auf diese Spielart meist nationaler Identitätspolitiken bezogen.

Umgekehrt nutzen aber auch gesellschaftliche Minderheiten wie Schwule, Lesben oder ethnische Minderheiten – im Kontext einer Politik der Anerkennung – ebenfalls die Figur der Identitätspolitik. Innerhalb von Dominanzverhältnissen ist es dabei spezifisch für diese Form von Identitätspolitiken, dass gesellschaftliche Entwertungen und negative Stigmatisierungen solcher Gruppen umgedreht werden. Bekannteste Beispiele hierfür sind der Slogan »Black is beautiful« und die selbstbewusste Aneignung des Schimpfwortes »schwul« als positive Selbstbeschreibung. Manuel Castells schlägt für solche Formen von Identitätspolitik die Begriffe »Widerstandsidentität« und »Projektidentität« vor. Die sogenannte Widerstandsidentität entstehe als eine aus der positiven Wertschätzung für die eigenen Besonderheiten gespeisten Verteidigung des Eigenen. Sie könne in eine Projektidentität münden, von der Castells spricht, »wenn sozial Handelnde auf der Grundlage ihnen verfügbarer kultureller Materialien eine neue Identität aufbauen, die ihre Lage in der Gesellschaft neu bestimmt und damit eine Transformation der gesamten Gesellschaftsstruktur zu erreichen suchen« (Castells 2002, S. 10).

Bevor auf die nationale Identität und die Identitätspolitiken bei Hall spezifischer eingegangen wird, sei abschließend noch eine übergreifende Beobachtung zu diesem Diskurs erwähnt: Wenn AutorInnen sich allgemein auf »kollektive Identität« oder Identitätspolitik beziehen, beziehen sie sich meist implizit auf eine der beiden grundlegenden Spielarten. Solche Texte enthalten häufig starke allgemeine Bewertungen, die je nach implizitem Bezug positiv oder negativ ausfallen. Interessant ist in diesem Kontext eine Aussage von Niethammer, der bewusst eine Einschränkung seiner allgemeinen Skepsis formuliert. Er beziehe sich in der erwähnten kritischen Auseinandersetzung mit dem Identitätsbegriff auf amerikanische und europäische, vor allem deutsche und einige französische Beispiele, und spricht vor allem die Auslassung der »Selbstverständigungsdiskurse der Dritten Welt und des Judentums« (Niethammer 2000, S. 460) an. Er wolle diese Bereiche kompetenteren Interpreten überlassen und sei sich bewusst, dass seine Sicht »vermutlich durch eine wesentlich positivere Bewertung von Identitätsdiskursen in diesen beiden Bereichen, in denen sie wesentlich dem Typ ›defensive Differenz‹ angehören, auch verändert und korrigiert« (ebd., S. 461) werden müsse. So sei die nationalsozialistische Massenvernichtung der Juden das »negative Urbild der realgeschichtlichen Herstellung einer kollektiven Identität« (ebd., S. 462). Auf diesen wichtigen Hinweis wird später eingegangen.

2.4   Nationalistische Identitätspolitik und die Erfindung von Identität

Nationen gelten als das typische Beispiel kollektiver Identität, auch hier wurde die nationale Identität schon an vielen Stellen implizit und explizit angesprochen. Ich skizziere im Folgenden einige wesentliche Punkte, die für das Nachdenken über »kollektive Traumata« besonders bedeutsam erscheinen.

»Nationen« werden in dem berühmt gewordenen Buch von Benedict Anderson (1991) als »imagined communities«, als »vorgestellte Gemeinschaften« bezeichnet. Anderson macht mit diesem Begriff darauf aufmerksam, dass das Kollektiv Nation nur in unserer Fantasie existiert. Angehörige einer Nation identifizieren sich mit einem eigentlich anonymen Kollektiv, etwas, das sie nie als solches zu Gesicht bekommen. Dieses Kollektiv kann trotzdem enorm wichtig sein. Es wird dabei nicht durch Territorium oder Sprache zusammengehalten, sondern, wie Hall betont, von einem Diskurs, d. h. einer gemeinsamen »Weise, Bedeutungen zu konstruieren, die sowohl unsere Handlungen als auch unsere Auffassungen von uns selbst beeinflusst und organisiert« (Hall 1994b, S. 201). Die wichtigste diskursive Strategie ist dabei die Erzählung von einer gemeinsamen Geschichte, Tradition und Herkunft. Durch Berufung auf eine so begründete Schicksalsgemeinschaft verlangen Nationen von ihren Angehörigen Loyalität und Opferbereitschaft. Sie dienen auch dazu, bestehende Strukturen und Herrschaftsverhältnisse der Kritik zu entziehen (Eickelpasch/Rademacher 2004, S. 69).

Eric Hobsbawm, einer der schärfsten Kritiker von kollektiven Identitäten, formulierte: »Vergangenheit verleiht den Heiligenschein der Legitimität« (Hobsbawm 1994, S. 49, zit. nach Eickelpasch/Rademacher 2004, S. 69). Eickelpusch und Rademacher betonten den »enormen Konstruktionsaufwand« der aufgebracht werden müsse, um Nationen, die eigentlich etwas Junges und Künstliches sind, mit diesen Weihen zu versehen. Sie weisen darauf hin, dass diese Konstruktion nicht nur viel Neu-Erfindung von Tradition bedeute, sondern auch viel Vergessen und Lügen:

> »Den Schleier des Vergessens breiten die Nationen vor allem über die Tatsache, dass die auf politischen Weltkarten eingezeichneten nationalen Grenzen oft Spuren der Gewalt sind, dass Nationalstaaten eben nicht ›natürliche‹, historisch gewachsene sondern extrem künstliche Gebilde darstellen, an deren Anfang regelmäßig Gewalt und Terror stehen« (Eickelpasch/Rademacher 2004, S. 70).

Und weiter: »Lügen, Leugnen und Anachronismen gehören zu den Strategien des Vergessens, die für nationale Erzählungen charakteristisch sind« (ebd.). Als typisches Beispiel führen sie die »Verklärung der – gegen die Osmanen verlorenen – ›glorreichen Schlacht auf dem Amselfeld‹ von 1389 [...] zu einer Rettung Mitteleuropas vor den Türken« (ebd.) an, die ich im Kapitel II bereits beschrieben und reflektiert habe.

2.5   Subversive Identitätspolitik und die Neubewertung von »unterdrückter« Geschichte

Abschließend stelle ich nun die Sicht auf Identitätspolitiken vor, die von Stuart Hall vertreten wird. Hall ist in diesem Zusammenhang ein wichtiger Protagonist, der sich an der notwendigen Dekonstruktion einheitlicher Subjektvorstellungen engagiert beteiligt hat und dennoch den Identitätsbegriff beibehalten möchte. Identitätspolitik steht für ihn für zentrale Strategien des Widerstands, allerdings kann es im Bewusstsein der Dezentrierungen keine einfache naive Identitätspolitik (mehr) geben. Hall unterscheidet zwischen zwei grundlegend unterschiedlichen Formen von Identitätspolitik, der Identitätspolitik 1 und 2, die im Folgenden skizziert werden sollen.

IDENTITÄTSPOLITIK I

Paradigmatisches Beispiel für die Identitätspolitik 1 ist bei Hall die Black-Consciousness-Bewegung. Sie nahm ihren Ausgang ab Mitte 60er-Jahre in den USA. Ab den 70er-Jahren begannen sich Schwarze in allen Gebieten der Diaspora für die Beschäftigung mit der afrikanischen Herkunft zu interessieren (vgl. Supik 2005, S. 73). Exemplarisch für »black consciousness« nennt Supik ein Buch von drei britischen schwarzen Aktivistinnen, in dem die Herkunft aus Afrika als Quelle insbesondere weiblicher Kraft dargestellt werde. Bryan, Dadzie und Scafe sprechen in diesem Buch von Afrika als Wurzel, Basis, als »einzigartiges Merkmal unserer Kultur«. Es sei auch dieser gemeinsame afrikanische Ursprung aller schwarzen Kulturen in der Diaspora, der die Kraft zum Widerstand gebe (vgl. Supik 2005, S. 74)[20]. Supik führt aus, dass hier eine Geschichte (wieder) erschaffen werde, die vom kolonialen (und patriarchalen) Diskurs »verdeckt« worden war. In der Berufung auf Geschichte nutzt die Identitätspolitik 1 die Strategie der nationalen Identitätspolitik, wobei die Erfindung hier deutlichere Elemente einer Wiederentdeckung hat[21] und unter umgekehrten Vorzeichen steht. Gegen die rassistisch entwertete Zugehörigkeit und Zuschreibung wird defensiv eine eigene positive Geschichte erzählt. Allgemeiner gesprochen kann man für die Identitätspolitik 1 bei Hall vier typische Strategien identifizieren, die in Anlehnung an Supik hier kurz skizziert werden sollen (vgl. ebd., S. 75ff.).

NAMENSGEBUNG, UM- UND AUFWERTUNG, VEREINHEITLICHUNG
UND FRONTBILDUNG

Als erste bedeutsame Strategie kann man bereits die Namensgebung beschreiben. Auch wenn »schwarz« nicht wie »schwul« ein Schimpfwort war, so nimmt diese Namensgebung doch offensiv auf das entscheidende Stigmatisierungsmerkmal Bezug. Hall führt aus:

> »Etwas Neues zu sagen, heißt zum Teil zuallererst, all die alten Dinge zu verdrängen, die die Wörter bedeuten [...]. Um ›Schwarz‹ auf eine neue Art sagen zu können, müssen wir alles bekämpfen, was Schwarz jemals bedeutet hat – sämtliche Konnotationen des Wortes, all seine negativen und positiven Gestaltformen« (Hall 1999, S. 86 zit. nach Supik 2005, S. 76).

Wie hier deutlich wird, ist mit der Namensgebung die zweite Strategie der Umwertung eng verbunden. »Black is beautiful« ist inzwischen ein bekannt gewordener Slogan, kann aber in seiner Bedeutung für die Subjekte kaum überschätzt werden. So kann ich als Weiße an den eindrücklichen Texten von Frantz Fanon (z. B. Fanon 1980) oder auch aktuelleren empirischen Studien wie z. B. von Grada Ferreira (2003) nur erahnen, wie tief die psychologischen Spuren sind, die die Jahrhunderte lange rassistische Entwertung bis heute hinterlässt.[22] Als schockierendes Beispiel seien nur die vielen schwarzen Kleinkinder genannt, die – bis heute – in weißen Umgebungen verzweifelt versuchen, die schwarze Farbe ihrer Haut abzuwaschen. Wichtiges Element der Umbewertung war deshalb die bewusste Abkehr vom weißen Schönheitsideal und der Aufbau eines neuen schwarzen Ideals. In diesem Sinne wurde das Ersetzen des mühsamen und schädlichen Glättens der gelockten Haare durch den Afro-Look oder die Dreadlocks eine zentrale identitätspolitische Strategie. Die Unterschiede zur sich als normal und ideal wahrnehmenden weißen Mehrheit werden betont, »das Anderssein wird zum Besonderssein und zu Ausdruck und Quelle des Selbstwertgefühls zugleich, Marginalität wird zur Ressource« (Supik 2005, S. 78). Auch Supik betont hier übrigens, dass man sich diese positive Aneignung von Schwarzsein als langfristigen Lernprozess vorstellen müsse.

Die dritte Strategie in diesem Kontext ist die Vereinheitlichung: Schwarz im Sinne des »black consciousness« waren in Großbritannien nicht nur die afrokaribischen EinwanderInnen wie Stuart Hall selbst, sondern auch die südasiatischen EinwanderInnen aus den ehemaligen Kolonien. Es war eine Vereinheitlichung im Zeichen der Solidarisierung z. B. gegen ungewöhnlich harten und vorverurteilenden Umgang mit schwarzen Jugendlichen, denen im medialen und öffentlichen Diskurs kleinere Raubüberfälle, sogenanntes

»mugging« unterstellt wurden. Da Schwarze von der Mehrheitsgesellschaft als Schwarze angegriffen wurden, mussten sie sich als Schwarze vereinheitlichen und als solche verteidigen. Die vierte Strategie kann dementsprechend als ›Frontbildung‹ bezeichnet werden. Mit Frontbildung ist z. B. die Parteinahme gegen multikulturalistische Ansätze gemeint, die von vielen Schwarzen als Verharmlosung des Rassismus verstanden wurde.

»Über Rassismus wollte niemand reden, dafür veranstalteten sie umso lieber ›internationale Abende‹, zu denen wir alle eingeladen wurden, um unsere einheimischen Gerichte zu kochen, unsere einheimischen Lieder zu singen und unsere einheimischen Trachten vorzuführen« (Hall 1994a, S. 82).

Gegen diese folkloristische Verharmlosung macht die »Frontbildung« der Identitätspolitik 1 das Argument stark, dass Schwarzsein das entscheidende, das Leben prägende Merkmal bleibt, das Schwarze von Weißen trennt. Damit wird auf die rassistische Unterscheidung reagiert, aber andererseits wird sie dadurch in gewisser Weise auch perpetuiert. Ziel der Identitätspolitik 1 ist jedoch der Kampf gegen die Unterdrückung, nicht der Kampf gegen die Unterscheidung. Wie später noch genauer ausgeführt wird, stellt Hall selbst rückblickend fest, dass diese im Kern essenzialistische Identitätspolitik viele Stärken, aber eben auch Schwächen habe. Vor diesem Hintergrund ist letztlich die Identitätspolitik 2 entstanden. Bevor diese beschrieben wird, sei abschließend noch auf ein Phänomen hingewiesen, das meines Erachtens wesentlich dazu beitrug, die Identitätspolitik 1 so attraktiv zu machen.

Wie Supik unter Bezugnahme auf Hall beschreibt, war das (euphorische) Grundgefühl dieser identitätspolitischen Bewegung das eines erwachenden Bewusstseins, das im Verborgenen geschlummert habe. Dem entsprach auch eine bestimmte Vorstellung von Repräsentation, die Hall hier »mimetisch« nennt. »Dies bedeutet, dass die Darstellung von etwas, in dem Fall des schwarzen Subjektes, die Nachahmung (*mimesis*) seiner vorausgesetzten Existenz ist, um die es ›in Wirklichkeit‹ geht« (Supik 2005, S. 82). Ziel dieser Repräsentation ist es dann zum einen, dass das schwarze Subjekt sich überhaupt selbst repräsentiert, statt nur repräsentiert zu werden, und dass die fetischisierte negative Darstellung korrigiert werde. Entsprechend der mimetischen Vorstellung hat diese Repräsentation den Anspruch, rassistische Lügen und Fiktionen richtigzustellen und endlich zu sagen, »wie es wirklich ist«, mit anderen Worten falsche Lösungen durch richtige zu ersetzen.

IDENTITÄTSPOLITIK 2

Dieser Glaube an die einzig richtige Lösung konnte nicht von allzu langer Dauer sein, zumindest nicht bei Stuart Hall selbst. Nicht nur durch die theoretischen Dezentrierungen musste der implizite Essenzialismus in Frage gestellt werden, sondern auch im Kontext der konkreten Identitätspolitik wurde die Zweischneidigkeit dieser eindeutigen Frontbildung unübersehbar.

»[W]enn die rigide binäre rassistische Logik gegen uns verwendet wird, sind wir sicher, dass sie falsch ist. Aber wenn wir sie scheinbar in unserem Sinne nutzen, dann fällt es uns extrem schwer, sie aufzugeben« (Hall 1997, S. 292, zit. nach Supik 2005, S. 87).[23]

In gewisser Weise vollzog sich zwischen Identitätspolitik 1 und 2 eine ähnliche Entwicklung wie die oben in Bezug auf das Identitätskonzept bereits beschriebene: Statische, kohärente, einheitliche – aber eben essenzialistische – Vorstellungen scheinen theoretisch und politisch nicht mehr als passend und werden durch beweglichere ersetzt. Im Hinblick auf die Identitätspolitik Halls betrifft dies vor allem die Vorstellung von Repräsentation. Es geht nicht mehr um einen Kampf um Repräsentation des »Richtigen«, sondern der Repräsentation selbst wird eine gestaltende produktive Rolle zugesprochen, sodass man von einer »Politik der Repräsentation« sprechen kann. Identität konstituiert sich in diesem Verständnis nicht außerhalb und wird dann repräsentiert, sondern der Prozess der (immer potenziell revidierbaren, flexiblen) Identitätskonstitution findet innerhalb der Repräsentation statt. Ein weiterer zentraler Begriff in dieser Politik der Repräsentation ist der der Positionierung. Subjekte positionieren sich durch politisch bedeutungsvolles Sprechen, das als arbiträre Schließung, eine Art bewusste Interpunktion beschrieben wird.[24] Als Beispiel für eine solche bewusste Positionierung führt Hall ein Zeitungsinterview mit dem schwarzen britischen Leichtathleten Linford Christie an. Nach einer Erzählung über Kindheitserinnerungen in Jamaika schließt er mit folgenden Sätzen: »I've lived here [in the UK] for 28 [years]. I can't be anything other than British« (The Sunday Independent, 11.11.1995, zitiert nach Supik 2005, S. 87). Christie positioniert sich hier bewusst als Brite. Als weiteres Beispiel für Identitätspolitik 2 nennt Hall den Film *Mein wunderbarer Waschsalon* des britisch-pakistanischen Autors Hanif Kureishi (1985). In Kureishis Film gibt es keine einheitliche (mimetische) Repräsentation einer kollektiven Identität, sondern er lebt davon, dass die Helden zwischen widersprüchlichen Loyalitäten und Identifikationen schwanken. »Ein Rastafari wird vom Pakistani auf die Strasse gesetzt, weil er die Miete nicht zahlt, wobei der Asiate für die Drecksarbeit einen weißen Arbeitslosen engagiert« (Supik 2005, S. 92).

Im Kontext des obigen Zitates verstehe ich Halls Aufforderung zu dieser Art von Identitätspolitik so, dass es um widerständige Positionierungen im Sinne einer produktiven Verstörung gängiger Diskurse, Zuschreibungen und Stereotypen geht, ohne dass dabei neue Stereotypen gebildet werden. In diesem Sinne ist die Identitätspolitik 2 also eine Umsetzung des Wissens um die Dezentrierungen, die den Glauben an die Möglichkeit des Widerstandes beibehält. Auch das Eintreten für die sogenannten hybriden Identitäten kann in diesem Sinne interpretiert werden: Die Tatsache, dass immer mehr Menschen sich nicht in binären Zuordnungsschemata verorten können und wollen, führe oft zu einer ihnen zugeschriebenen Verortung »zwischen den Stühlen«, also an einem unmöglichen, defizitären Ort. Stattdessen sieht Hall z. B. jemand wie Salman Rushdie, der seinen Standpunkt zwischen Aufnahme- und Herkunftskultur behaupten möchte, als Beispiel für gelungene Selbstpositionierung (vgl. Hall 1994b, S. 218).

An der Hall'schen Sichtweise interessant ist dabei auch, dass Hall die Schwächen der essenzialistischen Identitätspolitik 1 erkennt und benennt, sie aber als Identitätspolitik deshalb nicht für erledigt erklärt. Die beiden Identitätspolitiken können und müssen nach Halls Verständnis nebeneinander existieren. Er unterscheidet hierfür bewusst zwischen Theorie und Praxis der Identitätspolitik.

> »Wir müssen diese beiden Enden der Kette gleichzeitig in der Hand behalten – Überdetermination und Differenz, Kondensation und Dissemination – wenn wir nicht einem belanglosen Dekonstruktivismus erliegen wollen, dem Phantasiegebilde eines machtlosen *Utopia* der Differenz. Nur zu leicht fällt man der Versuchung anheim zu glauben, dass der Essentialismus, weil er *theoretisch* dekonstruiert wurde, auch *politisch* de-plaziert (*displaced*) worden sei« (Hall 1997a, S. 231, zit. nach Supik 2005, S. 96).

Allerdings hat die Identitätspolitik 1 trotzdem einen anderen Charakter bekommen, sie ist »kontingenzbewusst« geworden. Damit teilt Hall eine Vorstellung, zu der auch andere identitätspolitische Bewegungen und TheoretikerInnen gekommen sind. So prägte etwa die die bekannte postkoloniale Theoretikerin Gayatri Chakravorty Spivak für das gleiche Phänomen den Ausdruck »strategischer Essentialismus« (vgl. Ashcroft/Griffin 2000).

3 Zwischenbilanz III: Kollektives Trauma und kollektive Identität

Für eine weitere Zwischenbilanz werde ich nun zunächst die Anwendbarkeit der skizzierten Überlegungen diskutieren (3.1). Anschließend stelle ich den theoretischen Ansatz von Jeffrey Alexander und seinen KollegInnen vor (Alexander et al. 2004), der eine als »Cultural Trauma« bezeichnete Form von »kollektivem Trauma« postuliert und diese explizit mit kollektiver Identität in Verbindung bringt (3.2). Als dritten Schritt dieser Bilanz unternehme ich dann eine zusammenfassende Einschätzung, die die eigenen Überlegungen mit denen von Alexander und seinen KollegInnen verknüpft (3.3).

3.1 Kollektive Identität und »kollektives Trauma« – zur Übertragbarkeit der skizzierten Überlegungen

Wie angesprochen, weisen »kollektives Trauma« und kollektive Identität auf verschiedenen Ebenen eine besondere Verwandtschaft auf. Diese beginnt bei verwandten Problemen, die in Bezug auf den individuellen Identitäts- und Traumabegriff diskutiert werden, wie zum Beispiel die Fest-Schreibung (Wagner 1998) von Prozesshaftem. Besonders deutlich ist die Analogie der Probleme für die Konstrukte *kollektive* Identität und »*kollektives* Trauma«, da jeweils individualpsychologische Kategorien auf Kollektive übertragen werden. Jedoch besteht die Verwandtschaft nicht nur in Analogien, sondern »kollektives Trauma« kann auch als ein Merkmal kollektiver Identität im Sinne eines »signifiers« betrachtet werden und es ist zu fragen, ob Trauma als »empty signifier« zu begreifen ist oder ob es eine der Unterscheidung zwischen »echten« und anonymen kollektiven Identitäten vergleichbare Unterscheidung auch für »kollektive Traumata« gibt. Abschließend werde ich auf den Zusammenhang zwischen Identitätspolitik und »kollektiven Traumata« eingehen, der zu der Frage führt, ob es analog auch Traumapolitik und dementsprechend einen »strategisch essentialistischen« (Spivak) Umgang mit dem Begriff geben könnte.

3.1.1   Verwandte theoretische Probleme – verwandte Konsequenzen?

Wie dargestellt, ist nicht nur kollektive Identität, sondern bereits individuelle Identität zu einem umstrittenen Begriff geworden. Problematisiert werden dabei vor allem die possessive und die statische Konnotation der Metapher Identität: Im Gegensatz dazu, dass Identitätsforschung sich heute vor allem für Entwicklungsprozesse interessiere, klinge Identität wie ein stabiles Objekt, das man – einmal erworben – für immer besitze. Diese Kritik betrifft die Nachteile der Metapher Trauma ganz ähnlich. Wie ich im Kapitel I ausführte, ist »Trauma« aus psychologischer Sicht dadurch gekennzeichnet, dass sich seine Bedeutung und Auswirkung über die Zeit verändern, Trauma wird zunehmend als Prozess konzipiert. In beiden Diskursen passt der Schlüsselbegriff also nicht (mehr) zu wichtigen theoretischen Konzeptionen. Obwohl dies von zentralen Protagonisten erkannt und benannt ist, wird hier wie dort an den Begriffen festgehalten. Statt zu einer Abschaffung des Begriffs kommt es zu Kompromissen: So wie im Identitätsdiskurs zunehmend von Identitätsentwicklung, Identitätsprozessen und Identitätsprojekten die Rede ist, so erfreuen sich auch im kritischen Traumadiskurs die weniger statischen Ausdrücke wie »Traumatisierungen«, »traumatische Entwicklungen« und »Traumatisierungsprozesse« zunehmender Beliebtheit (vgl. Kühner 2006). Das Wort Trauma wird in diesem Kontext dann vor allem für das traumatische Ereignis als den statischen gedachten Ausgangspunkt der Prozesse verwendet. Beide Diskurse können sich von dem statischen Begriff offenbar nicht völlig trennen, was als Hinweis interpretiert werden kann, dass der possessive und der statische Charakter offensichtlich doch noch von Bedeutung ist. Damit meine ich nicht, dass Identitätsprozesse oder Traumatisierungsprozesse aus sozialwissenschaftlicher Sicht als etwas Abgeschlossenes konzipiert werden sollten. Ich denke vielmehr, dass die Zählebigkeit der Metaphern die Sicht der Subjekte spiegelt. Auch wenn für die sozialwissenschaftliche Analyse der Prozesscharakter im Vordergrund steht, fühlt es sich für die Subjekte vermutlich so an, als würde man eine Identität »besitzen« – und dies könnte für Trauma ähnlich gelten (vgl. Luhmann 2006). Ich komme später auf das Zusammenspiel dieses »gefühlten Besitzes« mit der Identitätspolitik zurück. Ich betone dieses Argument hier, weil es für die kollektive Ebene besonders relevant ist. Wie ich oben ausführte, enthält das Konstrukt »kollektive Identität« aus wissenschaftlicher Sicht einen Kategorienfehler. Für Kollektive ist der Identitäts-Begriff noch weniger als für Individuen stimmig, da es bei Kollektiven eindeutig um Prozesse geht: Als etwas Stabiles existiert ein Kollektiv nur in der Imagination (Anderson 1991), das wahrgenommene Gemeinsame ist genau genommen etwas Geteiltes (im Sinne von »shared«). Analytisch-wissenschaftlich besitzt kein Kollektiv eine Identität, und so gesehen ist »kollektive Identität« kein konzeptionelles Werkzeug für die wissenschaftliche Analyse. Dennoch ist sie, wie ich oben z. B. in Bezug auf Jan Assmann ausführte, ein wichtiger Gegenstand für sozialwissenschaftliche Forschung: Wissenschaft interessiert sich für »kollektive Identität«, wenn sie sich für die Menschen interessiert, für die es »kollektive Identität« gibt. Wissenschaftlicher Untersuchungsgegenstand ist dann, wie Menschen sich auf diese »kollektive Identität« beziehen. Und ganz offensichtlich scheint sich diese aus der Sicht der Subjekte oft wie ein »kollektiver Besitz« anzufühlen. Dieser Gedanke lässt sich auf das Nachdenken über »kollektive Trauma« übertragen:

Das Konstrukt »kollektives Trauma« ist weniger als Denkwerkzeug – als »conceptual tool« – von Interesse, sondern vielmehr als sozialpsychologische Realität, über die sich gleichwohl wissenschaftlich nachzudenken lohnt.

3.1.2 Trauma als aktivierbares Identitätsmerkmal

Wie ich oben ausführte, konvergieren so unterschiedliche theoretische Ansätze wie die auf Experimenten basierende Soziale Identitätstheorie von Tajfel und die Identitätstheorie der Cultural Studies (Hall) in der gemeinsamen Einsicht, dass an der »kollektiven Identität« vor allem deren »situationsspezifische Aktivierung« von Interesse ist. »Kollektive Identität« ist in dieser Sichtweise ein sich auf Zugehörigkeit beziehender Aspekt der individuellen Identität, der unter bestimmten Bedingungen relevant werden kann. Im vorigen Kapitel wurde ein solcher Prozess in Bezug auf die kollektive Identität der Serben mit der Terminologie der Massenpsychologie beschrieben. Das gleiche Phänomen kann identitätstheoretisch so formuliert werden: Milošević gelang es, in den einzelnen Mitgliedern des Kollektivs der Serben die Relevanz der kollektiven Identität zu aktivieren. Dies war möglich, indem eine identitätsrelevante Erzählung revitalisiert wurde, die als ein Teil der kollektiven Identität gesehen werden kann. »Kollektives Trauma« ist so verstanden ein aktivierbares Identitätsmerkmal. In diesem Sinne sind dann die identitätstheoretischen Überlegungen zur Wirkungsweise und zum Inhalt solcher aktivierbarer kollektiver Identitätsmerkmale interessant. Nach Laclau sind solche Identitätsmerkmale besonders gut als aktivierbare (privilegierte) »Steppunkte« geeignet, wenn sie bedeutungsarm und unklar sind, also »empty signifiers« sind. An dieser Stelle ist jedoch die Unterscheidung zwischen echten und anonymen Kollektiven relevant.

3.1.3   Echte und anonyme Kollektive

Wie ich zeigte, wird von verschiedenen Autoren mit unterschiedlicher Schwerpunktsetzung der soziale Konstruktionscharakter kollektiver Identität betont. Kollektive Identitätsarbeit ist dann ein Prozess, innerhalb dessen sich Mitglieder eines Kollektivs aus der Perspektive der Gegenwart u. a. darauf einigen, historische Ereignisse als »ihre gemeinsame Geschichte« anzusehen. Diese Ereignisse sind häufig jene, die als traumatisch bezeichnet werden, sodass die identitätstheoretische Perspektive am »kollektiven Trauma« den Konstruktionscharakter betonen würde: Eine kollektiv relevante »Trauma-Narration« ist dann wie jede gemeinsame Geschichte vor allem eine Konstruktion der Gegenwart, die der Perspektive und den Bedürfnissen der Gegenwart angepasst ist. In diesem Sinne eignet sich der »empty signifier« besonders gut, da er wenig Bedeutungen vorgibt und optimal den Bedürfnissen der Gegenwart angepasst werden kann.

Dennoch drängt sich hier aus psychologischer Sicht ein Einwand auf. In Kapitel I habe ich beschrieben, wie wirkmächtig individuelle Traumatisierungen sind. Zwar gilt auch für Individuen, dass das traumatische Erlebnis seine Bedeutung im Laufe der Lebensgeschichte verändert und in mancher Hinsicht den psychischen Bedürfnissen der Gegenwart angepasst wird. Dennoch ist ein Trauma aus Sicht der Psychologie in erster Linie ein beschädigendes Erlebnis mit langfristigen Folgen und nicht in erster Linie eine Narration. Diese Überlegung lässt sich auf Kollektive übertragen. Prinzipiell wird nach dem »linguistic turn« niemand mit wissenschaftlichem Anspruch mehr naiv glauben wollen, dass eine kollektive identitätsstiftende Narration Abbild eines historischen Ereignisses ist. Wie ich in Kapitel IV genauer ausführen werde, zwingt jede Abbildung und damit auch jede Narration der Realität ihre Eigenlogik auf, auch einer traumatischen Realität. Dennoch kann man aus psychologischer Sicht vermuten, dass Narrationen unterschiedlich stark auf realen Erfahrungen basieren. In diesem Sinne könnten für »kollektive Traumata« die oben für Identität vorgeschlagenen Unterscheidungen hilfreich sein: Das gefühlte »Wir« kann auf direkter Kommunikation und real geteilter Erfahrung basieren. Solche geteilten Erfahrungen lassen sich dann empirisch rekonstruieren, sodass man von »echten« Wir-Gruppen sprechen kann. Im Gegensatz dazu stehen die anonymen Gemeinschaften, die nur in der Vorstellung existieren (Andersons »imagined communities«). Das Wir-Gefühl, das sich auf diese anonymen Gemeinschaften – häufig Nationen oder Ethnien – bezieht, basiert nicht auf realer Interaktion, sodass man von anonymen Kollektiven sprechen könnte.

Die Unterscheidung entspricht in etwa der, die ich oben für die Bedeutung des 11. Septembers vorgeschlagen habe: Für viele Bewohner von Manhattan basiert das »kollektive Trauma« auf einer realen Erfahrung, für die Bewohner der USA dagegen auf einer anonymen »imagined community«, einer vorge-stellten Gemeinschaft. Allerdings speist sich die Gemeinsamkeit der konkret Traumatisierten hier nicht in erster Linie aus sozialer Interaktion, sondern eher daraus, dass das gleiche Ereignis das Leben verändert hat, d.h. aus der konkreten Traumatisierung. Langfristig könnte jedoch die Bedeutung der sozialen Interaktion über das Ereignis – im Sinne von sozialer Erinnerungs-praxis – zunehmen. Ich komme später auf die Bedeutung der sozialen Erin-nerungspraxis über kollektives Gedächtnis zurück und will an dieser Stelle Folgendes festhalten:

Trauma-Narrationen können als Teil der kollektiven Identität verstan-den werden. Sie erfüllen eine Funktion, die die Erfindung oder Beschwörung gemeinsamer Geschichte für kollektive Identitäten insgesamt hat. Dabei kann für »kollektive Traumata« wie für kollektive Identitäten eine Band-breite von eher rekonstruktiven und eher normativen Verwendungsweisen unterschieden werden.

In diesem Sinne verweist auch Niethammers Hinweis, dass die national-sozialistische Massenvernichtung der Juden das »negative Urbild der real-geschichtlichen Herstellung einer kollektiven Identität« (Niethammer 2000, S. 462) sei, darauf, dass es eine große Bandbreite zwischen »realgeschichtlich« verursachten und ideologisch aufgeladenen »kollektiven Traumata« gibt.

3.1.4 Trauma, Anerkennung und Identitätspolitiken

Die Überlegungen zu kollektiver Identität sind eng mit der politischen Nut-zung von Identität im Sinne von Identitätspolitik verknüpft. Im Kontext einer Politik der Anerkennung ist es immer üblicher, sich auf Identitätsmerkmale statt auf Interessen zu beziehen. Kann man analog von einer Nutzung »kol-lektiver Traumata« im Sinne von »Traumapolitik« sprechen?

Wie ich bereits ausführte, kann man drei Spielarten von Identitätspolitik unterscheiden: die individuelle strategische Positionierung, die Identitätspolitik etablierter Mehrheiten und die Identitätspolitik entwerteter Minderheiten. Alle drei Formen können in unterschiedlicher Weise auf »kollektive Traumata« zurückgreifen:

Harré und Slocum (2003) können zeigen, wie Individuen für ihre strate-gischen Positionierungen in konkreten Interaktionen auf etablierte »story lines« einsetzten und sich dabei u.a. auf kollektive Identitäten beziehen. Es könnte sein, dass diese »story lines« besonders überzeugend wirken, wenn sie der Form von Trauma-Erzählungen folgen. Auch nationale Identitäts-politik nutzt in spezifischer Weise Trauma-Narrationen, oft in der Struktur, dass aggressive Durchsetzung nationaler Interessen als Reaktion auf früheres

Unrecht legitimiert wird: Weil wir früher Opfer waren, müssen wir uns jetzt »verteidigen«. Und schließlich bezieht sich die Identitätspolitik diskriminierter Minderheiten ebenfalls auf geteilte Trauma-Erfahrung. Insbesondere zu den für die »Identitätspolitik 1« typischen Strategien passt die Berufung auf ein gemeinsames Trauma. Wie oben beschrieben, hatten verschiedene identitätspolitische Bewegungen große Probleme mit der Dekonstruktion genau jener essenzialistischen Vorstellungen, die sich so gut für identitätspolitische Strategien eignen. In diesem Zusammenhang hat sich in den Cultural Studies die Kompromissvorstellung durchgesetzt, dass es so etwas wie einen strategischen Essenzialismus (Spivak) geben könne: Man erkenne an, dass Schlüsselkonzepte wie Identität zu Recht in Frage gestellt würden. Stuart Hall nennt das »put under erasure«, plädiert aber für einen Kompromiss, denn es gebe keine wirklich besseren Konzepte, die die alten ersetzen könnten. Es bleibe einem, so Hall, wohl nicht anderes übrig, als weiter mit den alten Konzepten zu arbeiten – jedoch in ihrer dekonstuierten Form und nicht mehr in dem Paradigma, unter dem sie ursprünglich entstanden seien (vgl. Hall 1996, S. 1).[25]

Das Nachdenken über die Nützlichkeit von Trauma weist auch in diesem Sinne einige Parallelen zum Nachdenken über Identität auf: Es geht eben nicht nur um ein besser oder schlechter geeignetes wissenschaftliches Konstrukt, sondern auch um Traumapolitik, um ein machtvolles Mittel, mit dem vergangenes Unrecht anerkannt bzw. angeprangert werden kann (vgl. Kapitel I). In diesem Sinne gibt es auch in Bezug auf Trauma das Phänomen des strategischen oder – wie ich in Anlehnung an Hall gerne sagen würde – »kontingenzsensiblen Essenzialismus«.[26]

3.2   Kulturelles Trauma und kollektive Identität

Im vorangegangenen Abschnitt habe ich mögliche Zusammenhänge bzw. Verwandtschaften von »kollektivem Trauma« und »kollektiver Identität« an Hand meiner vorher unternommenen Darstellung des Identitätsdiskurses entwickelt. Im Folgenden will ich nun einen Ansatz vorstellen, der sich als kultursoziologische Annäherung an eine Theorie kollektiver Traumatisierung versteht und explizit auf kollektive Identität Bezug nimmt: Unter der programmatischen Überschrift *Cultural Trauma and Collective Identity* hat eine interdisziplinäre Arbeitsgruppe um den US-amerikanischen Soziologen Jeffrey Alexander verschiedene Fallstudien kollektiver Traumatisierungen veröffentlicht, die mit einem gemeinsam entwickelten Rahmen-Modell bzw. Konzept von »kulturellem Trauma« analysiert werden sollten (Alexander et al. 2004). Hier stelle ich das Konzept »cultural trauma« so vor, wie es von Alexander entwickelt wird und wie er es in seiner Fallvignette auf den

Bedeutungswandel des Holocaust in den USA vom Kriegsverbrechen zum »Trauma Drama« anwendet. Diese Fallvignette werde ich anschließend als Anwendungsperspektive zur Verknüpfung von »kollektivem Trauma« und kollektiver Identität skizzieren.

3.2.1 Kulturelles Trauma – aus der kultursoziologischen Perspektive Jeffrey Alexanders

Alexander beginnt sein explizit als Theorieentwicklung angelegtes Einführungskapitel »Toward a Theory of Cultural Trauma« (Alexander 2004) mit einer vielschichtigen Definition, deren Elemente dann im Text einzeln entfaltet werden. Sie lautet:

»Cultural trauma occurs when members of a collectivity feel they have been subjected to a horrendous event that leaves indelible marks upon their group consciousness, marking their memories forever and changing their future identity in fundamental and irrevocable ways« (Alexander 2004, S. 1).

Bereits in dieser kurzen Definition zeigt sich, wie er sich zu den verschiedenen theoretischen Problemen positioniert:

➢ Mit »Mitgliedern eines Kollektivs« löst Alexander das theoretische Problem, dass ein Kollektiv kein handelnder Akteur ist, sondern dass immer nur einzelne Mitglieder handeln.

➢ Durch »sie fühlen sich einem Ereignis unterworfen« wird die subjektive Seite betont, das kulturelle Trauma ist somit vor allem ein *gefühltes* kulturelles Trauma.

➢ Auch das »schreckliche Ereignis« ist durch diese Formulierung vor allem ein subjektives.

➢ Die »unauslöschbaren Spuren« wiederum greifen wie »fundamental« und »unwiderruflich« das Beschädigungskriterium der psychologischen Traumadefinition auf.

➢ Diese Spuren bezieht er interessanterweise sowohl auf »das Gruppenbewußtsein«, auf »Erinnerungen« und auf die »zukünftige Identität«.

Mit seiner die Konstruktionsseite betonenden Definition grenzt sich Alexander ganz offensiv von bestimmten Traditionen des Gebrauchs »kollektiver Traumata« ab. Im hier referierten Text nimmt er explizit auf die sozialwissenschaftlich-psychoanalytische Diskussion über den Umgang mit den Folgen der Unterdrückung in Lateinamerika Bezug. Er attestiert dieser Debatte zwar, dass sie politisch wichtig und in diesem Sinne lobenswert sei (»thoroughly laudable in moral terms«), kritisiert jedoch deren Traumaverständnis: Die Folgen der Unterdrückung werden seiner Meinung nach zu naiv als direkte

Trauma-Auswirkungen verstanden, als etwas, das jenseits kultureller Einflüsse automatisch passiert[27]. Im Gegensatz dazu betont er, dass Trauma immer eine »sozial vermittelte Attribution« sei, die zeitgleich mit dem Ereignis stattfinden kann, davor, danach oder sogar in Bezug auf ein nur vorgestelltes Ereignis. Selbst nur vorgestellte Ereignisse können in der Theorie Alexanders »kulturelle Traumen« werden. Explizit nimmt er Bezug auf Andersons »Imagined Communities« (1991) und formuliert den von mir oben bereits angesprochenen Zusammenhang folgendermaßen: »Im Prozess der Erfindung nationaler Identität werden nationale Geschichten um Verletzungen konstruiert, die nach Rache rufen« (Alexander 2004, S. 8).

Interessant ist, dass er in diesem Zusammenhang den »nach Rache verlangenden Verletzungen« einen zentralen Stellenwert für die Definition nationaler Identitäten zuweist.

Kurz danach betont er wiederum, dass es dabei nicht um reale Verletzungen gehe, sondern um Zuschreibungen. Zentral für die Entstehung solcher Zuschreibungen seien Machtstrukturen und die Fähigkeiten reflexiver sozialer Akteure. Diese »entscheiden«, dass ein bestimmter Schmerz als eine fundamentale Bedrohung für das kollektive Selbstbild, als ein Angriff auf etwas Heiliges dargestellt werde (vgl. ebd., S. 10). Dadurch entwickelt sich eine Narration über einen destruktiven sozialen Prozess und es entstehen Forderungen nach emotionaler, institutioneller symbolischer Wiedergutmachung. Entscheidend hierfür ist wiederum, dass mithilfe »diskursiver Begabung« eine bestimmte Interpretation des Ereignisses durchgesetzt werden kann. Diese Durchsetzung einer Lesart der Ereignisse muss man sich jedoch als einen äußerst komplexen Prozess vorstellen. Vier Dimensionen seien zentral:

➤ Die Art des Schmerzes,
➤ die Art der Opfer,
➤ die Identifikationsmöglichkeit bzw. -bereitschaft der Zuschauer mit den Opfern (soziale Nähe) und
➤ die Art der Verantwortungszuschreibung.

Alexander betont außerdem, wie sehr sich die weitere Entfaltung der Erzählung in Abhängigkeit von Machtverhältnissen und eben nicht im Sinne eines herrschaftsfreien Dialogs (Habermas 1977) entfalte. Sie werde durch spezifische Arenen vermittelt:

➤ Religion,
➤ Kunst (Literatur, Theater),
➤ Rechtssystem,
➤ Wissenschaft,
➤ Massenmedien,
➤ Bürokratie (z. B. Wahrheitskommissionen).

In diesen Arenen handeln wiederum verschiedene Akteure, die unterschiedliche Interessen in Bezug auf das Ereignis verfolgen können, so können z.b. staatliche Institutionen durchaus ein Interesse haben, Täter zu schützen.

Entsprechend der oben zitierten Definition geht Alexander schließlich noch auf den Einfluss der kulturellen Traumata auf die kollektive Identität und das kollektive Gedächtnis ein. Nach seiner Vorstellung verändert das kulturelle Trauma die kollektive Identität nachhaltig. In Bezug auf kollektive Gedächtnisprozesse nimmt er an, dass es nach einer dem Ereignis folgenden aufgeheizten Phase zu einer Beruhigung komme. Die »lessons« aus dem Trauma würden zunehmend in Museen und Monumenten objektiviert, es komme zu einer Art Routinebildung: Spezialisten bearbeiten das Thema und spalten den Affekt von der Bedeutung ab. Manche seien darüber erleichtert, andere enttäuscht. Langfristig wecke das Trauma keine starken Gefühle, es sei Teil einer neuen kollektiven Identität, bleibe als solcher jedoch ein zentraler Referenzpunkt: »Obwohl die tiefe Beunruhigung verloren geht, bleibt die veränderte kollektive Identität dennoch eine wichtige Ressource, wenn es um die Lösung zukünftiger sozialer Probleme und Störungen im kollektiven Bewusstsein geht«[28] (Alexander 2004, S. 23).

Interessanterweise sieht Alexander hier das »kulturelle Trauma« als Ressource zur Lösung zukünftiger Probleme. An dieser Stelle wird noch einmal deutlich, wie sehr seine als allgemeingültig formulierte Merkmale und Funktionsweisen kultureller Traumen sich implizit vor allem am eigenen Fallbeispiel orientieren, das ich nun skizzieren will.

3.2.2 Anwendungsperspektive:
Wessen »kulturelles Trauma« ist der Holocaust?

Alexander nennt seine Fallvignette »On the Social Construction of Moral Universals: The ›Holocaust‹ from War Crime to Trauma Drama« (Alexander 2004, S. 196ff.). Seine Interpretation der (kollektiven) Bedeutungsveränderung des Holocaust ähnelt dabei der im Kapitel I erwähnten Argumentation von Sznaider und Levy, wenn diese beschreiben, wie der Holocaust vom historischen Ereignis zur »Tragödie der Moderne« wurde (Levy/Snayder 2001).

Insgesamt ist die Tendenz zur Universalisierung und Enthistorisierung des Holocaust inzwischen von Autoren unterschiedlicher Disziplinen unter Bezug auf verschiedenste Beispiele gezeigt worden. Im Folgenden geht es mir daher nicht um eine Darstellung dieser Entwicklung, sondern um die Anwendung des Konzepts »kulturelles Trauma«, wie sie Alexander hier vorschlägt. Dieser hat einerseits die Dimension der Globalisierung im Blick, entwickelt seine Argumentation aber vor allem am Prozess des US-amerikanischen Umgangs mit dem Holocaust.

Alexander beginnt seine Darstellung mit der historischen Interpretation, dass die Erzählung über den Holocaust zunächst in eine progressive Meta-Erzählung eingebunden gewesen sei: Der Holocaust sei als ein Bestandteil der deutschen Kriegsverbrechen und damit als Bestandteil des gewonnenen Krieges gesehen worden. Die Enthüllungen über die Konzentrationslager und die Massenvernichtung sei im Kontext ihrer Befreiung gesehen worden, nicht das Schreckliche, was passiert war, sei im Vordergrund gestanden, sondern das Ende des Schreckens. In diesem Kontext sei das Übel als spezifisch, nazideutsch und als Rückfall in das Mittelalter beschrieben worden. Das Trauma habe den Charakter eines »Geburtstraumas« gehabt, das Alexander als Gegensatz zum »death trauma« verstehen will und so zusammenfasst: Nachdem wir diesen (letzten) Rückfall in die Barbarei triumphal überwunden haben, stehen wir am Beginn eines neuen Zeitalters, so was dürfe und wird nie wieder vorkommen.

Interessanterweise sei insgesamt zunächst sehr wenig auf den Holocaust rekurriert worden: Anti-antisemitisch zu sein habe zwar nach 1945 als spezifisch »amerikanisch« gegolten und die bewusste Abgrenzung zu den Nazis markiert, dies aber ohne dass in den gängigen Argumentationen der Holocaust erwähnt worden sei. In diesem Kontext sei die Rede von der gemeinsamen jüdisch-christlichen Tradition zu verorten.

Alexander beschreibt eine am Anfang fehlende Identifikation mit den Juden: Direkt nach der Befreiung der Lager hätten die GIs große Schwierigkeiten mit den jüdischen Häftlingen gehabt, mit denen sie sich nicht als Mitmenschen identifizieren hätten können. In der damaligen öffentlichen Diskussion über Immigrations-Quotierungen (nach 1945) seien die jüdischen Überlebenden die unbeliebteste Gruppe gewesen. Alexander interpretiert dies in der Terminologie seiner Theorie. Die Amerikaner seien damals noch nicht durch den Holocaust symbolisch mit-traumatisiert gewesen, weil sie sich als Zuschauer des traumatischen Ereignisses (noch) nicht identifizieren konnten: »For an audience to be traumatized by an experience that they themselves do not directly share, symbolic extension and psychological identification are required« (Alexander 2004, S. 199). Diese Traumatisierung der Zuschauer ist bei Alexander selbstverständlich symbolvermittelt gemeint. Wegen der damals noch fehlenden symbolischen Ausweitung des Traumas habe es noch kein »kulturelles Trauma« der Zuschauer gegeben. Er erklärt dies unter anderem damit, dass die jüdischen Überlebenden als entpersönlichte Masse dargestellt worden seien, es habe kaum öffentliche Darstellungen biografischer, persönlicher Geschichte gegeben. Insgesamt habe der Nazismus als solcher das Übel repräsentiert nicht die Massenvernichtung. Exemplarisch für diese Haltung sieht Alexander den Bericht der London Times über den Selbstmord Hitlers, der nur in einem Nebensatz auf dessen »fanatische Aversion« gegen Juden Bezug genommen habe (vgl. Alexander 2004, S. 211).

Auch die feststellbare kollektive Anstrengung gegen den eigenen Antisemitismus in den USA nach 1945 sei überhaupt nicht unter dem Vorzeichen des Holocaust erfolgt. Alexander formuliert für diese erste Phase als Fazit: »[D]as Trauma der Opfer war kein Trauma für die Zuschauer. Das Ziel [den Antisemitismus in den USA zu beenden] war nicht in erster Linie auf den Holocaust bezogen, sondern auf das Bedürfnis, die Nachkriegsgesellschaft von der Nazi-Verunreinigung zu reinigen« (ebd., S. 221).

Dies habe sich im Laufe der Zeit radikal verändert. In seiner Beschreibung dieser Veränderung bezieht sich Alexander auf Dan Diner (2000) und Zygmunt Baumann (1989). Diner habe festgestellt, dass der Holocaust bis in die 70er-Jahre in historischen Abhandlungen über die Epoche eher nur nebenbei erwähnt wurde, während er inzwischen zum Marker der Epoche geworden sei (vgl. Alexander et al. 2004, S. 222). Während die Massenvernichtung erst als typisch für den Nazismus dargestellt wurde, habe sie dann als einzigartig gegolten und zugleich den Status der Unerklärbarkeit bekommen. Diese Entwicklung, weg vom Nazi-typischen, gipfele in Zygmunt Baumanns These vom Holocaust als typisch modernem Ereignis. Aus der progressiven Erzählung sei eine »tragische Erzählung« geworden, vom spezifischen Ereignis sei der Holocaust zum Symbol, zum Archetyp für das absolute Böse geworden.

Diese Beschreibung konvergiert, wie erwähnt, mit den Einschätzungen verschiedener Autoren. Für den Kontext meiner Arbeit ist nun interessant, inwiefern Alexander diese Prozesse als typisch für »kulturelles Trauma« versteht.

Für Alexander ist in der weiteren Argumentation der bereits erwähnte Gedanke der Ausweitung (»symbolic extension«) bzw. der zunehmenden Identifikationsmöglichkeit mit den Juden zentral. Erst dadurch sei die für alle relevante tragische Erzählung entstanden. In anderen Worten: Das Trauma Holocaust sei zunächst nur ein Trauma der Opfer im engeren Sinne gewesen. Zum »kulturellen Trauma« sei es durch die zunehmende Identifikation eines größeren Kollektivs mit diesen Opfern geworden. Diese Identifikation und damit die neue Erzählung entstehe nach Alexanders Auffassung Schritt für Schritt in der oben beschriebenen Weise, d. h. durch diskursiv begabte Akteure und in den verschiedensten Arenen durch Theaterstücke, Erzählungen, Fimsequenzen, Fotografien oder Bücher[29].

An einer Reihe von Beispielen zeigt er, wie die anfangs fehlende Identifikation mit den Opfern möglich geworden sei. Eines der deutlichsten ist Anne Franks Tagebuch, das – nicht zuletzt dank der entschiedenen Intervention von Otto Frank – bewusst nicht als »jüdische Geschichte« inszeniert worden sei. Ähnlich sei auch die Fernsehserie Holocaust so strukturiert gewesen, dass man sich gut identifizieren habe können. Beispiel für Beispiel betont Alexander, dass es nicht die historischen Ereignisse »an sich« sind, sondern deren verschiedene kulturelle Repräsentationen, die jene Ausweitung und Identifikation möglich machen. Und diese Repräsentationen wiederum sind nicht simple Reaktionen auf das Ereignis, sondern sind jeweils selbst vom spezifischen Kontext bestimmt. In diesem Kontext interpretiert er den Vietnamkrieg als wichtigen Faktor, der zusammen mit dem kollektiven positiven Selbstbild der US-Amerikaner auch deren Interpretation ihrer Rolle im zweiten Weltkrieg in Frage gestellt habe. Es sei kein Zufall, dass parallel zum Vietnamkrieg erstmals der Verdacht formuliert worden sei, dass sich Roosevelt und Churchill auf Grund von latentem Antisemitismus nicht genug für die Beendigung der Massenvernichtung eingesetzt hätten. Allgemeiner formuliert er für die Auswirkungen der Protestbewegungen der 60er- und 70er-Jahre, dass der Regierung die Macht entglitten sei, »sich als den geläuterten Protagonisten im weltweiten Kampf von Gut gegen Böse zu päsentieren« (ebd., S. 239; Übersetzung A. K.).

Zusammengefasst definiert sich dieses kulturelle Trauma vor allem dadurch, dass eine nicht direkt betroffene Gruppe auf Grund spezifischer historischer und kultureller Prozesse ein traumatisches Ereignis zunehmend als für sich relevant begreift. Damit wird sie in der Konzeption Alexanders relevant für die kollektive Identität der Gruppe, die somit nachhaltig verändert ist.

3.3   Kollektive Identität und Trauma (Zusammenfassende Einschätzung)

Nachdem nun meine eigenen Beobachtungen zur Verwandtschaft zwischen Identitätsdiskurs und Traumadiskurs und Alexanders Verknüpfung von »Cultural Trauma and Collective Identity« dargestellt wurden, unterziehe ich diese Verbindungen nun einer zusammenfassenden Einschätzung.

3.3.1 Zwischen konkreter Erfahrung und kultureller Artikulation

In Bezug auf das hier verfolgte Anliegen, zu einer gründlichen Theoretisierung »kollektiver Traumata« einen sozialpsychologischen Beitrag zu leisten, werden an dem Zugang von Jeffrey Alexander insbesondere die generellen Probleme einer solchen Theoretisierung deutlich.

Alexander entwickelt seine Argumentation auf der Basis der sozialkonstruktivistischen Annahme, dass »kollektive Traumata« als Produkte eines soziokulturellen Interpretationsprozesses zu verstehen sind, nicht als Folgen von Ereignissen. Wie erwähnt, kann in seiner Konzeption ein kulturelles

Trauma auch auf einer nur vorgestellten Verletzung basieren. Um diese Sichtweise zu verdeutlichen, grenzt er sich von verschiedensten »naturalistischen Täuschungen« ab, die soziokulturelle Prozesse – seiner Meinung nach naiv – als Ursache-Wirkungs-Zusammenhänge sehen. Wie Kurasava (2004) ausführt, schwankt er in seinen Argumentationen jedoch zwischen einer radikalen und einer gemäßigten Form von sozialem Konstruktivismus. In der gemäßigten Form wird betont, dass reale Ereignisse in diskursiven und symbolischen Vermittlungsprozessen kollektiv relevant werden, in der radikalen Form wird das soziale Leben nur noch als unabhängiges kulturelles Produkt gesehen.

Solange Alexander abstrakt und verallgemeinernd argumentiert, vertritt er – z.B. mit der Formulierung »feel they have been subjected« (Alexander 2004, S. 8) – die radikale Position. In der konkreten Entfaltung seiner Denklinien wird dann vielfach deutlich, dass diese Gefühle bzw. Interpretationen auch für ihn nicht unabhängig von den Merkmalen des realen Ereignisses sind. Problematisch ist aus meiner Sicht nicht so sehr, dass Alexanders Einschätzung schwankt, sondern dass er seinen Ansatz generell so sehr als Gegenpol zur »naturalistischen Täuschung« stilisiert. Der in der Verwendung des Konstrukts »kollektives Trauma« üblichen Überbewertung von Ursache-Wirkungs-Zusammenhängen setzt er eine Unterbewertung der Ursache entgegen. In Anlehnung an Alexanders Polemik gegen die psychologische Naivität lässt sich für die Verwendung von »kollektivem Trauma« folgende grundsätzliche Beobachtung formulieren:

Die Theoretisierung »kollektiver Traumata« bewegt sich im Spannungsfeld zwischen der Gefahr der Überschätzung des Realen (naturalistische Täuschung) und der Gefahr der Überschätzung des Konstruktionscharakters (sozialkonstruktivistische Täuschung).

Unter Realität verstehe ich dabei sowohl die Realität des historischen Ereignisses (z.B. des Holocaust) als auch die empirische Realität beschreibbarer Reaktionsformen: z.B. die konkreten Extremtraumatisierungen der Opfer im engeren Sinn, die transgenerationelle Weitergabe von Trauma und die verschiedenen Formen sozialer und kollektiver Erinnerungspraxen (vgl. Kapitel IV), die sich auf das Ereignis beziehen. Dass solche empirischen Realitäten nur im Zusammenspiel mit kulturellen Praxen gedacht werden können, stellt die zentrale Herausforderung für die Theoretisierung »kollektiver Traumata« dar. Hans Joas nennt Alexanders argumentative Vereinseitigung in seiner Kritik »culturalism« als Gegensatz zum »experientalism« (Joas 2005, S. 373). Er sieht in Bezug auf dieses Zusammenspiel von konkreter Erfahrung und kultureller Artikulation ein grundsätzliches Problem:

»[S]ociology despite its knowledge about the dimension of social construction has not found a way around the question what has really happened, who has really been affected by an event etc.« (Joas 2005, S. 369).

Was Joas hier anspricht, ist das im Kern erkenntnistheoretische Problem, dass nie die Realität an sich wahrnehmbar ist, sodass sich das Verhältnis von sozialer und kultureller Konstruktion und realem Ereignis nicht bestimmen lässt. Für die Kultursoziologie im Allgemeinen und die Theoretisierung »kollektiver Traumen« im Speziellen wäre es jedoch wichtig, über dieses Problem systematisch nachzudenken. So lässt sich auf dieser Basis auch die Differenzierung unterschiedlicher Formen »kollektiver Traumata« begründen: Im einzelnen Fall ist dann jeweils zu berücksichtigen, ob eher das reale Ereignis (z.B. das »kollektive Trauma« von Manhattan) im Vordergrund steht oder eher die kulturelle Interpretation (»das kollektive Trauma« der Serben).

Alexander ignoriert das Problem meines Erachtens, weil da seine Argumentation sich mehr auf die Frage ausrichtet, die Konstruktionsseite und die Realitätsseite konkurrent darzustellen. Da der Gebrauch sowohl des individuellen als auch des kollektiven Traumabegriffs gegenwärtig so sehr von Verdinglichung und Ent-Metaphorisierung geprägt ist, macht das jedoch zugleich die Anziehungskraft seines Ansatzes aus: Im aktuellen Diskurs über »kollektive Traumata« erscheint es dringend notwendig, endlich auch von »sozialen Akteuren« und den historischen (auch: sozialstrukturellen) Bedingungen zu sprechen, die bestimmte Artikulationen »kollektiver Traumen« überhaupt erst möglich machen. Das Ziel einer Theorie »kollektiver Traumata« müsste jedoch sein, beiden Perspektiven gerecht zu werden, statt jeweils eine zu verabsolutieren.

3.3.2 Varianten von auf die kollektive Identität beziehbaren Traumen

Dass »kollektives Trauma« in unterschiedlichen Weisen mit kollektiver Identität zusammenspielt, wurde bereits in den vorläufigen Definitionsversuchen und der auf den 11. September bezogenen Typologie deutlich (Kapitel I). Diese Überlegungen können nun mit den identitätstheoretischen Reflexionen verknüpft werden.

Ich hatte bereits vorgeschlagen, von einem kollektiven Trauma zu sprechen, wenn ein Individuum traumatisiert wird, weil es Mitglied einer Gruppe ist. Am extremsten und deutlichsten ist dies beim Genozid der Fall, sodass ich für den Holocaust von einem »objektiven kollektiven Trauma« gesprochen habe. Im Spannungsfeld zwischen kultureller Artikulation und konkreter Erfahrung ist diese Form von »kollektivem Trauma« am deutlichsten durch die konkrete Erfahrung bestimmt. Die identitätstheoretischen Überlegungen unterstreichen die Notwendigkeit, das genozidale Trauma von anderen Formen »kollektiver Traumata« zu unterscheiden: Die hohe Relevanz der kollektiven Identität für die einzelnen Mitglieder des Kollektivs wird in diesem Fall erst durch das »kollektive Trauma« erzeugt (vgl. Niethammer 2000). In Anlehnung an Niethammer schlage ich vor, das »kollektive Trauma« des Holocaust für die Juden deshalb als »Urbild« eines »kollektiven Traumas« zu begreifen.

Neben dieser von konkreter Erfahrung bestimmten Form eines »kollektiven Traumas« gibt es eine große Bandbreite symbolischer Extension (Alexander). Ich teile die Einschätzung von Alexander, dass für diese Extension die zunehmende Identifikation mit den eigentlichen Opfern eine zentrale Rolle spielt. Identitätstheoretisch gesprochen ist diese Identifikation mit der traumatischen Geschichte als ein kollektiver oder sozialer Identitätsaspekt verstehbar, der unter bestimmten Bedingungen aktiviert werden kann. Innerhalb dieses grundsätzlichen Mechanismus schlage ich jedoch erneut eine Unterscheidung vor, die sich in Anlehnung an die Unterscheidung zwischen echten und anonymen Kollektiven auf das Ausmaß realer Erfahrung bezieht:

Für den Holocaust spricht Wirth (2006) von der »Durchschlagkraft« des realen Ereignisses auf alle Juden, nicht nur auf die Opfer im engeren Sinne. In der hier vorgeschlagenen Terminologie handelt es sich dabei um eine durch Identifikation verursachte symbolische Extension auf alle Angehörigen des Kollektivs. Diese Identifikation ist im Spannungsfeld zwischen konkreter Erfahrung und kultureller Artikulation zu verorten, jedoch hat sie im Vergleich zu anderen Identifikationen eine starke reale Grundlage, etwa im Sinne des Satzes »wenn ich damals gelebt hätte, hätte es mich betroffen«. Kulturelle Artikulation z. B. durch den je aktuellen gesellschaftlichen Diskurs und mediale Repräsentationen spielen für diese Form von Identifikation zwar eine wichtige Rolle, jedoch steht nach meiner psychologischen Einschätzung die reale Zugehörigkeit und die reale Erfahrung etwa im Sinne von sozialem Erinnern im Vordergrund (vgl. Kapitel IV).

Die symbolische Extension kann jedoch noch viel weiter gehen: »Kollektiv traumatisiert« können sich in diesem Sinne alle fühlen, die sich identifizieren, unabhängig davon, ob diese Identifikation eine reale Grundlage hat. Eine derartige Ausbreitung kann Alexander in seiner Fallvignette meines Erachtens sehr gut zeigen. Diese Definition ist jedoch deutlich näher am Pol der kulturellen Artikulation. Die Identifikation basiert dann vor allem auf einer vorgestellten Zugehörigkeit zu einer anonymen Großgruppe und funktioniert eher nach dem Muster der »imagined community«. Alexanders kulturelles Trauma beschreibt meines Erachtens diese vorgestellte, anonyme Identifikation. Um den Stellenwert der kulturellen Artikulation für diesen Pol zu markieren, schlage ich vor, den Begriff kulturelles Trauma für solche Formen von »kollektivem Trauma« zu reservieren.

Abschließend muss betont werden, dass all diese unterschiedlichen Typen »kollektiver Traumata« im Kontext der Politik der Anerkennung für Identitätspolitik verwendet werden können. Ich schlage vor, dies als Traumapolitik zu bezeichnen. In Bezug auf die reale Basis mag es in unterschiedlichem Ausmaß gerechtfertigt sein, strategisch auf eine geteilte Traumaerfahrung zurückzugreifen. Aus einer ethischen oder politischen Perspektive kann diese Traumapolitik deshalb unterschiedlich bewertet werden, jedoch scheint mir die Funktionsweise unabhängig vom Ausmaß realer Beschädigung sehr ähnlich zu sein. Der entscheidende theoretische Gedanke hierfür ist wiederum der der kollektiven Aneignung eines Traumas. In diesem Sinne unterstützen die identitätstheoretischen Überlegungen den Vorschlag, von einem »kollektiviertem Trauma« zu sprechen.

4 Zusammenfassung von Kapitel III

Identität stellt einen wichtigen interdisziplinären und kontrovers diskutierten Schlüsselbegriff dar. Der Identitätsdiskurs spiegelt damit die zunehmende Infragestellung der in der abendländischen Tradition lange vorherrschenden Konzeption eines autonomen, rational handelnden kohärenten Subjektes. Durch die als Dekonstruktion, »linguistic turn« oder Dezentrierungen (Hall) beschreibbare Wende wird auch Identität zunehmend als sozial konstruiert und wandelbar verstanden, die statische und possessive Konnotation des Identitätsbegriffes wird kritisiert. Insgesamt wurde das wissenschaftliche Interesse an der fertigen Identität (im Sinne von Charakter oder Persönlichkeit) von einem Interesse für unabschließbare Identitätsbildungsprozesse oder Identitätsarbeit (Keupp) abgelöst. Die britischen »Cultural Studies« sprechen in diesem Sinne von flexiblen Subjektpositionen, die kontextspezifisch eingenommen werden.

Kollektive Identität wird dabei zunächst aus der Perspektive der individuellen Identität als ein Identitätsaspekt bzw. ein Identifikationsangebot betrachtet, auf das Subjekte in bestimmten Situationen zurückgreifen können. Jenseits dieses grundlegenden Mechanismus der Aktivierbarkeit oder Salienz von Identitätsaspekten, können unterschiedliche Formen bzw. Ebenen kollektiver Identität festgestellt werden: So kann zwischen tendenziell eher vorgestellten, anonymen, Kollektiven (normierende Verwendungsweise) und auf realer Interaktion basierenden, realen »Wir-Gruppen« (rekonstruktive Verwendungsweise) unterschieden werden. In beiden Fällen existieren kollektive Identitäten nicht an sich, sondern es handelt es sich immer um soziale Herstellungsprozesse, für die nicht zuletzt die Bezugnahme auf eine gemeinsame Geschichte zentral ist. Sozialwissenschaft interessiert sich für kollektive Identität dann nicht als wissenschaftliches Konzept (dies wäre ein Kategorienfehler), sondern weil Subjekte sich auf gefühlte Zugehörigkeit und den gefühlten Besitz der kollektiven Identität beziehen. Es gibt außerdem einen engen Bezug zwischen kollektiven Identitäten und Identitätspolitik: Im Kontext der Politik der Ankerkennung (Taylor) werden aus der Zugehörigkeit zu Kollektiven Ansprüche abgeleitet. Man kann zwischen individueller Identitätspolitik, der Identitätspolitik von Mehrheiten und der Identitätspolitik von Minderheiten unterscheiden; letztere kann im Sinne eines Kampfes um die richtige, wahre Repräsentation (Identitätspolitk 1) oder als dezentrierte flexible Positionierung (Identitätspolitik 2) betrieben werden. Aktuell werden im Diskurs zu kollektiver Identität Zuschreibungen einer festen »kulturellen Identität« als essenzialistisch kritisiert, wobei wichtige Autoren (Hall, Spivak) den strategischen bzw. kontingenzsensiblen Einsatz von solchen Essenzialismen dennoch als sinnvoll erachten.

Für kollektive Identität ergeben sich ähnliche konzeptionelle Probleme und ähnliche Differenzierungsmöglichkeiten: Trauma als Begriff weckt Assoziationen an etwas Statisches und an Besitz und eignet sich weniger als »conceptual tool«, um komplexe individuelle und kollektive Prozesse zu beschreiben. Dennoch drückt »kollektives Trauma« offensichtlich etwas aus, was Individuen wie andere kollektive Identitätsmerkmale kontextspezifisch für sich als relevant empfinden. Auch hier lässt sich eine Bandbreite von eher rekonstruktiven und eher normativen Verwendungsweisen feststellen. In Anlehnung an Identitätspolitik könnte man auch von strategischer Traumapolitik sprechen.

Jeffrey Alexander und seine KollegInnen schlagen ein theoretisches Rahmendmodell von kulturellem Trauma vor, das explizit auf kollektive Identität bezogen wird. Am Beispiel des Holocaust entwickelt Alexander die Argumentation, dass für die Entstehung von solchen identitätsrelevanten kulturellen Traumata eine symbolische Extension im Sinne zunehmender kollektiver Identifikation mit den ursprünglichen Opfern zentral ist. An Alexanders Ansatz wird darüber hinaus deutlich, wie sehr sich die Theoretisierung kollektiver Traumen immer im Spannungsfeld zwischen einer Gefahr der Unterschätzung und der Überschätzung der realen Erfahrung bewegt. Vor diesem Hintergrund kann wiederum eine Bandbreite von auf die kollektive Identität beziehbaren Traumen angenommen werden: Die Identifikation mit dem Trauma kann vor allem auf einer vorgestellten Zugehörigkeit basieren, dann wäre wiederum der Ausdruck Kollektivierung angemessen. Die Herstellung der Zugehörigkeit kann aber auch – wie im Genozid – Teil des traumatischen Ereignisses sein, sodass etwa die Identifikation von Juden mit dem Trauma Holocaust eine paradoxe realgeschichtliche Grundlage hat. In dieser Sichtweise markiert der Holocaust einen Extrempol von die Identität betreffenden kollektiven Traumata.

IV

Trauma
und kollektives Gedächtnis

Worum es in diesem Kapitel geht

Das Thema »kollektives Gedächtnis« wurde bereits in den vorangegangen Kapiteln vielfach implizit berührt, wenn aus den verschiedenen Perspektiven beschrieben wurde, wie Mitglieder von Kollektiven auf vergangene traumatische Ereignisse Bezug nehmen. Die Rede war dabei unter anderem von Kollektivierung und Instrumentalisierung von Vergangenheit, von den ethisch-politischen Implikationen retrospektiver Interpretation und vom Spannungsfeld zwischen sozialer Konstruktion und empirischer Realität. Im Folgenden nähere ich mich diesen Fragestellungen nun explizit aus der Perspektive des Gedächtnisdiskurses an, um sie dann auf »kollektive Traumata« zu beziehen. Anders ausgedrückt: Was lässt sich aus dem, was über kollektives Gedächtnis gewusst und gedacht wird, für den (speziellen) Fall ableiten, in dem das kollektive Gedächtnis ein »kollektives Trauma« bewahrt? Mein Ziel ist es, die Erkenntnisse und Thesen zu »kollektivem Trauma« in Relation zu generellen Befunden zu setzen und zu fragen: Ist das kollektive Erinnern an ein »Trauma« überhaupt als etwas wirklich Spezifisches zu denken? Oder bezieht sich kollektives Erinnern meistens auf Traumatisches, sodass verschiedene Formen »kollektiver Traumata« eher ein typischer als ein spezieller Gegenstand kollektiven Erinnerns wären?

Was wissen wir über »kollektives Gedächtnis«? Als zwei wichtige Vordenker des Gedächtnisdiskurses in der ersten Hälfte des 20. Jahrhunderts sind Maurice Halbwachs und Walter Benjamin zu sehen, die die bis heute aktuellen Fragen gestellt und Probleme aufgeworfen haben (1.1). Jan und Aleida Assmann unterschieden innerhalb von Halbwachs' etwas sperrigem Begriff des kollektiven Gedächtnisses Anfang der 80er-Jahre – am Beginn einer intensiven transdisziplinären neuen Gedächtnisdebatte – zwischen einem kulturellen (»Langzeit«-) und einem kommunikativen (»Kurzzeit«-) Gedächtnis (1.2). Assmanns Fallstudien (das alte Israel, Griechenland und Ägypten) erbringen interessante Ergebnisse insbesondere über Gedächtnispolitik und sprechen für die Brauchbarkeit des Begriffs »kulturelles Gedächtnis« (1.3). Der von Assmanns als Gegenpol vorgeschlagene Begriff das »kommunikative Gedächtnis« ist dagegen weit schwieriger zu handhaben. Mit Blick auf empirische Ergebnisse erscheint es sinnvoller, von »sozialen Erinnerungspraxen« (Welzer) denn von »kommunikativem« oder auch »sozialem Gedächtnis« zu sprechen (1.4).

Anschließend werde ich einige Überlegungen zur sogenannten »Krise der Repräsentation« (Lyotard 2003) anstellen: Der weitaus größere Teil der Metareflexionen über kollektives Gedächtnis bezieht sich auf die mit dieser Bezeichnung umschriebene schwierige Frage, wie der Holocaust dargestellt werden kann und soll. So zeigt James E. Young (1992) in seiner Studie *Beschreiben des Holocaust. Darstellung und Folgen der Interpretation*, wie sehr diese spezielle Frage der Repräsentation alles andere als eine rein erkenntnistheoretische ist: Jedes Narrativ ist eine spezifische Interpretation, die Folgen für das weitere Denken und Handeln der Subjekte hat. Young betont eindrücklich, dass es bereits während des Holocaust nicht zuletzt der damalige »Begriff« von den Ereignissen war, der das Handeln sowohl der Mörder als auch der Opfer leitete (vgl. Young 1992, S. 8). Der Literaturwissenschaftler Young hat dabei vor allem kulturelle Produkte als Träger des kollektiven Gedächtnisses im Blick. Sehr intensiv wurde dieses Problem jedoch auch im Hinblick auf die historiografische Repräsentation diskutiert. In meiner Darstellung werde ich die zentralen Argumente dieser interdisziplinär geführten Debatte um die »Krise der Repräsentation« an ihrem geschichtswissenschaftlichen Strang verdeutlichen. Ich zeige in diesem Zusammenhang die wichtige Unterscheidung zweier Repräsentationsprobleme: ein generelles, das sich auf den »linguistic turn« beziehen lässt und ein spezifisches, das die Repräsentation des Holocaust betrifft (2.1). Das generelle Repräsentationsproblem ist verbunden mit den bereits in Bezug auf kulturelles Trauma diskutierten Polen Realität vs. Konstruktion. Diese werden im geschichtswissenschaftlichen Diskurs als »historischer Realismus« vs. »historischer Relativismus« diskutiert (2.2). Als einen Repräsentationsversuch, der die in diesem Zusammenhang verwandten Argumente berücksichtigt, stelle ich Saul Friedländers Herangehensweise in seinem historiografischen Werk über die Verfolgung und Vernichtung der Juden vor (2.3).

Nachdem die ersten beiden Abschnitte des Kapitels sich auf AutorInnen verschiedenster Disziplinen beziehen, wird im dritten Abschnitt auf spezifisch psychologische Perspektiven eingegangen. Die Wissenschaft Psychologie leistet durch empirische Befunde und theoretische Konzepte zum kollektiven Erinnern (Middleton/Edwards 1990), zum Geschichtsbewusstsein sowie zum sozialen und zum kommunikativen Gedächtnis einen anerkanntermaßen zentralen Beitrag zum Gedächtnisdiskurs. Insbesondere Narration erweist sich hierbei als transdisziplinäres Schlüsselkonzept (vgl. Erll 2003), zu dem die narrative Psychologie Wesentliches beiträgt. Dabei unterscheide ich die von der (Sozial-)Psychologie untersuchten Felder (3.1) und Formen (3.2) kollektiven Erinnerns, um dann den theoretischen Zugang der narrativen Psychologie (3.3) genauer vorzustellen.

Im vierten Abschnitt wird das bisher Dargestellte mit dem Ziel zusammengeführt, aus dem Nachdenken über »kollektives Gedächtnis« einen konkreten Beitrag zur Theoretisierung kollektiver Traumata zu leisten.

1 Geschichte und Entwicklung des Diskurses zum kollektiven Gedächtnis

Kollektives Gedächtnis und Erinnerungskulturen sind seit Ende der 80er-Jahre so sehr zu einem zentralen Thema für die Kultur- und Geisteswissenschaften avanciert, dass man mit Jan Assmann von einem »neuen Paradigma« sprechen kann. Dies stellt auch der Historiker Dan Diner formuliert in einem 2003 erschienen Buch mit dem programmatischen Titel *Gedächtniszeiten*, dass nach dem Wandel von Staat zu Gesellschaft im 19. Jahrhundert nun ein »Wechsel von Gesellschaft zu Gedächtnis« anzustehen scheine (Diner 2003, S. 7). Als eine der wichtigsten Ursachen für dieses wachsende Interesse an Gedächtnis und den wahrgenommenen Bedarf an Metareflexionen wird in der Regel die Sorge um die Zukunft der Erinnerung an den Holocaust angegeben: Dabei wird meist formuliert, dass sich die kollektive Erinnerung erheblich verändere, wenn es keine Zeitzeugen mehr gebe – womit bereits die schwierige Frage nach Autorität und Authentizität der Erinnerung an die Shoah (vgl. Métraux 1998) angesprochen ist, auf die ich unter dem Stichwort »Repräsentationsproblem« eingehe.

Die meisten Texte in diesem stets transdisziplinär ausgerichteten Diskurs erwähnen zwei Autoren, die als frühe Vordenker bezeichnet werden können, da sie bereits ab den 20er-Jahren des 20. Jahrhunderts die bis heute zentralen Phänomene und Probleme erfasst hatten: der Soziologe Maurice Halbwachs, der den Begriff »kollektives Gedächtnis« einführte, und der Philosoph Walter Benjamin, dessen Kritik der positivistischen Geschichtsschreibung bis heute als wichtiger Referenzpunkt gelten kann.

Als einflussreichstes neueres Konzept – zumindest im deutschsprachigen Raum – dürfte der Anfang der 80er-Jahre von Jan und Aleida Assmann geprägte Begriff »kulturelles Gedächtnis« bzw. die Unterteilung des kollektiven in ein kulturelles und kommunikatives Gedächtnis gelten. Während die Assmanns sich in ihren Forschungsarbeiten in der Folgezeit vorwiegend auf das kulturelle Gedächtnis konzentrierten, haben der Sozialpsychologe Harald

Welzer und KollegInnen konzeptionell und empirisch zur Präzisierung des Konzepts des »kommunikativen Gedächtnisses« beigetragen (vgl. Welzer 2003; Welzer et al. 2002).

1.1   Vordenker: Maurice Halbwachs und Walter Benjamin

1.1.1   Maurice Halbwachs: Mémoire collective

Den Ausgangspunkt für Halbwachs' Theorie ist die Tatsache, »dass man sich nicht allein erinnert, sondern mit Hilfe der Erinnerungen von anderen, dass man aufwächst, umgeben von Gegenständen, Gesten, Sätzen und Bildern, Architekturen und Landschaften, die gesättigt sind mit fremden, dem Subjekt vorangehenden Vergangenheiten« (Wodak/Heer 2003, S. 13). Mit dieser knappen postmodernen Reformulierung von Halbwachs' Grundgedanken illustrieren Wodak und Heer, was viele moderne TheoretikerInnen des kollektiven Gedächtnisses offenbar immer wieder aufs Neue fasziniert: Wer Halbwachs' Texte liest, kann nur staunen, wie jemand ein halbes Jahrhundert vor der Theorie des sozialen Konstruktivismus eine Art Theorie der sozialen Konstruktion der Vergangenheit schaffen konnte (vgl. Erll, 2003, S. 161; Assmann 1992, S. 48). Ähnlich wie später Goffman in seiner Rahmenanalyse formulierte Halbwachs, dass es »cadres sociaux«, soziale Bezugsrahmen, sind, innerhalb derer wir Ereignisse wahrnehmen, deuten und schließlich erinnern: »Es würde in diesem Sinne ein kollektives Gedächtnis und einen gesellschaftlichen Rahmen des Gedächtnisses geben und unser individuelles Denken wäre in dem Maße fähig, sich zu erinnern, wie es sich innerhalb dieses Bezugsrahmens hält und an diesem Gedächtnis partizipiert« (Halbwachs 1985, S. 21). Auch gegen die zu schnelle Analogie zwischen individuellem und kollektivem Gedächtnis ist Halbwachs gefeit, wenn er stattdessen formuliert, dass nämlich »das Individuum sich erinnert, indem es sich auf den Standpunkt der Gruppe stellt, und das Gedächtnis der Gruppe sich verwirklicht und offenbart in den individuellen Gedächtnissen« (Halbwachs 1985, S. 23). Bis heute aktuell kann neben der sozialkonstruktivistischen Ausrichtung auch diese Vorstellung von kollektiven Gedächtnissen als spezifischen Gruppengedächtnissen gelten. In »Das Gedächtnis und seine sozialen Bedingungen« (Halbwachs 1966) nennt er Familie, Religionsgemeinschaften und soziale Klassen als soziologische Fallbeispiele. Halbwachs sah auch die wichtige Funktion kollektiver Gedächtnisse für die kollektive Identitätsbildung einer Gruppe gesehen: Erinnert werde immer aus Perspektive der jeweiligen Gegenwart, »was dem Selbstbild und den Interessen der Gruppe entspricht. Hervorgehoben werden dabei vor allem Ähnlichkeiten und Kontinuitäten, die demonstrieren, dass die Gruppe dieselbe geblieben ist. Die Teilhabe am kollektiven Gedächtnis zeigt an, dass der sich Erinnernde zur Gruppe gehört« (Erll 2003, S. 160).

1.1.2 Walter Benjamin: Eingedenken

Walter Benjamin hat zwar nicht den Ausdruck des kollektiven Gedächtnisses verwendet, jedoch rechtfertigt sein spezifischer Blick auf die »Trümmerhaufen der Geschichte« ihn als Vordenker dieses Diskurses zu bezeichnen. Benjamin hinterließ keinen Theorieentwurf sondern eher Fragmentarisches, Überlegungen, die in verschiedenen Aufsätzen entfaltet werden, und schließlich die 1940, kurz vor seinem Selbstmord verfassten »Geschichtsphilosophischen Thesen«, die als »einer der schönsten, aber auch rätselhaftesten philosophischen Texte des 20. Jahrhunderts« (Klee 2006, S. 2) gelten können. Nicht nur die Thesen, auch viele der anderen Fragmente zum Erinnern bei Benjamin sind rätselhaft und haben zu dementsprechend unterschiedlichen Lesarten und vielschichtige Interpretationen Anlass gegeben (siehe z.B. die verschiedenen Lesarten seines berühmten »Engel der Geschichte«; vgl. Agamben (1992)). Im Kontext meiner Fragestellung will ich hier einige zentrale Gedanken aus Benjamins Geschichtskritik skizzieren, die sowohl für die Krise der Repräsentation als auch für Überlegungen zur Erinnerungspolitik relevant sind. Ich orientiere mich dabei an den Lesarten von Detlev Schöttker (2000), Gérard Raulet (1992) und Astrid Messerschmidt (2003), die Benjamins Begriff des Eingedenkens für bildunsgstheoretische Reflexionen zum Holocaust-Gedächtnis nutzt.

Der Begriff des Eingedenkens findet sich im Anhang zu den Geschichtsthesen und wird von Benjamin in der jüdischen Tradition verortet. Im Vergleich zu einer einfachen Vorstellung von Erinnern ist die vergangene Zeit im Eingedenken nicht einfach »kontextlos als absolut vergangene aufbewahrt, sondern tritt in eine Konstellation mit der Gegenwart [...], aus der heraus ihrer (ein) gedacht wird« (Messerschmidt 2003, S. 257). Eingedenken unterstelle dabei keine fixe Verbindung zwischen Vergangenem und Gegenwärtigem, sondern diese Verbindung wird erst durch die bewusste Entscheidung, »Vergangenes vor dem Vergessen und vor der Erstarrung zu retten« (ebd.) gestiftet. Eingedenken ist dabei insofern ethisch oder politisch gemeint, als aus dieser spezifischen wachsamen Reflexion Gegenwart kritisiert und gestaltet werden kann. Benjamins Verständnis von Eingedenken enthält die drei Dimensionen seiner Geschichtskritik: die Positivismus-Kritik, die Kritik der geschichtlichen Kausalität und die Kritik der Fortschrittsideologie (vgl. Messerschmidt 2003, S. 256). Diese sollen hier kurz erläutert werden.

Zunächst zum Positivismus. In den Worten Raulets habe Benjamin der positivistischen Geschichtsschreibung in erster Linie das »Einschläfern des eigentlichen Eingedenkens« vorgeworfen, »das Vergessenmachen der Klagen und des Unabgegoltenen« (Raulet 1992, S. 112). So betrieben, sei »die Geschichte in dem Bestreben, die Sache zu zeigen, ›wie sie denn eigentlich wirklich gewesen ist‹ das stärkste Narkotikum des 19.Jahrhunderts« (Benjamin 1982, S. 1033, zit. nach ebd.) gewesen. Als Gegenbild zu diesem Narkotikum entwirft Benjamin die ihm eigene Vorstellung vom Erwachen:

> »Was hier im folgenden gegeben wird, ist eine Versuch zur Technik des Erwachens. Ein Versuch der dialektischen, der kopernikanischen Wendung des Eingedenkens inne zu werden [...] man hielt für den fixen Punkt das ›Gewesene‹ und sah die Gegenwart bemüht, an dieses Feste die Erkenntnis tastend heranzuführen. Nun soll sich dieses Verhältnis umkehren und das Gewesene zum dialektischen Umschlag, zum Einfall des erwachten Bewußtseins werden« (Benjamin 1982, S. 490f., zit. nach ebd.).

Durch seine Formulierung von der kopernikanischen Wende mache Benjamin deutlich, wie sehr seine Überlegungen eine radikale Kritik der zeitgenössischen historischen Vernunft seien. »Nicht um das Gewesene und Positive, sondern um das Negative, um das Vergessene und Verdrängte soll es in der Aktualisierung gehen« (Raulet 1992, S. 113), die »im Namen des Gescheiterten und Ausgebliebenen« (ebd.) unternommen werde. Diese Art von Eingedenken, die Benjamin etwa in Brechts berühmtem Gedicht »An die Nachgeborenen« verwirklicht sieht, ist gemeint, wenn er davon spricht, dass man die Vergangenheit »gegen den Strich bürsten« (Benjamin 1974a, S. 696) solle.

Eng verwandt mit dieser Kritik an der positivistischen Geschichtsvorstellung ist die Kritik an der Unterstellung einer kausalen Logik, einem Sinn der Geschichte. Benjamin verwerfe sowohl die Idee einer Universalgeschichte, als auch »die Vorstellung, dass Geschichte etwas sei, was sich erzählen lasse« (Benjamin 1974c, S. 1240f.). Außerdem wendet er sich gegen jene »Einfühlung in die Sieger«, nach der »die jeweils Herrschenden die Erben aller [sind], die je in der Geschichte gesiegt haben« (ebd.). Die geschichtlichen Ereignisse lassen sich nicht in eine Logik zwingen, es gebe keinen Sinn der Geschichte außer dem, der sich – vielleicht – am »Jüngsten Tag« rückblickend offenbart. Aus unserer Sicht, aus der Sicht vor dem Jüngsten Tag, können die Ereignisse nur »Stückwerk« sein, »allegorische Ruinen der Zukunft, von denen nicht abzusehen ist, welche Zukunft ihnen bevorsteht« (Benjamin 1982, S. 279, zit. nach Raulet 1992, S. 113).

Abschließend zu seiner Kritik der Fortschrittsideologie: Folgt man der relevanten Sekundärliteratur, bezog sich Benjamins Kritik am Fortschrittsglauben vor allem auf die Arbeiterbewegung bzw. die kommunistische Bewegung. So führt Schöttker aus, dass es Benjamin mit dem Fehlen einer ihr eigenen Erinnerungskultur begründet habe, dass die Arbeiterbewegung historisch bedeutungslos geblieben sei (vgl. Schöttker 2000, S. 292). Und Benjamin selbst sagt über den Verlust der revolutionären Antriebskraft in der Sozialdemokratie, dass diese sich darin gefallen habe,

> »der Arbeiterschaft die Rolle der Erlöserin künftiger Generationen zuzuspielen. Sie durchschnitt ihr damit die Sehne der besten Kraft. Die Klasse verlernt in dieser Schule gleich sehr den Haß wie den Opferwillen. Denn beide nähren sich an dem Bild der geknechteten Vorfahren, nicht am Ideal der befreiten Enkel« (Benjamin 1974a, S. 700).

Den Fortschrittsglauben macht Benjamin dabei nicht nur für das Scheitern der Arbeiterbewegung, sondern in diesem Zusammenhang auch für die Verkennung des Faschismus verantwortlich. Konkret war der Hitler-Stalin Pakt im August 1939 Auslöser für Benjamins Text. Bereits 1933 hatte das »Exekutiv-Kommittee der Kommunistischen Internationale« in Moskau eine Faschismusdeutung verkündet, »die den Faschismus zum Übergangsphänomen auf dem Weg in eine klassenlose Gesellschaft erklärte« (Schöttker 2000, S. 293). Benjamin sagt, dass die Chance des Faschismus »nicht zuletzt darin« bestandne habe, »dass die Gegner ihm im Namen des Fortschritts als einer historischen Norm begegnet seien« (Benjamin 1974a, S. 697).

Darin wird deutlich, dass Benjamins Orientierung am Vergangenen nicht nur jenen ethischen Anspruch der Vergangenheit an die Nachgeborenen impliziert, den ich später hervorheben werde, sondern für ihn eine zutiefst existenzielle Frage der Missdeutung der Gegenwart bedeutete.

1.2 Aktuellere Entwicklungen: Kulturelles und Kommunikatives Gedächtnis

1.2.1 Die Unterscheidung zwischen kulturellem und kommunikativem Gedächtnis

Jan und Aleida Assmann bauen in ihren Thesen auf Halbwachs auf. Halbwachs hatte den Begriff der »cadres sociaux«, der verschiedenen sozialen Rahmen, eingeführt, innerhalb derer Menschen wahrnehmen und dann erinnern (Halbwachs 1985). Mit Blick auf verschiedene ethnologische und kulturhistorische Studien haben Jan und Aleida Assmann vorgeschlagen, Halbwachs' sozialkonstruktivistischem Grundgedanken der Rahmung zu folgen, jedoch innerhalb dieses Grundgedankens von zwei deutlich unterscheidbaren »Vergangenheitsregistern« (Assmann 1992, S. 50), zwei grundlegenden »Modi des Erinnerns« (ebd., S. 51), zwei Formen von »uses of the past« (ebd., S. 51) oder eben zwei »Gedächtnis-Rahmen« (ebd., S. 50) zu sprechen. Um auf grundlegende qualitative Unterschiede in Inhalten, Formen, Medien und Zeitstruktur hinzuweisen, werden diese beiden als »kulturelles« und »kommunikatives Gedächtnis« bezeichnete Rahmen bewusst überpointiert gegenübergestellt – »auch wenn sie in der Realität einer geschichtlichen Kultur sich vielfältig durchdringen« (Assmann 1992, S. 51).

Unter dem »kommunikativen Gedächtnis« werden diejenigen Gedächtnisformen zusammengefasst, die auf konkreter Interaktion zwischen Menschen fußen. Dies ist auch der Gegenstand der »Oral History«. Das kulturelle Gedächtnis dagegen bezieht sich auf symbolisierte, zeremonialisierte, feste »geronnene Formen«, wie sie sich z. B. in Mythen und liturgisch begangenen Erinnerungsfiguren zeigen. Dadurch werde im kulturellen Gedächtnis der Unterschied zwischen Mythos und Geschichte hinfällig. In den inzwischen klassischen Definitionen heißt es:

> »Das *kommunikative* Gedächtnis umfasst Erinnerungen, die sich auf die rezente Vergangenheit beziehen. Es sind dies Erinnerungen, die der Mensch mit seinen Zeitgenossen teilt. Der typische Fall ist das Generationengedächtnis. […] Es entsteht in der Zeit und vergeht mit ihr, genauer: mit seinen Trägern. […] Dieser allein durch persönlich verbürgte und kommunizierte Erfahrung gebildete Erinnerungsraum entspricht biblisch den 3–4 Generationen, die für eine Schuld einstehen müssen« (Assmann 1992, S. 50).

Neben der konkreten Interaktion als dem zentralen Definitionskriterium verwendet Assmann hier die Metapher des »natürlichen Wachstums«, das für das kommunikative Gedächtnis kennzeichnend sei, wohingegen umgekehrt das kulturelle durch seine »Verankerung in festen Formen gleichsam artifiziell implementiert« (ebd., S. 52) sei. Weiter heißt es in der Definition:

> »Das *kulturelle* Gedächtnis richtet sich auf Fixpunkte in der Vergangenheit. Auch in ihm vermag sich Vergangenheit nicht als solche zu erhalten. Vergangenheit gerinnt hier vielmehr zu symbolischen Figuren, an die sich die Erinnerung heftet. Die Vätergeschichte, Exodus, Wüstenwanderung, Landnahme, Exil sind etwa solche Erinnerungsfiguren, wie sie in Festen liturgisch begangen werden und wie sie jeweilige Gegenwartssituationen beleuchten« (ebd., S. 52).

Und weiter betont er, dass »durch den Bezug auf die Vergangenheit (auch) die Identität der erinnernden Gruppe« (ebd., S. 53) fundiert werde. Mit diesem Hinweis auf die identitätspolitische Funktion ist bereits eines der zentralen Themen benannt, die Jan Assmann in seiner weiteren Forschung behandelt, die sich fast ausschließlich mit dem »kulturellen Gedächtnis« beschäftigt. Insgesamt blieb in der Rezeption des Begriffspaares das kommunikative Gedächtnis lange eher das vernachlässigte »Stiefkind« (Krassnitzer 2003). Erst in jüngerer Zeit trugen vor allem der Sozialpsychologe Harald Welzer und KollegInnen zu empirischer Rückkoppelung und theoretischer Präzisierung des kommunikativen Modus bei (Welzer 2002; Welzer et al. 2002). Er unterstreicht dabei mit Blick auf die Erinnerungspraxis den von Assmann eher en passant formulierten Hinweis, dass die Trennung in kulturelles und kommunikatives Gedächtnis nur eine analytische ist. Ich skizziere im Folgenden zunächst einige seiner Grundgedanken zum kulturellen Gedächtnis und gehe dann auf das Konzept der Erinnerungspraxis ein.

1.2.2 Das Kulturelle Gedächtnis und seine identitätspolitische Funktion

Im Kapitel zur kollektiven Identität und Identitätspolitik wurde bereits beschrieben, wie sehr Geschichte und Tradition im Rahmen von Identitätspolitik als Legitimierung verwendet werden. Umgekehrt sticht aus Perspektive des am »kulturellen Gedächtnis« Interessierten ins Auge, wie sehr Gedächtnis und »politische Identität« zusammenspielen. Folgerichtig nimmt Assmann den Identitätsbegriff in den Untertitel seiner umfangreiche Studie über das kulturelle Gedächtnis in Ägypten, Israel und Griechenland mit auf, wenn er von »Schrift, Erinnerung und politische Identität in frühen Hochkulturen« (Assmann 1992) spricht.

In seinen Fallstudien analysiert Assmann verschiedene gedächtnispolitischen Strategien. In Anlehnung an die mittlerweile umstrittene (weil als eurozentrisch-wertend verstandene) Terminologie von Levi-Strauss (1962, 1972) spricht Assmann von einer »heißen« und einer »kalten« Option. Wie bei Levis-Strauss – oder zum Beispiel auch Erdheim (vgl. Erdheim 1984, S. XVII) – sind die heißen Kulturen die an Veränderung interessierten, die daher auch die Erinnerung als Motor für ihre Entwicklung nutzen, z. B. das alte Israel. Umgekehrt frieren kalte Kulturen den geschichtlichen Wandel durch Erinnerung an das ewig Gleiche ein. Dies sei zum Beispiel im alten Ägypten und im mittelalterlichen Judentum der Fall gewesen. Die kulturellen Gedächtnisse heißer Kulturen sind nach Assmann davon gekennzeichnet, dass ihre jeweiligen Geschichten (bei Assmann: Mythen) über eine gemeinsame Vergangenheit Orientierung und Hoffnung für die Zukunft bieten. Besonders interessant für den hier interessierenden Bezug zu »kollektiven Traumen« ist Assmanns Feststellung, dass diese Mythen keine einheitliche entweder fundierende oder delegitimierende Funktion annehmen, sondern oft Beides enthalten. Astrid Erll fasst dies so zusammen:

> »Diese Mythen entfalten in der Regel sowohl eine ›*fundierende*‹ als auch eine ›*kontrapräsentische*‹ *Motorik*: Fundierend und bestehende Systeme legitimierend wirkt der Mythos dort, wo er von der Gesellschaft als Ausdruck einer gemeinsamen Geschichte, aus der sich die gegenwärtigen Verhältnisse ableiten, wahrgenommen wird. Er nimmt eine kontrapräsentische und potentiell delegitimierende Bedeutung an, wenn durch ihn den Defizienzerfahrungen der Gegenwart eine Erinnerung an die vergangenen, bessere Zeit gegenübergestellt wird« (Erll, 2003, S. 173; Hv. im Original).

Hervorheben möchte ich an dieser Stelle, dass es die gleiche Geschichte ist, die je nachdem eine delegitimierende oder eine legitimierende Bedeutung entfalten kann. Ich komme auf diesen Gedanken im Kontext der psychologischen Perspektive auf die Rhetorik des Erinnerns zurück. Im Folgenden stelle ich nun diejenigen Formen von kollektivem Gedächtnis vor, die nicht unter kulturelles Gedächtnis gefasst werden.

1.2.3   Kommunikatives Gedächtnis, Soziales Gedächtnis und Soziale Erinnerungspraxis

Der Sozialpsychologe Harald Welzer beginnt seine Einführung in einen 2001 erschienen Sammelband mit dem Titel »soziales Gedächtnis« (Welzer 2001) mit einer Hommage an den Schriftsteller Wladimir Nabokov, der in seiner Erzählung *Berlin, ein Stadtführer* die »Wanderstraßen des sozialen Gedächtnisses« verfolge, ein Unterfangen, das nach Welzers Auffassung »wegen der flüchtigen und schwer erfassbaren Textur dieses Gedächtnisses nur schwer durchzuführen und noch schwerer zu vermitteln ist« (Welzer 2001b, S. 11). Mit Blick auf 20 Jahre transdisziplinären Gedächtnisdiskurs stellt er fest:

> »Die Fülle der Befunde und der Fortschritt der Theoriebildung hat auf merkwürdige Weise deutlich werden lassen, dass ein zentraler Bereich, vielleicht der wichtigste, der sozialen *Erinnerungspraxis* mit wissenschaftlichen Mitteln nur äußerst schwer zu erfassen ist: Woraus Erinnerung gemacht ist und jeden Tag gemacht wird, ihre Textur (James Young) scheint so komplex und zugleich so ephemer, dass sie Künstlern und Schriftstellern viel eher zugänglich erscheint als Wissenschaftlern« (ebd.; Hv. im Original).

Welzer verweist hier im Grunde auf ein erkenntnistheoretisches bzw. forschungsmethodisches Problem: Die für das kulturelle Gedächtnis so typischen »geronnenen Formen« (der *Inhalt* des kollektiven Gedächtnisses) lassen sich zum Teil auch noch nach Jahrtausenden untersuchen. Alltägliche Erinnerungspraxis (oder der *Prozess* des kollektiven Erinnerns) hingegen lässt sich kaum so beforschen, wie sie »natürlich« vorkommt, da Forschung jede natürliche soziale Situationen verändert. Trotzdem gibt es äußerst interessante methodische Zugänge, die der alltäglichen Erinnerung nahekommen, z.B. Angela Kepplers Aufzeichnung von Tischgesprächen (vgl. Keppler 2001). Ich werde einige davon später genauer vorstellen, darunter auch Welzers zentralen Referenzpunkt, eine von ihm und KollegInnen durchgeführte sozialpsychologische Mehrgenerationenstudie zur *Tradierung von Geschichtsbewusstsein* (vgl. Welzer et al. 2002).

An dieser Stelle geht es zunächst um die Versuche der Begriffsbestimmung all dessen, was nicht zum »kulturellen Gedächtnis« gerechnet werden kann. Wenn man sich wie die Assmanns vorwiegend mit dem kulturellen Gedächtnis beschäftigt und das »kommunikative Gedächtnis« vor allem als Oppositionsbegriff verwendet, fällt die Definition desselben noch vergleichsweise leicht (vgl. Erll). Untersucht man jedoch empirisches Material – wie in Welzers Fall transkribierte Interviews – wird die Definition ungleich schwieriger.

Welzer (2001) macht sich für den Begriff »soziales Gedächtnis« als dritten von kulturellem und kommunikativem Gedächtnis abgrenzbaren Begriff stark. Wesentliches Kriterium für das soziale Gedächtnis sei das absichtslose im Gegensatz zum absichtsvollen Erinnern. Als Medien dieses »sozialen Gedächtnisses« nennt er kommunikative Praktiken, Aufzeichnungen (wie Briefe), Bilder (vor allem Fotos) und materialisierte historische Zeiten repräsentierende Objekte wie z.B. Gebäude (vgl. Welzer 2001b, S. 16f.). Er stellt jedoch selbst fest:

> »Wie man sieht, machen die [von Assmann als solche benannten, A.K.] Praktiken des kommunikativen Gedächtnisses nur einen, vielleicht sogar den geringeren Teil der Praktiken des sozialen Gedächtnisses aus. Gleichwohl ist deutlich zu sagen, dass wir es hier mit analytischen Trennungen zu tun haben, die sich in der sozialen Praxis des Erinnerns und der Vergangenheitsbildung vielfältig überlagern: Wenn ein Gebäude als Geburtshaus einer später bekannt gewordenen Philosophin markiert wird, kann es zu einer Stätte des kulturellen Gedächtnisses werden; wenn das Foto von der Hochzeit der Großeltern den Bräutigam in SS-Uniform zeigt, kann die Vergangenheitserzählung en passant schnell in eine explizite Veranstaltung des kommunikativen Gedächtnisses werden« (Welzer 2001b, S. 18).

Insgesamt scheint dieses Definitionsproblem noch nicht gut gelöst: Während für »kulturelles Gedächtnis« eine positive Definition existiert, bleibt »kommunikatives Gedächtnis« ein etwas schwacher Gegenbegriff. Von der zitierten »analytischen Trennung« profitiert man zwar in der Forschung zu kulturellem Gedächtnis, in der Analyse sozialer Praxen ist sie eher hinderlich. Als Sozialpsychologin bevorzuge ich deshalb den Begriff »soziale Erinnerungspraxis«.

2 Grenzen der Geschichtsschreibung nach dem Holocaust

Nach der allgemeinen Darstellung von Entwicklungen und Grundfragen wird nun ein wichtiger Zweig des Gedächtnisdiskurses dargestellt, der sich mit der schwierigen Frage beschäftigt, wie der Holocaust überhaupt repräsentiert werden kann.

2.1 Zwei Grundprobleme der historischen Repräsentation

Die Beschwörung »von ›gemeinsamer Geschichte‹, ist eine Vorgehensweise, die immer in der jeweiligen Gegenwart vorgenommen wird – als eine *spezifische Repräsentation der Vergangenheit, die diese mit Blick auf die Schaffung von Gemeinsamkeiten bearbeitet*« (Wagner 1998, S. 70; Hv. A. K.).

Mit Peter Wagners in Kapitel III bereits wiedergegebener Betonung des sozialen Konstruktionscharakters von Geschichte will ich nicht nur an die viel zitierte Interdependenz von kollektivem Gedächtnis und kollektiver Identität erinnern (vgl. Assmann), sondern vor allem an die dort bereits diskutierten Probleme von »Repräsentation« anknüpfen. Vom Wort her scheint es um das Gleiche zu gehen, wenn in Bezug auf den Holocaust die »Grenzen der Repräsentation« thematisiert werden. Ich halte es jedoch für irreführend von *einem* Repräsentationsproblem zu sprechen. Es muss vielmehr zwischen *zwei* Grundproblemen oder zwei potenziell gegensätzlichen Akzentuierungen dieses Problems unterschieden werden. Beide können »Repräsentationsprobleme« genannt werden und sie spielen an verschiedenen Punkten zusammen. Das eine gilt jedoch allgemein für jede geschichtliche Darstellung, das andere bezieht sich speziell auf die Darstellung des Holocaust.

2.1.1   Historische Repräsentation nach dem »linguistic turn«

Die allgemeinen Repräsentationsprobleme knüpfen an die für den Identitätsdiskurs formulierten Fragen an: Nach dem »linguistic turn« bzw. nach den
Dezentrierungen kann niemand mehr ernsthaft behaupten, dass sich Realität
im Allgemeinen und daher auch »historische Realität« objektiv abbilden lässt:
Geschichtsdarstellung ist (mit Foucault) genauso in Machtfragen verstrickt
wie alle anderen Diskurse (Foucault 1986), sie ist in ihrer Abbildung durch
Sprache bereits interpretiert (vgl. Young 1992) und sie ist (mit Freud oder
auch Foucault) von den Gefühlen des Historikers, seiner Gegenübertragung
auf den Gegenstand beeinflusst (vgl. LaCapra 1994). In der erwähnten Studie
zum *Beschreiben des Holocaust* beschäftigt Young vor allem dieses Grundproblem und er beginnt sie konsequenterweise mit folgendem Grundgedanken
des »linguistic turn«:

»Unser Sehen, unser Hören, unsere ganzen Wahrnehmungen sind in hohem
Maße dadurch geprägt, dass die Sprachgewohnheiten unserer Gesellschaft eine
bestimmte Auswahl von Interpretationen vorgeben« (Sapir/Edward, o. A., zit.
nach Young 1992, S. 13)

Dass es kein Wort, keine Äußerung, keine Erzählung gibt, die nicht schon
in irgendeiner Form eine Interpretation wäre, kann inzwischen als Konsens
der Kulturwissenschaften gelten. Zwar gibt es eine große Bandbreite an
Abstufungen zwischen radikaleren und gemäßigten Varianten des Konstruktivismus: zwischen der Vorstellung, dass es wahrere und weniger wahre Aussagen gibt und der Vorstellung, dass verschiedene Abbilder der Wirklichkeit
prinzipiell als gleich berechtigt nebeneinander stehen sollten, weil es keine
(diskursimmanenten) Kriterien für den Wahrheitsgehalt gebe. Doch jenseits
dieser Abstufungen gilt, dass wohl niemand mehr ganz hinter den »linguistic
turn« zurückfallen will.

Wie gezeigt, sah sich Identitätsforschung und -politik durch die Dezentrierungen herausgefordert, Grundannahmen zu hinterfragen und die alten
Begriffe – wenn überhaupt – vorsichtiger (kontingenzbewußt) zu verwenden.
Ähnliches gilt für die Geschichtsdarstellung. Diese Herausforderungen sind
allerdings keineswegs spezifisch für Geschichtsdarstellungen zum Holocaust,
sondern gelten für jede Darstellung. Sie werden in Bezug auf den Holocaust
allerdings in besonderer Weise zum Problem.

Während *dieses* Repräsentationsproblem also ein allgemeines ist, das in
Bezug auf den Holocaust besondere Fragen aufwirft, verhält es sich beim
zweiten umgekehrt: Es ist ein spezifisches Problem, dass dann wiederum
wichtige Fragen für die Geschichtsdarstellung im Allgemeinen aufwirft.

2.1.2   Repräsentation des Holocaust

Lyotard hat für dieses Problem eine viel zitierte Metapher verwandt: Er vergleicht die Shoah mit einem Erdbeben, das »auch die Instrumente, mit denen man direkt oder indirekt die Erdbeben messen kann«, zerstört habe (Lyotard 1989, S. 105). Damit drückt er etwas aus, was ganz offensichtlich sehr viele Menschen empfinden, die irgendwie versuchen, sich der Shoah schreibend – sei es literarisch oder wissenschaftlich – zu nähern. Viele Jahre zuvor hatte Adorno formuliert, dass man nach Auschwitz kein Gedicht mehr schreiben könne. Wie der Historiker Saul Friedländer betont, zeige die ungewöhnlich starke Verbreitung dieses – oft mißverstandenen – Diktums, dass er damit einen zentralen Punkt getroffen hatte (Friedländer, 1992, S.2). In der Einleitung zu dem berühmten Sammelband *Probing the limits of Representation* macht Friedländer sehr deutlich, inwiefern es in diesem Zusammenhang um eine gänzlich andere Akzentuierung des »Repräsentationsproblems« geht. Es sei inzwischen fast selbstverständlich, dass die Erschütterung, die Auschwitz für die Geschichte und das Selbstbild der Menschheit ist, nicht vergessen werde. Andererseits verweist Friedländer eindringlich darauf, wie viel Energie die Täter aufwendeten, um jegliche Spuren auszulöschen. Die Suche nach oder besser die Dringlichkeit einer adäquateren, »wahren« Geschichte des Holocaust könne und müsse nur vor diesem Hintergrund verstanden werden.[30]

Für viele Themen und Bereiche der Kulturwissenschaften kann man relativ leicht auf Wahrheitsansprüche verzichten.[31] Für den Holocaust bekommt der Verzicht auf diesen Anspruch jedoch einen völlig anderen Klang. Mir erscheint hier Friedländers Verweis auf die Vertuschungsbemühungen der Täter zentral. Es ist, als wäre im Chor des postmodernen »anything goes« ein unheimliches Echo dieser Vertuschung zu hören. Anders gesagt: Postmoderne Theorien, die »Geschichte und Gedächtnis ganz dem Bereich der Einbildungskraft zuschreiben« neigen dazu, »geschichtliche Tatsachen ganz zu leugnen« (Günter 2004, S. 1).

Zusammengefasst besteht jenes zweite, für den Holocaust spezifische »Repräsentationsproblem« in der widersprüchlichen Anforderung, dass der Holocaust einerseits »jeder Form von Repräsentation als etwas Unzulänglichem wenn nicht Obszönem« (Roth 1998, S. 170) widerstrebt, andererseits nach einer adäquaten gegen das Vergessen und Verleugnen gerichteten Repräsentation verlangt. Oder in Friedländers Worten:

> »Our central dilemma can be defined as confronting the issues raised by historical relativism and aesthetic experimentation in the face of two possibly contrary constraints: a need for ›truth‹, and the problems raised by the opaqueness of the events and the opaqueness of language as such« (Friedlander 1992, S. 4).

Nach dieser Skizze der beiden Grundprobleme sollen nun zentrale Argumente weiter ausgeführt werden.

2.2   Massenverbrechen und Historischer Relativismus

Das hier von Friedländer angesprochene Problem des historischen Relativismus war in der Repräsentations-Debatte der 80er- und 90er-Jahre vor allem mit dem Namen des Geschichtswissenschaftlers Hayden White verbunden. Dieser hatte mit seinem zuerst 1982 erschienenen Aufsatz »The Politics of Historical Intepretation« (White 1982) für Furore gesorgt. Er kritisiert darin das Selbstverständnis der Geschichtswissenschaft als einer Wissenschaft, die Realität abbilde und spitzte diese Kritik in folgender These zu:

> »One must face the fact that when it comes to apprehending the historical record, there are no grounds to be found in the historical record itself for preferring one way of constructing meaning over the other« (White 1987, S. 74).

Whites zentrale Überlegung ist demnach, dass das, was der Historiker als Grundlage seiner Arbeit vorfindet, der »historical record« als solcher noch keine spezifische Interpretation nahelegt. Es sei der Historiker selbst, der dem Ereignis aktiv Bedeutung verleihe, Bedeutung konstruiere. White betont die Ähnlichkeit zwischen dem literarischen und geschichtswissenschaftlichen Schreiben: Der Historiker müsse das, was er an Daten vorfinde, in eine Geschichte – eine Narration – verwandeln und dabei folge er im Prinzip den gleichen Regeln wie der Schriftsteller. Er schreibe eine Erzählung, die sich an der Norm der »wohlgeformten Erzählung« (Gergen) orientiere, er schreibe letztendlich literarisch. Der wichtige Gegensatz zur traditionellen Auffassung der Geschichtsschreibung besteht darin, dass diese von einer grundlegenden – die Geschichtsschreibung als eigene Wissenschaft konstituierend und legitimierende – Differenz zwischen »harten Fakten« und Fiktion ausging. Die zur Darstellung des Geschehens notwendige Form der Erzählung, so die klassische Auffassung »füge den Ereignissen nichts hinzu, sondern reflektiere vielmehr die der Erzählung selbst innewohnende narrative Struktur; die stilistische Gestaltung diene dabei lediglich der Weckung des Leserinteresses« (Langer 2002, S. 20). Diese Position wird inzwischen als »naiver Realismus« bezeichnet und in ihrer radikalen Form so wohl kaum mehr vertreten. Whites oben zitierte (1982 formulierte und später relativierte) Position des »radikalen Relativismus« bildet zu dieser Auffassung den Gegenpol.

Hier handelt es sich nicht nur um unterschiedliche geschichtswissenschaftliche Positionen, sondern die jeweiligen Argumente sind in Verbindung mit wichtigen philosophischen Traditionen und ethisch-politischen Positionen zu sehen. Die Debatte erinnert nicht zuletzt an die verstörende Nähe von Philosophen wie Heidegger und Nietzsche zur nationalsozialistischen Ideologie. So wurde etwa White dafür kritisiert, dass er von Sentimentalität sprach, die einen nicht dazu bringen solle, Konzepte zu verwerfen, nur weil sie mit faschistischen Ideologien assoziiert seien (vgl. White 1987, S. 74). In diesem Sinne sind im Spannungsfeld zwischen den beiden Extrem-Polen »Realismus« und »Relativismus« weitreichende Fragen enthalten.

Will man den Pol des Relativismus genauer darstellen, ist neben der allgemeinen Feststellung des Konstruktionscharakters als spezifisches Merkmal der historischen Erzählung wichtig, dass diese mit verschiedenen stilistischen Mitteln den »Faktizitätsanspruch« der Erzählung zu transportieren versucht. Es gehört zum Konstruktionscharakter in der Geschichtsschreibung, dass dieser – und damit die Relativität – gerade nicht ersichtlich werden sollen. Bei Foucault, auf den White sich sehr stark bezieht, liest sich das so:

> »Die Historiker suchen so weit wie nur möglich alles zu verwischen, was in ihrem Wissen den Ort verraten könnte, von dem aus sie blicken, den Zeitpunkt an dem sie sich befinden, die Partei, die sie ergreifen, und die Unvermeidlichkeit ihrer Leidenschaften« (Foucault 1987, S. 82).

Damit ist zusätzlich zu den Konventionen der wohlgeformten Erzählung auch noch das angesprochen, was inzwischen mit Donna Haraway oft als »Situiertheit des Wissens« bezeichnet wird: Zur Produktion von Wissen, nicht nur von historischem, gehören die Gefühle sowie der ideologische und der historische Standort dessen, der spricht. Dies alles sind in der Sichtweise des radikalen Relativismus die entscheidenden Faktoren, die die Konstruktion der historischen Erzählung bestimmen und nicht die Merkmale oder Faktoren, die im historischen Geschehen selbst liegen. Mit anderen Worten: Es ist der Autor der historischen Erzählung, der je nach eigener Position und in Orientierung an Konventionen aktiv eine passende Form sucht, in der er die Geschichte erzählen kann.

Gegen diese Position sind vielfältige Einwände vorgebracht worden. Als prominentester Kritiker von Hayden White gilt Carlo Ginzburg, der darauf hinweist, dass mit White auch Holocaust-Leugner eine prinzipiell legitime Aussage machen, da deren Position einfach zu einer von verschiedenen konkurrierenden Erzählungen wird, für oder gegen deren Privilegierung man keine Argumente mehr habe (vgl. Ginzburg 1992).

Trotz dieser schwer wiegenden Bedenken gegen den radikalen Relativismus zieht sich keine Gegenposition ganz auf den naiven Realismus zurück. Im Gegenteil, Whites grundlegende Argumente werden weitgehend anerkannt, man folgt ihm nur nicht in jene radikale Zuspitzung, nach der es keinen Grund gibt, eine Interpretation einer anderen vorzuziehen. So macht etwa Christopher Browning in seiner Auseinandersetzung mit Whites Thesen Schritt für Schritt deutlich, wie er aus 125 durchaus widersprüchlichen Interviews mit ehemaligen Reservisten seine bekannt gewordenen Schlüsse über die »ganz normalen Männer« des Reservebataillons 101 ableitete, und argumentiert im Sinne von Clifford Geertz' »dichter Beschreibung« (vgl. Browning 1992). Er zeigt aber zugleich, wie seine Arbeit sehr wohl in der Konstruktion einer stringenten Erzählung bestand. Friedländer verbindet das von Foucault als »Leidenschaft« apostrophierte Problem mit dem psychoanalytischen Konzept der Gegenübertragung. Diese sei gerade für seine Generation augenfällig. Friedländer spricht diesen – gerade auch seinen – besonderen Bezug im Vorwort zum Band I seiner großen historiografischen Studie zur Judenverfolgung und -vernichtung an. Er macht darin insgesamt deutlich, dass er die Argumente der Relativisten kennt und ernst nimmt, aber dass es seiner Meinung nach trotzdem unzählige Quellen gibt, aus denen man eine relative adäquate historische Darstellung entwickeln kann.

Dieser Versuch einer kontingenzbewussten und dennoch nicht relativistischen Geschichtsdarstellung soll im Folgenden genauer vorgestellt werden. Im expliziten Gegensatz zu White formulierte er 1992:

»[E]s ist die Bedeutung und Realität der modernen Katastrophen selbst, die uns nach einer neuen Stimme suchen lassen und es ist gerade nicht der Gebrauch einer bestimmten Stimme, die die Bedeutung dieser Katastrophen hervorbringt« (Friedländer, 1992, S. 10; Übersetzung A. K.).

Mit anderen Worten: Es ist der Holocaust, der eine spezifische Repräsentation verlangt, und es sind dann die einzelnen AutorInnen, die »geradezu daran verzweifeln« keine Beschreibung zu finden, in der der Holocaust »als etwas Unabänderliches – als unantastbare Wahrheit zumal – bewahrt werden kann« (Straub 1998, S. 127).

2.3   Den Ermordeten gerecht werden: Der Repräsentationsversuch von Saul Friedländer

Der Historiker Saul Friedländer ist einer der herausragendsten Akteure der Debatte um die Grenzen der Repräsentierbarkeit. Er weiß, wovon er spricht, denn er ist – meines Erachtens wie kaum ein anderer – sowohl Meister der historiografischen Darstellung als auch Meister der Reflexion der Darstellungsformen (einschließlich seiner eigenen).

Bereits 1990 brachte er zusammen mit Beatrice und Wulf Kansteiner viele der zentralen Positionen auf einer Konferenz mit dem Untertitel »Probing the Limits of Representation« miteinander in einen Dialog. Der gleichnamige Sammelband bietet einen guten Einblick in den damaligen Stand der Debatte. Friedländer fragt in der Einleitung, inwiefern es überhaupt angemessen sei, die Massenvernichtung der europäischen Juden zum Objekt theoretischer Diskussionen zu machen, und formuliert ein implizites Kriterium: Man dürfe den Horror hinter den Worten nicht vergessen. Erst unter dieser Voraussetzung kann es eine theoretische Diskussion und schließlich unterschiedliche Formen der Repräsentation geben:

> »In summation, the nature of the events we are dealing with may lead to various approaches in terms of representation, and the outright negation of most of them would not do justice to the *contradictory demands* raised by the evocation of this past« (Friedländer 1992, S. 6; Hv. im Original).

Mit diesem Verweis auf die widersprüchlichen Anforderungen, die dem Problem der Repräsentation des Holocaust inhärent sind, spricht er zugleich ein Grundprinzip an, das er in seiner eigenen historiografischen Darstellung verfolgt: Obwohl er einerseits mit seiner spezifischen Interpretation der Ereignisse (z. B. mit dem Konzept des »Erlösungsantisemitismus«) durchaus einen Sinn aufzeigen will, versucht er gleichzeitig permanent gegen eine zu glatte Interpretation anzuschreiben, indem er immer auch Widersprüche aufzeigt. Ich beziehe mich im Folgenden auf die beiden 1997 (deutsch: 1998) und 2006 erschienen Bände *Das Dritte Reich und die Juden*.

Im ersten Band behandelt Friedländer die Jahre 1933–1939 mit dem Untertitel *Die Jahre der Verfolgung*. Er nimmt in der Einleitung an mehreren Stellen Bezug auf das Problem, aktiv Sinn und Kausalität zu produzieren. Gerade weil man rückblickend wisse, wie alles endete, liege die Versuchung nahe, die Ereignisse so darzustellen, als sei alles linear auf die Massenvernichtung zugelaufen.

> »Die Geschichte NS-Deutschlands sollte nicht nur aus der Perspektive der Kriegsjahre und ihrer Greuel geschrieben werden, aber der dunkle Schatten, den die Dinge werfen, die in dieser Zeit geschahen, verfinstert die Vorkriegsjahre so sehr, dass ein Historiker nicht so tun kann, als beeinflussten die späteren Ereignisse nicht die Gewichtung des Materials und die Einschätzung des Gesamtablaufs der Geschichte. Die vom NS-Regime begangenen Verbrechen waren weder ein bloßes Ereignis eines zusammenhanglosen, unwillkürlichen und chaotischen Ansturms beziehungsloser Ereignisse noch eine vorherbestimmte Inszenierung eines dämonischen Drehbuches; sie waren das Resultat konvergierender Faktoren, Ergebnisse des Wechselspiels von Intentionen und

unvorhergesehenen Ereignissen, von wahrnehmbaren Ursachen und Zufall. Allgemeine ideologische Zielsetzungen und taktische politische Entscheidungen verstärkten sich gegenseitig und blieben, wenn sich die Umstände änderten, immer für radikalere Schritte offen« (Friedländer 1998, S. 15).

Hier bringt Friedländer seine geschichtswissenschaftliche Sicht auf die Ereignisse auf den Punkt und spricht die Probleme der Darstellung nur indirekt an. Aber er weiß um die Eigendynamik der Darstellung und setzt ganz bewusst bestimmte Formen der Darstellung ein, die einer glatten Lesart entgegenwirken sollen. Er macht dies auch transparent. In der Einleitung zu Band I (*Jahre der Verfolgung*) beschreibt er diese Darstellungsform als bewusste Entscheidung:

> »[Die] völlig verschiedenen Ebenen der Realität nebeneinanderzustellen – beispielsweise Diskussionen und Entscheidungen über antijüdische Politik auf höchster Ebene und daneben Szenen routinemäßiger Verfolgung –, und zwar mit dem Ziel, ein Gefühl der Verfremdung zu erzeugen, welches der Neigung entgegenwirkt, mittels nahtloser Erklärungen und standardisierter Wiedergaben dieser bestimmten Vergangenheit zu ›domestizieren‹ und ihre Wirkung abzuschwächen« (ebd., S. 16).

Er begründet diese Intention der Verfremdung damit, dass es eine Art Echo auf das Gefühl sei, das die Opfer in den Jahren der Verfolgung hatten:

> »Dieses Gefühl der Entfremdung scheint mir die Art und Weise zu reflektieren, in der die unglücklichen Opfer des Regimes zumindest während der dreißiger Jahre eine absurde und zugleich bedrohliche Realität wahrnahmen, eine durch und durch groteske und bedrückende Welt hinter der Fassade einer noch bedrückenderen Realität« (ebd.).

Friedländer betont hier das Groteske, die Pseudonormalität, das Bedrückende und die Entfremdung, die er mit seiner Darstellungsform vermitteln wolle und die der Stimmung der 30er-Jahre entspreche. Interessant ist, dass er in der Einleitung zum zweiten Band ebenfalls damit argumentiert, dass er eine glatte Erzählung aufsprengen will, für die *Jahre der Vernichtung* spricht er aber nicht mehr von »Entfremdung«, sondern von »Fassungslosigkeit«, die auch den Leser immer wieder erreichen solle.

Friedländer beginnt seinen zweiten Band mit der Geschichte einer Fotografie, die er beschreibt. Diese Fotografie zeigt einen jungen Mann, der gerade seinen Doktortitel der Medizin erhalten hat. Auf seinem Jackett sieht man die Aufschrift »Jood« und den aufgenähten Judenstern. Es handele sich, so erklärt Friedländer, um den letzten jüdischen Studenten an der Universität Amsterdam in der Zeit der deutschen Besatzung. Diese Erzählung über das Foto rahmt Friedländers Einführung, denn er kehrt am Ende derselben zu dem Foto zurück:

> »Wie alle Träger dieses Zeichens sollte der junge Doktor der Medizin von der Erdoberfläche verschwinden. Sobald man ihre Botschaft verstanden hat, löst diese Photographie Fassungslosigkeit aus. Sie ist eine quasi-instinktive Reaktion, ehe das Wissen sich einstellt, um sie sozusagen zu unterdrücken. Mit Fassungslosigkeit ist hier etwas gemeint, das aus der Tiefe der eigenen unmittelbaren Weltwahrnehmung aufsteigt, der Wahrnehmung dessen, was normal ist und was ›unglaublich‹ bleibt. Das Ziel des historischen Wissens besteht darin, die Fassungslosigkeit zu domestizieren, sie wegzuerklären. In diesem Buch möchte ich eine gründliche historische Untersuchung über die Vernichtung der Juden Europas vorlegen, ohne das anfängliche Gefühl der Fassungslosigkeit völlig zu beseitigen oder einzuhegen« (Friedländer 2006, S. 25).

Bereits in der Einleitung gelingt Friedländer, was er hier als seinen Wunsch beschreibt. Er vermittelt einerseits präzise das Konzept von dem, was er in dem Buch inhaltlich (historiografisch) unternimmt und holt zugleich durch die genaue Beschreibung des Fotos bereits in den ersten Seiten Schrecken und Kopfschütteln in den Text. Interessant ist seine Gegenüberstellung von einer »quasi-instinktiven Reaktion« und dem historischen Wissen, das die Gefühle bändigt.

In beiden Bänden äußert sich Friedländer zum Stellenwert der Aussagen von Opfern, wie sie vor allem in Tagbüchern erhalten seien. Dabei kritisiert er, dass die Opfer in vielen Darstellungen zu »einem abstrakten Element des Hintergrundes« (Friedländer 1998, S. 12) geworden seien. Friedländer hält ihre Stimmen jedoch für unverzichtbar. Und diese Feststellung hat bei ihm meines Erachtens sowohl eine geschichtswissenschaftliche wie auch eine ethische Dimension. So könne man an den Aufzeichnungen der Tagebuchschreiber z. B. erkennen, was man wusste und was man wissen konnte (vgl. ebd.). Man könne auch das Handeln der Nationalsozialisten nur dann in eine umfassende Perspektive rücken, wenn man Kenntnisse »vom Leben und nicht zuletzt von den Gefühlen der jüdischen Männer, Frauen und Kinder habe« (ebd.).

Im zweiten Band, und damit hinsichtlich der Jahre der Vernichtung, geht Friedländer noch ausführlicher auf die Bedeutung der Stimmen der Opfer ein. Er nimmt zunächst Bezug auf die von Raul Hilberg formulierte Skepsis gegenüber Tagbüchern als Quellen, die er nicht teile: Man könne die Tagebücher, bei denen es diesbezüglich Probleme gebe, schnell erkennen (vgl. Friedländer 2006). Dann wiederholt er drastischer als im ersten Band die Kritik an der

Vernachlässigung der Opferperspektive. »Bis heute hat man die individuelle Stimme vorwiegend als eine Spur wahrgenommen [,…] welche […] ihr Schicksal bestätigt und veranschaulicht« (ebd., S. 24). Darum allein könne es nicht gehen. Er spitzt das im Band I entfaltete Argument zu, indem er sagt, dass die *»Business-as-usual*-Historiographie« die massenhafte Vernichtung zwangsläufig domestiziere (ebd.; Hv. im Original).

Im folgenden Zitat wird noch einmal deutlich, inwiefern und wodurch Friedländer nicht nur ein Echo der Entfremdung wie im ersten Band hörbar machen will, sondern diesmal ein Echo des Entsetzens und der Fassungslosigkeit:

> »Jeder von uns nimmt die Wirkung der individuellen Stimmen anders wahr und jeder Mensch wird durch die unerwarteten Schreie und geflüsterten Worte, die uns immer wieder zwingen, abrupt innezuhalten, auf andere Weise herausgefordert. Einige beiläufige Reflexionen über bereits wohlbekannte Ereignisse mögen genügen, entweder infolge ihrer kraftvollen Beredsamkeit oder wegen ihrer hilflosen Ungeschicklichkeit; oftmals kann die Unmittelbarkeit des Schreies eines Zeugen, in dem Entsetzen, Verzweiflung oder unbegründete Hoffnung liegen, unsere emotionale Reaktion auslösen und unsere vorgängige gut geschützte Wahrnehmung extremer historischer Ereignisse erschüttern« (ebd., S. 24f.).

Friedländers Repräsentationsversuch verdeutlicht meines Erachtens insbesondere ein ethisches Problem: Dieses betrifft das Nachdenken über die mit »kollektivem Trauma« bezeichneten Phänomene generell, eröffnet aber auch eine spezifische Perspektive auf das Konstrukt »kollektives Trauma«. Ich lese Friedländer so, dass er den Stimmen der Opfer im Vergleich zu anderen Historiografien eine spezifische Würde zurückgeben möchte. Damit konfrontiert er die LeserInnen auch mit den ermordeten Opfern, die dadurch von der Peripherie der Illustration ins Zentrum der Aufmerksamkeit rücken. »Kollektives Trauma« dagegen stellt die Trauma-Opfer in den Vordergrund: Überlebende und in einem erweiterten Verständnis (Kap. I) auch deren Nachkommen.

Nachdem ich bisher die Perspektiven verschiedener Disziplinen skizziert habe, stelle ich im Folgenden zentrale psychologische Beiträge zum Nachdenken über »kollektives Erinnern« vor.

3 Kollektives Erinnern und (Sozial-)Psychologie

Nachdem ich die Grundlinien und die »Krise der Repräsentation« vor dem Hintergrund der interdisziplinären Breite des Diskurses dargestellt habe, skizziere ich im folgenden Abschnitt die spezifisch disziplinäre Perspektive der Psychologie. Wie im Detail gezeigt wird, lässt sich im Hinblick auf die Psychologie zutreffender von »kollektivem Erinnern«, »sozialem Erinnern« oder Geschichtsbewusstsein sprechen.

Zwar wird das Themenfeld durch die Konzentration auf eine disziplinäre Perspektive eingeschränkt, jedoch wird auch innerhalb der Psychologie eine relativ große Bandbreite von Phänomenen unter den Oberbegriff »kollektives Erinnern« gefasst. Sie reicht vom entwicklungspsychologischen Interesse dafür, wie Kinder – möglicherweise sehr kulturspezifisch – Erinnern lernen (vgl. Middleton/Edwards 1990; vgl. auch Nelson 2006; Middleton/Brown 2005; Straub 1998) bis zum sozialpsychologischen Interesse dafür, wie Menschen zu einer gemeinsamen Interpretation (»shared sense«) kollektiv relevanter Ereignisse kommen (Scotter 1990). Es liegt nahe, dieses weite Feld durch Klassifikationsversuche zu strukturieren. Allerdings handelt es sich, wie ich unter Bezug auf Welzer bereits ausführte, bei den als unterscheidbar klassifizierten Formen mehr um Ebenen oder Dimensionen, die sich in der empirischen Realität (der sozialen Erinnerungspraxis) vielfältig überlagern, was eine theoretische Abgrenzung erschwert. In der folgenden Darstellung unternehme ich eine Unterscheidung in »empirische Phänomene« (3.1.) und analytisch-theoretische Kategorien (3.2.). In einem dritten Abschnitt stelle ich den Ansatz der narrativen Psychologie als zentrale theoretische Position dar, mit der verschiedene Phänomene kollektiven Erinnerns erklärt werden können (3.3.).

3.1   Untersuchungsfelder:
Wo findet kollektives Erinnern statt?

Der Prozess des kollektiven bzw. sozialen Erinnerns ist dasjenige Teilgebiet, das wissenschaftlich am schwierigsten zu erfassen ist (vgl. Welzer 2001b). Die Frage, *wie* »kollektives Erinnern« überhaupt beforscht werden kann, soll hier in einem ersten Schritt dadurch beantwortet werden, dass gezeigt wird, *wo* es untersucht wird.

Familien und soziale Erinnerungspraxis

Ein häufiger Untersuchungsgegenstand sind Familien.

So fanden etwa Harald Welzer (Welzer et al. 2002; vgl. Welzer 2001a) 40 Familien, in denen jeweils Angehörige aus drei Generationen dazu bereit waren, sich in Einzel- und Familieninterviews dazu befragen zu lassen, was in der Familie in der NS-Zeit erlebt wurde bzw. was davon erzählt wird.[32] In der Auswertung der insgesamt 142 Interviews interessierte sowohl der Inhalt von insgesamt 2.535 kleineren Geschichten als auch der Prozess der Interviewführung selbst: Die Geschichten wurden einer Typologie zugeordnet und es wurde analysiert, wie sich die Geschichten nach Art der »Stillen Post« über die Generationen verändern. Außerdem wurden die Interview-Interaktionen dahingehend analysiert, wie Familienmitglieder und Interviewer an der Re-Produktion der Geschichten beteiligt sind. Einerseits verändern Interviewer die natürliche Erinnerungspraxis der konkreten Familie, andererseits stellt dies eine zusätzliche Erkenntnischance dar (vgl. Welzer/Jensen 2003). Da die Interviewer Angehörige einer bestimmten Generation (meist der Enkelgeneration) des gleichen »Kollektivs« sind, zeigt sich in ihrem Verhalten, inwiefern bestimmte Kommunikationsformen nicht nur spezifisch für den jeweiligen Einzelfall (die jeweilige Familie) sind, sondern insgesamt typische kollektive Muster abgebildet werden.

Der britische Sozialpsychologe Michael Billig führte ebenfalls eine Studie mit über 40 Familien durch mit der Fragestellung, wie britische Familien über die Königliche Familien sprechen (Billig 1990, S. 65). Billig interessierte sich dafür, wie in Familien Ideologie reproduziert wird, wie die einzelnen Mitglieder sich dabei gegenseitig zu überzeugen versuchen, und welche linguistische Pragmatik bzw. Rhetorik sie verwenden. Dabei wurde unter anderem die »Rhetorik des Erinnerns« analysiert. Als besonders interessant hebt Billig die »tenuous brushs with Royalty«, kleine persönliche Erinnerungen an eigene zufällige »Begegnungen« mit der Königlichen Familie hervor. Hier trifft sich die gemeinsame Familienerinnerung mit dem kollektiven »Eigentum« Königliche Familie, das eine kollektive Vergangenheit repräsentiere: Menschen glauben, dass sie die Queen besitzen, so wie sie die Geschichte ihrer Gruppe besitzen. Die Königliche Familie steht für die Kontinuität von Geschichte. Darüber hinaus interessiert sich Billig auch dafür, wie Familien die Frage diskutieren, »ob es früher besser war« und zeigt, dass progressive und nostalgische Narrationen von der gleichen Person je nach Kommunikationsziel eingesetzt werden.

Obwohl von der Geschichtsdidaktik inspiriert, lässt sich hier ebenfalls Samuel Wineburgs groß angelegte Längsschnittstudie »zu der Frage [...], wie ›normale‹ Menschen ihr Leben als geschichtliche Wesen begreifen« (Wineburg 2001b, S. 187) zuordnen. Wineburg interviewte 15 Jugendliche aus dem Großraum Seattle (USA) jeweils alleine und mit ihren Eltern.

»Mit dem Vietnamkrieg wollten wir ein historisches Ereignis ansprechen, das von den Eltern in ihrer eigenen Lebenszeit erlebt wurde, für ihre Kinder aber bereits Geschichte geworden war – wenn man will, geht es hier um den Unterschied zwischen *gelebter Erinnerung* und *gelernter Erinnerung*« (Wineburg 2001b, S. 189; Hv. im Original).

Primäres Ziel sei gewesen, eine Generation mit der anderen über ein Ereignis von historischer Bedeutung sprechen zu lassen.

Eine weitere Variante von Familienuntersuchungen zum sozialen Erinnern stellen die sogenannten Familienbeobachtungen dar. Hierbei wird untersucht, wie Bezugspersonen Kindern Erinnern beibringen. So zeichneten Middleton und Edwards Familiengespräche auf, in denen Mütter oder Väter jeweils mit vier- bis sechsjährigen Kindern (Geschwisterpaaren) Fotoalben der Familie ansahen, die Fotos kommentierten und in Interaktion über die Erinnerung traten. Middleton und Edwards interessieren sich hier vor allem für die verwendeten Metakognitionen und dafür, wie Kinder hier lernen Sinn zu konstruieren (»making sense of the past«) (Middleton/Edwards 1990a, S. 39). Middleton und Edwards verfolgen diese Fragestellung innerhalb ihres generellen Interesses für »conversational remembering«. Viele andere, insbesondere entwicklungspsychologische Autoren interessieren sich für die entwicklungspsychologische Bedeutung dieses »memory talk« (vgl. Nelson 2006; Siegel 2006)

SCHULKLASSEN

Ebenfalls unter dem Fokus »conversational remembering« werden von Middleton und Edwards typische Interaktionssequenzen im Schulunterricht untersucht. Middleton und Edwards interessiert die für den Schulunterricht so typische Situation des gemeinsamen Rekonstruierens unter der Leitfrage »Was haben wir gestern gelernt?«. Ähnlich wie Billig in der oben zitierten Untersuchung untersuchen die Autoren hier vor allem den Zusammenhang zwischen Kommunikationsziel und sozialer Erinnerung und zeigen, wie sehr in dieser spezifischen Situation das Ziel im Vordergrund stehe: Es gehe nicht darum, wie es wirklich gewesen sei, sondern um das zu wiederholende Lernziel (»wie es hätte sein sollen«). Andere Autoren nutzen Schulklassenbeobachtungen explizit zur Untersuchung historischer Sinnbildung (vgl. Seixas 2004, 1998; Wineburg 2001a).

Quasi-natürliche Erinnerungsgemeinschaften

Einen weiteren typischen Forschungsgegenstand für »kollektives Erinnern« bilden Gruppen, die explizit für die Forschung zusammengestellt und dann zum gemeinsamen Erinnern aufgefordert werden. Wie in der Methode der Gruppendiskussion generell üblich, werden dabei im Sinne der ökologischen Validität Gruppen zusammengestellt, deren Mitglieder sich kennen, sodass die Forschungssituation der natürlichen Interaktion zumindest möglichst ähnlich bleibt. So führten etwa Middleton und Edwards eine Gruppe von Studierenden zusammen, die aufgefordert wurden, sich gemeinsam an die Fernsehserie E. T. zu erinnern: eine Situation, die unter Studierenden damals auch als Bestandteil alltäglicher Unterhaltung vorkommen konnte. Middleton und Edwards interessierte wiederum der Einsatz sprachlicher Mittel und die Art und Weise, wie die Studierenden sich gegenseitig beim Erinnern unterstützen und damit eine im engern Sinne gemeinsame Version produzieren (Middleton/Edwards 1990a).

Eine ebenfalls quasi-natürliche Erinnerungsgemeinschaft untersuchte Kyoko Murakami: Sie befragte eine Gruppe Britischer Veteranen, die im zweiten Weltkrieg in japanischer Kriegsgefangenschaft waren und 50 Jahre später eine gemeinsame Reise nach Japan unternahmen (Middleton/Brown 2005, S. 133; vgl. Murakami 2001). Hierbei handelt es sich einerseits um eine relativ natürliche Situation – die Veteranen werden sich auch auf der Reise nach Japan über die jeweiligen Erinnerungen und deren Bedeutung unterhalten haben, andererseits schafft die japanischstämmige Interviewerin allein durch ihre sichtbare Zugehörigkeit eine besondere Konstellation. Murakami arbeitet in der Auswertung dieser Studie insbesondere heraus, wie die Veteranen ihre Erzählungen durch japanische Worte und den auffallend starken Einsatz von Gesten (Körpersprache) unterstreichen und die Erinnerung so geradezu spürbar in den Raum holen (ebd.).

Kollektive Erinnerung an relevante Ereignisse und Personen

Es existiert noch ein weiterer psychologischer Forschungsstrang, der am »kollektiven Gedächtnis« im Sinne von Erinnerungen an kollektiv relevante (meist politische) Ereignisse interessiert ist. Im Unterschied zu den bereits vorgestellten Studien über konkrete Erinnerungsgemeinschaften, werden hier andere Zugänge, meist quantitativ messbare Anzeichen für kollektives Erinnern gesucht. Meist geht es dabei nicht um komplexere geschichtliche Episoden (wie den Vietnamkrieg oder die NS-Zeit), sondern einzelne – oft ermordete – historische Personen oder einschneidende Naturkatastrophen stehen hier im Vordergrund. Die meisten dieser Untersuchungen suchen nach Gruppenunterschieden in der Erinnerung an solche Ereignisse. So fanden etwa Gaskell und Wright (1997) in einer Studie nach dem Rücktritt Margaret Thatchers zwar nicht den erwarteten Generationeneffekt, stellten aber dennoch fest, dass die wahrgenommene Wichtigkeit, Klarheit der Darstellung und Emotion mit der Klassenzugehörigkeit (operationalisiert als »occupational status«) variierten. Brown und Kulik (1973) erforschten einige Jahre nach der Ermordung John F. Kennedys die persönlichen Erinnerungen an die Konfrontation mit dieser Information (Erinnern Sie sich, wie Sie von der Ermordung erfahren haben?). Die Befragten erinnerten sich verblüffend detailliert an den Kontext, etwa was sie als Erstes fühlten, wo genau sie waren. Brown und Kulik schätzten diese Erinnerungen so spezifisch ein, dass sie ihnen eine eigene Bezeichnung gaben: »flashbulb memories« (Brown/Kulik 1977, S. 176). Untersucht wird in diesem Kontext auch, in welchem Ausmaß solche Ereignisse zur Errichtung von Denkmälern oder der Benennung von Straßen führen.

Eine methodisch vielseitige Fallstudie zu diesem Gegenstandsbereich legte Barry Schwartz (1992) vor. Er untersuchte an Hand von historischem Quellenmaterial (Predigten, Zeitungsartikel, Sekundäranalysen von Zeitzeugenberichten etc.), wie sich die Bedeutung Lincolns für das kollektive Gedächtnis in den Monaten nach seinem Tod und in den folgenden Jahrzehnten veränderte. So habe ein Zeitgenosse 1913 festgestellt, dass die Hommage an Lincoln ein halbes Jahrhundert nach seinem Tod viel stärker sei als nach einem Vierteljahrhundert (vgl. Schwartz 1990, S. 91), ein anderer habe ebenfalls 1913 festgestellt, dass es plötzlich zum geflügelten Wort geworden sei zu sagen: »We are doing just what Lincoln would do if he were living« (zit. nach ebd.). Außerdem untersuchte Schwartz quantitativ, wie sich die Anzahl der Artikel zum Thema Lincoln in verschiedenen wichtigen Zeitschriften veränderte.

Individuen als Untersuchungsgegenstand: Geschichtsbewusstsein

Geschichtsbewusstsein überschneidet sich mit bereits dargestellten Gegenständen und ist zugleich ein eigenständiger Untersuchungsgegenstand: So stand in der zitierten Studie von Welzer (2002) die soziale Interaktionspraxis in den Familien im Vordergrund, während Wineburg diese Interaktionspraxis auch im Hinblick darauf analysierte, wie sie das Geschichtsbewusstsein von Jugendlichen sowohl widerspiegelt als auch prägt. In einer weiteren Studie untersuchte Wineburg (Wineburg 1998) historische Sinnbildung (zu den unterschiedlichen Begriffen s. u.) explizit als individuelle Kompetenz, indem er zwei Geschichtsprofessoren bei ihrer Tätigkeit »beobachtete« und ihre Reaktionen mit denen von Geschichtsstudenten verglich. Den Probanden wurden verschiedene historische Dokumente vorgelegt und sie wurden aufgefordert laut auszusprechen, was ihnen zu diesen Dokumenten jeweils durch den Kopf ging. Dieses »laute Denken« wurde auf Tonband aufgezeichnet und an Hand der ausgesprochenen Gedanken wurde versucht zu rekonstruieren, wie die historische Sinnbildung bei Profi-Historikern im Vergleich zu Studierenden abläuft.

3.2   Erinnerungsformen: *Was* findet statt?

Nach diesem Überblick über die Forschungsfelder wird nun dargestellt, welche unterschiedlichen Formen kollektiven Erinnerns einzelne Autoren in ihren Untersuchungen differenzieren.

Soziales Erinnern (Remembering Together)

In ihrem Versuch, Ebenen von kollektivem Gedächtnis zu unterscheiden, identifizieren Middleton und Edwards »remembering together« als eigene Kategorie. Zwar klinge es auf den ersten Blick banal, dass Menschen als soziale Wesen sich auch gemeinsam erinnern, sie betonen jedoch die spezifische Beziehungsdynamik. Beim gemeinsamen Erinnern sie das Ganze nicht die Summe seiner Teile, sondern ein eigenständiges integriertes Gedächtnissystem (Middleton/Edwards, 1990b, S.3). Es werden nicht einfach nur einzelne Erinnerungen wie in einen gemeinsamen »pool« zusammengeworfen, sondern »remembering together« ist eine »gemeinsame Verfertigung von Vergangenheit im Gespräch« (Welzer) oder wie Middleton und Edwards anschaulich zusammenfassen: »Wenn Menschen auf Hochzeiten und Beerdigungen geteilte Erfahrungen von Zeiten des Glücks und Zeiten des Traumas miteinander teilen, dann bildet das, was dort erinnert wird [,…] die Basis zukünftigen Erinnerns« (Middleton/Edwards 1990b, S. 7; Übersetzung A. K.). Im kommunikativen Wettstreit verschiedener Versionen der Vergangenheit entdecken Menschen Merkmale der Vergangenheit, auf die sie bei zukünftigen Gelegenheiten gemeinsamen Erinnerns zurückgreifen werden.

Absichtsloses Erinnern: doing history

Familienfeste sind auch für Welzer typische Orte des »sozialen Gedächtnisses«. In seinen grundsätzlichen Überlegungen bezeichnet er das soziale Gedächtnis als dritte Variante neben dem kulturellen und dem kommunikativen. Dieses sei vor allem durch seine »Absichtslosigkeit« gekennzeichnet. Er definiert vier Medien dieser sozialen Praxis der Vergangenheitsbildung und führt aus: »Interaktionen, Aufzeichnungen, Bilder und Räume und zwar jeweils solche, die im Unterschied zu ihrem Auftreten im kulturellen und kommunikativen Gedächtnis *nicht* zu Zwecken der Traditionsbildung verfertigt wurden, gleichwohl aber Geschichte transportieren und im sozialen Gebrauch Vergangenheit bilden« (Welzer 2001b, S. 16; Hv. im Original). Als typisches Beispiel nennt Welzer die Erzählung persönlicher Erlebnisse der Großeltern (etwa deren Kennenlerngeschichte), die neben dem Plot der Geschichte – sozusagen im Hintergrund der Erzählung – implizite Informationen über die historischen Umstände enthalte: »Kommunikative Tradierung von Vergangenheit transportiert Geschichte en passant, von den Sprechern unbemerkt, beiläufig, absichtslos« (ebd., S. 17). Welzer schließt seine Definition mit einem Plädoyer, die Aufmerksamkeit stärker auf diese nicht-intentionalen Praktiken zu lenken, die Menschen womöglich mehr zu »geschichtlichen Wesen« machen als ihre aktive Auseinandersetzung mit Vergangenheit. Ähnlich wie beim alltäglichen meist unbeabsichtigten »doing gender« spricht Welzer von »doing history«.

RHETORIK DES ERINNERNS

Während Welzer die Absichtslosigkeit als das zentrale Kriterium sozialen Erinnerns herausarbeitet, betonen verschiedene Autoren in dem bereits mehrfach zitierten Sammelband *Collective Remembering* (Middleton/Edwards 1990; vgl. Middleton/Brown 2005), wie sehr die alltägliche Interaktion – also auch das alltägliche beiläufige Erinnern – Deutung transportiert (vgl. Young 1992). Die Autoren nennen das die Überzeugungsfunktion (»persuasive function of language«). Scotter führt dazu aus:

> »I want to emphasize here the capacity of speech bodily to ›move‹ people, its power to affect their behaviour and perceptions in some mysterious (and dangerous, non cognitive way …). Secondly, the other more unfamiliar aspect of rhetoric is to do with the poetic [...] powers of language to ›give‹ or ›lend‹ a *first form* to what are in fact only vaguely or partially ordered feelings and activities, to give a shared *sense* to already shared circumstances (before one can turn in any Cartesian sense to an intelligible formulation of any doubts about them)« (Scotter 1990, S. 10).

Dies steht nicht im Widerspruch zu Welzers Feststellung, sondern stellt eine andere Akzentsetzung dar. Scotter (1990), Billig (1990), Middleton und Edwards (1990) sprechen ebenfalls nicht von bewusster, sondern eher beiläufiger

Traditionsbildung, sie heben dabei die rhetorische Funktion stärker hervor. Umgekehrt geht Welzer in der konkreten Analyse der oben erwähnten Familiengespräche darauf ein, wie sehr bestimmte Familienerzählungen die Funktion haben, sich zu entlasten und in ein besonders gutes Licht zu rücken. In diesem Sinne ist das Wort »absichtslos« missverständlich und nicht ganz glücklich gewählt, da die Abgrenzungsfolie bei Welzer nicht so sehr die Absicht, sondern die bewusste Traditionsbildung ist.

ALLES ERINNERN IST SOZIAL
(SOCIAL FOUNDATION OF INDIVIDUAL MEMORY)

Weiter oben wurde beschrieben, wie sehr soziales Erinnern die Basis für zukünftiges Erinnern ist. Dies gilt nicht nur für erneute soziale Situationen – die nächste Hochzeit oder die nächste Beerdigung – sondern für Erinnern überhaupt, d. h. auch für das (scheinbar) individuelle Gedächtnis. Kinder und auch noch Erwachsene lernen in sozialen Interaktionen, an was man sich erinnern sollte (»what to remember«). Im Grunde ist das eine erinnerungstheoretische Reformulierung der Grundannahme des symbolischen Interaktionismus: So wie Menschen in Interaktionen insgesamt aushandeln, welche Bedeutung sie Objekten verleihen wollen, so handeln sie auch aus, welche Bedeutung vergangene Ereignisse haben, an welche Details man sich erinnert und welche man vergisst. Für den hier interessierenden Klassifikationsversuch ist wichtig, dass dadurch der Dualismus zwischen individuellem und kollektivem Gedächtnis aufgesprengt wird: Das individuelle Gedächtnis ist somit ein »soziales Gedächtnis« oder wie Welzer in seiner Re-defintion des Assmanschen Begriffs ausführt: Das individuelle Gedächtnis ist ein »kommunikatives Gedächtnis«, da im Gedächtnis nicht – wie in der reduktionistischen Gehirn-Computer-Analogie – Informationen verarbeitet würden, sondern Bedeutungen, die in Kommunikation ausgehandelt wurden (vgl. Welzer 2002).

ALLES SOZIALE IST ERINNERUNG: SOZIALE PRAXEN UND GEDÄCHTNIS

Als Analyseebene bzw. als Thema des Forschungsfelds »kollektives Erinnern« lässt sich auch die komplementäre Aussage formulieren: Jede soziale Praxis kann auch als Form von Erinnern analysiert werden, denn die Kontinuität des Zusammenlebens hat damit zu tun, dass sich Menschen daran erinnern, wie man bestimmte Dinge tut. Unsere Welt, so Middleton und Edwards, sei durch und durch von Bezügen auf die Vergangenheit durchdrungen (vgl. Middleton/Edwards 1990b, S. 10).

Die Autoren erinnern an dieser Stelle daran, dass Halbwachs (1985) diese Beobachtung bereits mit der schönen Metapher auf den Punkt gebracht hatte, dass wir, ohne es zu bemerken, immer ein »Echo« seien. Durch eine solche Sichtweise dehnt sich der Gegenstand (sozial-)psychologischen Interesses am kollektiven Erinnern ins fast Uferlose aus, jedoch sollte diese Analysekategorie hier nicht nur der Vollständigkeit halber erwähnt werden, sondern auch, weil sie darauf aufmerksam macht, dass der alltägliche Rückgriff auf Erinnertes im Dienste der Orientierung in der Gegenwart nicht die Ausnahme sondern die Regel, eben das Alltägliche ist. Dieser Hinweis scheint gerade auch für die Auseinandersetzung mit »kollektiven Traumata« relevant, da hier die Gefahr besteht, die Deutung der Gegenwart aus der Vergangenheit zu sehr als etwas Traumaspezifisches anzusehen.

Gedenken (commemoration)

Von besonderer Relevanz für das Nachdenken über »kollektives Trauma« ist eine weitere Form »kollektiven Erinnerns«, das unter dem Begriff »Gedenken« (commemoration) gefasst werden kann. Das Wort »Gedenken« weckt im Deutschen viel stärker als das englische »commemoration« die Assoziation sowohl an die jüdische, religiös begründete Verpflichtung zum Gedenken (vgl. Yerushalmi 1996), als auch die Assoziation an Gedenkorte wie KZ-Gedenkstätten. Anders als im Englischen ist der Begriff im Deutschen daher vor allem auf das Totengedenken bzw. Gedenken an Opfer eingeengt, während »commemoration« auch das Erinnern an Erfreuliches beinhaltet. Aus diesen Gründen verwende ich im Folgenden den Begriff »commemoration«. Im Kontext meiner Argumentation ist vor allem die Feststellung von Bedeutung, dass es eine Form kollektiven Erinnerns gibt, die sich auch in analytischer Hinsicht deutlich von den bisher dargestellten Formen unterscheidet. Bisher wurde vor allem der Rekonstruktionscharakter des kollektiven Erinnerns angesprochen, der Umgang mit der Vergangenheit als Prozess des »gemeinsamen Verfertigens« beschrieben, in dem die einzelnen Teilnehmer u. a. mithilfe rhetorischer Mittel argumentieren, wie diese Vergangenheit zu deuten sei, wer z. B. schuld sei oder wer ein besonderer Held in dieser Geschichte sei. Das Ergebnis dieser kommunikativen Auseinandersetzung ist zwar nicht gänzlich offen, prinzipiell ist jedoch als Ergebnis der Auseinandersetzung einer konkreten Erinnerungsgemeinschaft eine Bandbreite von Interpretationen denkbar, und diese Interpretation hat den Charakter des Vorläufigen und Revidierbaren.

Ganz anders ist dies beim Gedenken/Commemoration. Im Definitionsversuch von Middleton und Edwards erinnern und feiern Menschen Ereignisse oder Personen, die für ihr kollektives Selbstverständnis bzw. ihre kulturelle Identität zentral sind (vgl. Middleton/Edwards 1990b, S. 8). Bei der commemoration/Gedenken, geht es nicht mehr darum, zu streiten, *wie es war*, sondern zu feiern, oder zu betrauern, *dass es war*. Die Ereignisse selbst sind genau genommen gar nicht mehr Gegenstand des Erinnerns, zumindest nicht Gegenstand von sozialer Auseinandersetzung, denn Commemoration will eine einheitliche Interpretation (»silences the contrary interpretations of the past« (ebd.)). Das oben erwähnte Beispiel der Erinnerung an Lincoln kann ebenfalls als Form von »commemoration« gesehen werden. Wie Schwartz zeigt, bedeutet dies dennoch nicht, dass das Bild dessen, was erinnert wird, über die Jahrzehnte gänzlich unverändert bleibt. Es bleibt eine Spannung zwischen unveränderlichen und veränderlichen Anteilen dieser gefeierten/betrauerten Geschichte erhalten. Der wichtige Unterschied liegt darin, dass es in der sozialen Situation des »Gedenkens/commemoration« nicht um Rekonstruktion und Zweifel geht, sondern um das Feiern/Betrauern einer Version der Vergangenheit, auf die sich Menschen zumindest mittelfristig geeinigt haben. Dass dies zugleich ein gutes Beispiel dafür ist, wie sich die verschiedenen Analyseebenen in der empirischen Realität überlagern können, zeigt die Erfahrung mit Gedenkstätten, die sich häufig bewusst als Lern- und Gedenkort verstehen (vgl. Kühner/Langer 2008).

GESCHICHTSBEWUSSTSEIN ALS HISTORISCHE SINNBILDUNG

Geschichtsbewusstsein ist sowohl Untersuchungsgegenstand (in Bezug auf Individuen, s. o.) als auch übergeordnete »theoretische Kategorie«. Wie zu kollektivem Gedächtnis gibt es zur Frage des Geschichtsbewusstseins einen interdisziplinären Diskurs, darüber hinaus bestehen zwischen beiden Themen vielfältige Überschneidungen. Die Vielschichtigkeit zeigt sich bereits an den verschiedenen Variationen des Schlüsselbegriffs: So lautet ein Standardwerk *Theorizing Historical Consciousness* (Seixas 2004), ein anderes *Historical Thinking and Other Unnatural Acts* (Wineburg 2001a) und für den deutschen Sprachgebrauch schlägt Karl-Ernst Jeismann vor, zwischen »Geschichtsverlangen«, »Geschichtsbild«, »historischem Verstehen« und schließlich »Geschichtsbewusstsein« als einer Art Überbegriff zu unterscheiden (Jeismann 1988). Bewusstsein, Verlangen und Verstehen verweisen auf unterschiedliche psychologische Themen. Wie Wineburg in seinem historischen Überblick über psychologische Forschung zu Geschichtsbewusstsein ausführt, war jedoch ein großer Teil der psychologischen Forschung zunächst behavioristisch, dann kognitionspsychologisch (vgl. Wineburg 2001b). Straub (1998a) konstatiert dementsprechend ein markantes Defizit in der psychologischen Befassung mit »Geschichte« und schlägt vor:

> »Die Frage nach der ›Geschichte‹ stellt sich in dieser [psychologischen, A. K.] Perspektive vornehmlich als Frage nach der Struktur, der Logik und der Entwicklung *historisch-narrativer Kompetenz* sowie nach den Funktionen dieser Fähigkeit für die praktische Orientierungs- und Identitätsbildung von Subjekten, Kollektiven und Kulturen« (Straub 1998a, Klappentext).

Interessant ist im Kontext meiner Fragestellung hier vor allem der Bezug auf Kollektive und Kulturen, der in folgender Definition noch deutlicher ist: »Was das biographische Denken auf der Ebene der individuellen Lebensgeschichte vollbringt, versucht das historische im Hinblick auf kollektive Erfahrungen und Erwartungen, Veränderungen und Entwicklungen« (Straub 1998a, S. 165f.). Insgesamt plädiert Straub in seinem in systematisierender Absicht verfassten Überblicksartikel dafür, von einer Psychologie »historischer Sinnbildung« zu sprechen, die eine rationale (Geschichtsbewusstsein, Geschichtsdenken und historische Vernunft) und eine latente (unbewusste) Ebene umfasse (vgl. ebd., S. 167).

Was Straub hier skizziert, ist im Grunde eine umfassendere psychologische Theorie historischer Sinnbildung, die psychoanalytische Zugänge in das systematische Nachdenken über Geschichtsbewusstsein integrieren würde. Ein solcher integrativer Ansatz steht m. E. nach wie vor aus. Ich beschränke mich hier auf die narrative Psychologie als die zentrale *psychologische* theoretische Position nicht nur für Geschichtsbewusstsein (vgl. Straub 1998a), sondern vor allem für »kollektives Erinnern«.

3.3   Narrative Psychologie und »temporale Sinnbildung«

Da ich das Konzept der »Narration« als ein mögliches Schlüsselkonzept der Theoretisierung »kollektiver Traumata« ansehe, tauchte es bereits an verschiedenen Stellen der vorliegenden Arbeit auf. So wurde im Kapitel II argumentiert, dass bestimmte Narrationen besonders anschlussfähig an Ichideale sein könnten und sich deshalb möglicherweise gut für massenpsychologische Aktivierung eignen. Individuelle wie kollektive Identitäten (Kapitel III) lassen sich als »Erzählungen des Selbst« (vgl. Kraus 1996) oder »Erzählungen der Gruppe« beschreiben und die »narrative Psychologie« kann als Antwort der Psychologie auf den in Kapitel III ausführlich dargestellten »linguistic turn« verstanden werden (vgl. Polkinghorne 1998). An dieser Stelle soll nun der im engeren Sinne psychologische Beitrag zum transdisziplinären Diskurs über Narrationen genauer dargestellt werden, wobei ich mich auf deren Beitrag zur »temporalen Sinnbildung« konzentriere. Diesen Begriff verwende ich in Anlehnung an Straub (1998a) als Überbegriff, der sowohl das individuelle autobiografische Gedächtnis (autobiografisches Denken) als auch das hier vor allem interessierende kollektive Gedächtnis (historisches Denken) umfasst.

NARRATIVE BEDEUTUNGSKONSTRUKTION
ALS GRUNDLEGENDE KOMPETENZ

Der Ausgangspunkt der narrativen Psychologie lässt sich in Anschluss daran formulieren, dass die geistige Aktivität von Menschen in erster Linie als »Konstruktion von Bedeutung« verstanden werden kann (vgl. Welzer). Mit Jerome Bruner (1998, S. 46) gesprochen, lautet eine zentrale Frage, »wie es gewöhnliche Menschen bewerkstelligen, ihren Erfahrungen Bedeutung zuzuweisen«. Man sehe inzwischen, dass das Denken – anders als von Piaget ursprünglich angenommen – sehr bereichsspezifisch sei und »dass diese so genannten Bereiche je eigene Welten sind, in denen ›lokale‹ Heuristiken […] am Werke sind« (ebd., S. 49). Die Konstruktion von Bedeutung sei dabei *erstens* jeweils innerhalb des Bereiches stimmig und orientiere sich *zweitens* daran, welche Bedeutungen sinnvoll – im Sinne von »funktional« – für das weitere Handeln seien. In diesem Sinne lässt sich analytisch zwischen der bereichsspezifischen *Konstruktion/Entstehung von Bedeutung* und der weiteren *Nutzbarkeit/ Funktion von Bedeutung* unterscheiden. Diese Trennung ist analytisch, da letztendlich beide Ebenen die Konstruktion bestimmen.

Diese Aussagen betreffen generell die Herstellung von Bedeutung, wie sie Bruner in seinem Hauptwerk *Acts of Meaning* (1990) theoretisiert. Bruner unterscheidet darin einen paradigmatischen (oder logisch-szientistischen) und einen narrativen Modus des Denkens, wobei für die hier interessierende »temporale Sinnbildung« der narrative Denk-Modus zentral sei. Das Interesse Bruners und der narrativen Psychologie ist somit sowohl kognitionspsychologisch als auch sozialpsychologisch.

Entscheidend ist dabei die Beobachtung, dass Kinder lernen, Erlebnisse narrativ zu strukturieren, d. h. Ereignisse als Bestandteile einer Geschichte zu erleben, zu deren Entfaltung sie beitragen: »Infolgedessen tritt die Welt nicht als ein stetiger Fluß ohne Bedeutung in Erscheinung, sondern immer schon als sinnhaft organisiert, als eine Welt benannter oder benennbarer Dinge und als zweckvoll sich in der Zeit entfaltender Prozeß« (Polkinghorne 1998, S. 17). Diese Narrativierung wirkt doppelt: Man kann beobachten, wie Kinder mithilfe ihrer Bezugspersonen in der sozialen Interaktion lernen, das Erlebte in die Form von Geschichten zu bringen und die narrativen Psychologen nehmen außerdem an, dass bereits das Erleben selbst narrativ strukturiert ist. Allerdings ist zwischen den verschiedenen theoretischen Positionen strittig und letztendlich (noch) nicht beweisbar, ob und wie sehr narrative Strukturierung »angeboren« ist und wie sehr sie durch soziale Interaktion erworben wird.

Kulturspezifische wohlgeformte Erzählungen

Es besteht jedoch weitgehend Einigkeit darüber, dass Kinder, wenn nicht bereits die narrative Struktur an sich, so doch auf jeden Fall die Merkmale einer »guten« Geschichte sozial erlernen. Diese Merkmale sind zutiefst kultur- und kontextspezifisch. Kinder lernen nicht nur die kulturellen Standards für eine gute Geschichte, sondern sie lernen sukzessive, Geschichten in der jeweils sozial angemessenen Weise zu präsentieren, also die richtige Geschichte der richtigen Person im richtigen Moment zu erzählen (vgl. Middleton/Edwards 1990a). Für Kinder betrifft dies zunächst die Präsentation eigener Erlebnisse, d.h. das autobiografische Denken oder Erinnern. Wenn autobiografisches und historisches Denken »verschwisterte« Unterformen temporaler Sinnbildung (vgl. Straub 1998) sind, dann gilt diese Aussage ganz generell: Sowohl individuelle als auch kollektiv relevante narrative Darstellungen folgen in Struktur und Präsentation zeitgenössischen und kulturellen Konventionen. In einem Überblicksartikel stellt Kenneth Gergen, einer der zentralen Vertreter der narrativen Psychologie, sechs Kriterien einer für die heutige westliche Welt verständlichen Erzählung vor, die an analoge Bemühungen aus dem Feld der Literaturtheorie, der Semiotik, der Sozialwissenschaften und insbesondere der Historiografie anknüpfen:

1. Die Geschichte muss einen »springenden« Punkt haben, d.h. ein zu vermeidendes oder zu erreichendes, in diesem Sinne werthaltiges Ergebnis (valorativer Endpunkt).
2. In der Erzählung werden die für das Ergebnis wichtigen Erlebnisse ausgewählt.
3. Die Einzelereignisse werden geordnet (meist linear) dargestellt.
4. Die Charaktere besitzen eine kohärente Identität.
5. Die ideale Erzählung liefert kausale Erklärungen.
6. Die meisten Erzählungen enthalten einen typischen Anfang und typisches Ende, und folgen den drei Grundformen der progressiven, regressiven oder Stabilitätserzählung (vgl. Gergen 1998, S. 171–182).

Solche kulturellen Konventionen sind sozialpsychologisch sehr relevant: Mitglieder derselben Kultur tendieren dazu, ihre gelebte Erfahrung in dieser Weise als konventionelle Erzählungen zu erleben, diese dann auch so zu erinnern und diese Erinnerungen wiederum als konventionelle Erzählungen mitzuteilen (vgl. Welzer 2006).

Wahrheit (Repräsentation) versus soziale Funktion

Für meine Argumentation besonders relevant ist hier das Verhältnis von Wahrheit und Akzeptanz bzw. von Wahrheit und der sozialen Funktion der

Narration: Entgegen der verbreiteten intuitiven Annahme, dass Erzählungen in der Regel korrekte und wahrhaftige Wiedergabe des Erlebten (Repräsentation) sind, machen die narrativen Psychologen darauf aufmerksam, dass es vor allem um die kontextspezifische kommunikative Funktion gehe. Diese Funktion könne unter Umständen durch eine wohlgeformte Lüge oder eine halbwahre wohlgeformte Geschichte besser erfüllt werden als durch die Wahrheit. Je nach Kontext müsse es für die Kommunikationsteilnehmer auch gar nicht relevant sein, ob die Geschichte wahr ist oder nicht (vgl. Billig 1990).

Empirische Befunde zeigen darüber hinaus, dass eine gute Lüge oft »wahrer« klingt als die Wahrheit. So baten Bennet und Feldman in einer Studie Probanden den Wahrheitsgehalt von Zeugenaussagen einzuschätzen, und stellten fest, dass die Probanden ihre Urteile weitgehend nach der Ähnlichkeit der Geschichte mit einer »wohlgeformten Erzählung« fällten (Benett/Feldmann 1981, zit. nach Gergen 1998, S. 185). Und Gergen führt aus, dass

> »wir zuerst ein Sortiment literarischer und rhetorischer Kunstgriffe erben, das es uns ermöglicht, die Vorstellung von etwas Wirklichem und Objektivem zu entwickeln. Zweitens übernehmen wir unzählige Traditionen, von denen jede eine unterschiedliche Entfaltung dieser Kunstgriffe begünstigt. […] Innerhalb dieser Traditionen kann man jeweils ›die Wahrheit sagen‹« (Gergen 1998, S. 198).

Was dann entsteht, ist ein geteiltes »Gefühl der Objektivität« (ebd., S. 184), das den sozialen Zweck erfüllt. Zentral ist somit die soziale Akzeptanz der Narration. Dieses Erklärungsmuster der narrativen Psychologie ist dabei für individuelles Erinnern genauso relevant wie für die verschiedenen Formen sozialen oder kollektiven Erinnerns: Kleine oder größere Erinnerungsgemeinschaften verhandeln im Rahmen sozialer Interaktionen über »Narrationen«, die von den verschiedenen Mitgliedern der Erinnerungsgemeinschaften als kollektiv relevant wahrgenommen werden. Die kollektive Ebene spielt dabei in doppeltem Sinne eine Rolle: Die Erinnerungsgemeinschaften sind selbst »Kollektive« mit je eigenen Traditionen bzw. Tradierungen und sind gleichzeitig in übergeordnete kollektive Traditionen eingebunden.

Als ein Beispiel für solche übergeordnete Traditionen können kulturelle Mythen gelten. Polkinghorne referiert in diesem Zusammenhang die interessante Darstellung der evolutionären Entwicklung der klassischen Mythen durch Blumenberg (vgl. Blumenberg 1979). Blumenberg sei davon ausgegangen, dass die Geschichtenerzähler von Stadt zu Stadt gezogen seien, um ihr Publikum zu unterhalten.

»Die Entlohnung, die die Geschichtenerzähler erhielten, hing davon ab, wie stark die Zuhörerschaft auf die gebotenen Erzählungen reagierte. Auf der Grundlage dieser Reaktionen nahmen die Geschichtenerzähler bestimmte Geschichten aus ihrem Repertoire und verbesserten die Plots und Charaktere anderer« (Polkinghorne 1998, S. 29).

In ähnlicher Weise wie diese klassischen Mythen funktionieren heute mediale Scripts oder Schemata: Eine gute Drehbuchschreiberin entwirft Plots und Charaktere, die auf eine hohe kollektive Akzeptanz stoßen. In seiner Studie zum sozialen Gedächtnis kann Welzer dann wiederum zeigen, wie solche kollektiv akzeptierte Scripts als »importierte Scripts« in sozial geteilte Erinnerungserzählungen eingebaut werden (vgl. Welzer et al. 2002). Wie Welzer betont, geschieht dieser Import meist nicht gezielt sondern unbewusst. Man könne anhand der Ergebnisse neuer transdisziplinärer Gedächtnisforschung außerdem zeigen, dass sich »Lügen« für den Erzähler der Geschichte meistens genauso wahr anfühlen wie die Wahrheit (vgl. Welzer 2006). Eine wohlgeformte unwahre Geschichte klingt somit nicht nur für ZuhörerInnen wahr, sondern auch für AutorInnen.

Wahre und falsche Trauma-Erinnerungen

Diese Einsicht lässt sich als (sozial-)psychologische Erkenntnis entspannt zur Kenntnis nehmen, solange es sich um Kontexte handelt, bei denen es nicht so bedeutsam ist, ob die »Narration« wahr ist oder falsch. Sie wird jedoch auf individueller wie auf kollektiver Ebene dann zum Problem, wenn die Erzählung Wahrheit dringend beansprucht, was meist dann der Fall ist, wenn es sich um Recht oder Unrecht handelt, d. h., wenn jemand über ein ihm widerfahrenes Unrecht lügt. Bekanntes Beispiel hierfür ist die erfundene Holocaust-Überlebenden-Geschichte des »Benjamin Wilkomirski« (vgl. Reemstma 1999; Haubl 2007; Stoffels 2002). Ein damit verwandtes Phänomen sind die in den USA verbreiteten Erinnerungen von Menschen, die offensichtlich selbst daran glauben, von Außerirdischen entführt und gequält worden zu sein. Wie Haubl (2007) ausführt, bilden diese vermeintlichen UFO-Entführungs-Opfer ebenfalls eine Art (meist virtueller) Erinnerungsgemeinschaft, die eine Mustererzählung ausbilde. Diese lehne sich an Szenen aus populären Science-Fiction-Büchern oder -Filmen an.

Während für die UFO-Entführungen in der Fachliteratur weitgehend Einigkeit darüber herrscht, dass es sich um Erfindungen handelt, wird das Phänomen, dass Traumata falsch erinnert werden und als Mustererzählungen fungieren können, dann zum echten Problem, wenn Recht und Unrecht beurteilt werden muss. In den USA führte dies zur Gründung der »False Memory Liga« geführt, einer Vereinigung von Eltern, die der Meinung sind, dass ihre erwachsenen Töchter sich im Kontext von Psychotherapien fälschlicherweise an sexuellen Missbrauch (meist des Vaters) erinnern. Hier gerät die narrationspsychologische Argumentation in eine Schwierigkeit, die der oben beschrie-benen Problematik sehr ähnelt. Wenn es kein Kriterium gibt, wonach sich eine falsche Erinnerung von einer richtigen unterscheidet, was soll man dann in Situationen tun oder glauben, in denen diese Unterscheidung essenziell ist? Dieses letztendlich ethische Problem kann ich hier nicht genauer entfalten, ich will jedoch mit Blick auf die wissenschaftliche Auseinandersetzung mit dem Thema einen Eindruck von der Debatte zumindest kurz skizzieren: In dieser politisch hoch aufgeladenen Auseinandersetzung ergreifen auch die meisten wissenschaftlichen Autoren implizit oder explizit Partei (vgl. z.B. McNally 2003). Die notwendigen abwägenden Metareflexionen darüber, ob oder dass es sich um ein echtes moralisches Dilemma handelt, fehlen in den Darstellungen weitgehend. So kann die bekannte feministische Traumatherapeutin Judith Herman die »False Memory Liga« offensichtlich nur als Gegenmobilisierung der Täter sehen (vgl. Stoffels 2002), und umgekehrt setzen andere Autoren die Dynamik um die immer komplett erfundene Muster-Erzählung »UFO-Ent-führung« mit der Dynamik »sexueller Missbrauch« gleich, was eine Banalisie-rung real vorkommender Missbrauchserfahrung bedeutet (vgl. Spence 1998). Dass es sich meistens um komplizierte und nicht zuletzt die Traumatherapie herausfordernde Verschränkungen von wahren und konstruierten Erinne-rungssequenzen handelt, gerät dabei zu oft aus dem Blick.

Auf die Relevanz solcher Überlegungen für das kollektive Erinnern will ich in der nun folgenden Bilanz genauer eingehen.

4 Zwischenbilanz IV: Kollektive Traumata als Merkmale kollektiver Gedächtnisse

4.1 Zur Anschlussfähigkeit der dargestellten Konzepte

Wie ich gezeigt habe, kann unter sozialem Erinnern eine enorme Bandbreite von Phänomenen verstanden werden – eine Feststellung, die sich bis zu der obig ausgeführten Aussage zuspitzen lässt, dass »alles Erinnern etwas Soziales« und dass »alles Soziale ein Erinnern« ist. Zwar sind meist größere soziale Einheiten angesprochen, wenn von kollektivem Gedächtnis oder mit Blick auf kulturelle Gemeinschaften von kulturellem Gedächtnis gesprochen wird, da aber der Begriff des Kollektiven sehr unterschiedlich benutzt wird, können auch die verschiedenen Formen von sozialem Erinnern als »collective remembering« (Middleton/Edwards 1990) bezeichnet werden. Diese Bandbreite lässt sich dann zumindest theoretisch auch auf »kollektive Traumata« beziehen: Wenn von der Mikro-Ebene sozialer Interaktionen zwischen Eltern und Kleinkind über die Meso-Ebene sozialer Erinnerungsgemeinschaften bis hin zur Makro-Ebene der kulturellen »Commemoration« alles kollektives Erinnern ist, dann besteht prinzipiell für all diese Ebenen von Erinnerungs-Kollektiven auch die Möglichkeit, von verschiedenen Formen »kollektiver Traumata« zu sprechen: Eltern-Kind-Interaktionen können sich nicht nur auf Familienfotos von schönen Erinnerungen beziehen (vgl. Middleton/Edwards 1990a), sondern auch auf Fotos von im Holocaust ermordeten Verwandten. Von einem Amoklauf betroffene Schulen (z.B. in Erfurt) sind soziale Erinnerungsgemeinschaften, die ein »kollektives traumatisches Ereignis« erinnern können. Unter Commemoration wird meist das kulturelle Gedenken an den Holocaust verstanden. In diesem Sinne sind die theoretisch denkbaren Bezüge zwischen kollektivem Erinnern und »kollektivem Trauma« so vielfältig wie kollektives Erinnern selbst: Allerdings mündet diese Feststellung in die Frage, ob mit dem Konstrukt »kollektives Trauma« überhaupt noch etwas Spezifisches beschrieben wird.

Daher muss an dieser Stelle erneut an eines der zentralen Definitionsprobleme erinnert werden (vgl. Kap. I): Ich habe dargestellt, dass in den
Verwendungsweisen von Trauma oft entweder *das Ereignis oder die Folgen*
als traumatisch qualifiziert werden, dass die individualpsychologische Definition jedoch beides verlangt: Das traumatische Ereignis wird erst durch das
Prozesskriterium zum Trauma, d. h. dann, wenn retrospektiv die normal gewohnten Verarbeitungsweisen überfordert wurden. Für eine vom kollektiven
Gedächtnis kommende Theoretisierung lassen sich aus diesen beiden Varianten
zwei sehr unterschiedliche Arbeitsdefinitionen ableiten:

Arbeitsdefinition 1:   Ein »kollektives Trauma« kann als ein im kollektiven
Gedächtnis gespeichertes traumatisches Ereignis definiert
werden.

Arbeitsdefinition 2:   Ein »kollektives Trauma« kann mit dem Prozesskriterium
als ein Ereignis definiert werden, das retrospektiv nicht
mit den »normal gewohnten« kollektiven Erinnerungspraxen bearbeitet werden konnte.

Im Folgenden werde ich diese zentralen Überlegungen mit »kollektivem
Trauma« in Verbindung bringen und diskutieren, inwiefern jeweils eher die
erste oder eher die zweite Arbeitsdefinition zutrifft.

4.1.1 Kollektivierung von Erinnerung als normal gewohnte Verarbeitung?

In Kapitel I habe ich vorgeschlagen, von einer *Kollektivierung* des Referenzereignisses »11. September« zu sprechen. Dieser Gedanke wurde mit Bezug
auf Massenpsychologie (Kap. II) weiterentwickelt, um schließlich ein für die
kollektive Identität (Kap. III) relevantes Ereignis als eine mögliche Form
von »kollektivem Trauma« zu identifizieren. Eine weitere Perspektive auf
Kollektivierung eröffnet die Betrachtung des Zusammenspiels von Gruppenzugehörigkeit und Gedächtnis.

Wenn Halbwachs die Hypothese aufstellt, dass ein Individuum sich erinnert,
»indem es sich auf den Standpunkt der Gruppe stellt« (Halbwachs 1985, S. 23),
dann formuliert er damit eine sehr enge Verbindung von Zugehörigkeit und
Gedächtnis: Das Erinnern ist bei ihm immer auf die Gruppe bezogen. Diese
frühe These von Halbwachs wurde in der Folgezeit zum Teil als zu radikal
beurteilt, der Grundgedanke wird jedoch durch aktuellere Beobachtungen
bestätigt: Individuen modifizieren ihre Erinnerungen durch den Austausch
mit anderen und tendieren in der Regel dazu, sich auf eine gemeinsame Version
zu einigen (vgl. Middleton/Edwards 1990a). Aus der Sicht der Individuen

ist die Teilnahme am Gruppengedächtnis die Möglichkeit, Zugehörigkeit zu signalisieren: Man erinnert, um dazuzugehören (vgl. Niethammer 1995). Die Vereinheitlichung oder *Kollektivierung* von Erinnerung ist aus dieser Perspektive eher ein normaler als ein ungewöhnlicher Vorgang. Mit der oben genannten ersten Arbeitsdefinitionen lässt sich formulieren: Individuen erinnern ein traumatisches Ereignis aus der Perspektive der Gruppe, d. h., sie erinnern so, wie sie – zumindest in der Halbwachs'schen Vorstellung – immer erinnern. Ein Trauma im Sinne der engeren zweiten Definition würde sich dann dadurch auszeichnen, dass dieser normale Mechanismus nicht greift: Das Prozesskriterium für kollektives Trauma wäre erfüllt, wenn die normalen Kollektivierungsprozesse nicht stattfinden und das Ereignis somit nicht in eine von allen Gruppenmitgliedern akzeptierte Narration überführt wird. Zu dieser Art von kollektivem traumatischen Prozess passt die Definition von Kai Erikson, der soziales Trauma als Zerstörung des sozialen Gewebes versteht (Erikson 1994, S. 233) beschreibt: Erikson hat dabei Fallstudien im Blick, in denen Gemeinschaften nach technischen Katastrophen untersucht wurden. Die Reaktionen auf solche Katastrophen zeichnen sich offenbar eher dadurch aus, dass keine gemeinsame Narration entsteht.

4.1.2 Gedächtnismodi als Traumaformen: kulturelles, kommunikatives, soziales Trauma?

Einen weiteren wichtigen Impuls für die Theoretisierung verschiedener Arten von »kollektivem Trauma« bietet die Differenzierung zwischen verschiedenen Gedächtnismodi. Obwohl diese Verwendungsweisen (»uses of the past«) sich in der empirischen Realität vielfach überlagern, ist die analytische Unterscheidung auch im Hinblick auf »kollektive Traumata« sinnvoll. Relevant ist hier außerdem die im Kontext psychologischer Funktionen vorgestellte Unterscheidung zwischen »commemoration« und Auseinandersetzung. »Commemoration« entspricht in etwa dem Assmann'schen kulturellen Trauma: Fixpunkte in der Vergangenheit gerinnen zu symbolischen Erinnerungsfiguren; gefeiert wird eher, *dass* ein Ereignis war und es steht nicht im Vordergrund, *wie* es war. Als »kulturelles Trauma« wäre hier eine Bezugnahme auf ein traumatisches Ereignis definiert, bei der es nicht um eine Auseinandersetzung mit dem Ereignis (etwa neue Interpretationen), sondern um ein Feiern des Ereignisses geht. Allerdings handelt es sich auch hier eher um einen normalen Vorgang, sodass diese Form von Trauma der ersten Arbeitsdefinition zuzuordnen ist.

Ich habe oben der Einschätzung zugestimmt, dass kommunikatives Gedächtnis ein vager, untertheoretisierter Gegenbegriff zu kulturellem Gedächtnis ist. Dennoch ist das Kriterium der »noch lebenden Zeitgenossen« und der »persönlich verbürgten« Erfahrung (Assmann) für kollektive Traumata interessant: Mit Blick auf den Holocaust jedenfalls wird problematisiert, dass wir uns im Moment im Übergang zu einer qualitativ neuen Phase befinden, in der keine Zeitzeugen mehr leben werden. Ich denke, dass persönlich kommunizierte Erfahrung auch allgemeiner ein wichtiger Faktor für »kollektive Traumata« ist, mit anderen Worten: Ein im kommunikativen Gedächtnis gespeichertes Trauma wäre somit von einem im kulturellen Gedächtnis gespeicherten zu unterscheiden (nach Arbeitsdefinition 1). Ich möchte diese Form von kollektivem Trauma als »kommunikativ vermittelbares Trauma« bezeichnen.

Insgesamt ist in Bezug auf »kollektive Traumata« die Unterscheidung zwischen den geronnenen Formen des kulturellen Gedächtnisses und den flüchtigen sozialen Erinnerungspraxen wichtiger. In gewisser Hinsicht handelt es sich hierbei um das gedächtnistheoretische Pendant zu der Unterscheidung zwischen anonymen und empirischen Kollektiven, wobei mit Blick auf kollektives Gedächtnis deutlicher wird, dass die Bezugnahmen auf »vorgestellte« und konkrete Gemeinschaften sich überlagern: Die Nation bleibt zwar für das Individuum eine letztlich anonyme Gemeinschaft, doch wenn die SS-Uniform des Großvaters auf dem Hochzeitfoto (vgl. Welzer 2001b) angesprochen wird, bezieht sich die konkrete Erinnerungspraxis auf familienbezogene und nationale Erinnerungen. Dennoch ist es analytisch sinnvoll, auch in Bezug auf Trauma zwischen sozialen und kulturellen Erinnerungspraxen zu unterscheiden: Ein »soziales Trauma« im Sinne der Arbeitsdefinition 1 wäre dann als ein traumatisches Referenzereignis sozialer Erinnerungspraxen zu definieren. Interessant ist, inwiefern in Bezug auf soziale Erinnerungspraxen auch das Prozesskriterium festgestellt werden kann: Gibt es *normale* Erinnerungspraxen, die durch den Bezug auf traumatische Ereignisse verändert werden? Der Forschungsstand zu sozialen Erinnerungspraxen lässt einen Vergleich zwischen normalen und traumabezogenen Interaktionsmustern (noch) nicht zu. Um dies wirklich festzustellen, müssten tatsächlich Untersuchungen mit vergleichbaren Designs zu unterschiedlichen noch im kommunikativen Gedächtnis gespeicherten historischen Ereignissen durchgeführt werden. Dies wäre ein aus meiner Theoretisierung abzuleitendes Forschungsdesiderat.

4.1.3 Wahrheit, Gedächtnis und Trauma

Mit Blick auf den soziologischen Zugang von Jeffrey Alexander habe ich die Einschätzung formuliert, dass es in Bezug auf »kollektive Traumata« die beiden Gefahren der Überschätzung und Unterschätzung der Realität gibt (vgl. Kapitel III). In Bezug auf den Gedächtnisdiskurs lässt sich daran anknüpfen:

Die Frage nach der Realität als Frage nach der Möglichkeit von korrektem, wahrheitsgemäßem Erinnern wird immer dann besonders virulent, wenn es um die individuelle und kollektive Erinnerung an extremes Unrecht geht. Am deutlichsten wurde dies in Bezug auf den Holocaust. Aus diesem Grund hat sich die Diskussion um historischen Realismus und historischen Relativismus dort am stärksten zugespitzt. Zentral ist hier, dass diese Spannung aus Perspektive vieler Opfer zum quälenden Problem wurde:

> »[D]enn was bleibt schon anderes als ein von Zweifeln durchsetztes Ringen um Worte für all diejenigen, die erkennen, dass sie einerseits erzählen müssen (oder ihren Erlebnissen in einer anderen Form Ausdruck und Gestalt verleihen müssen), wenn sie diese und die damit verbundene ›geschichtliche Wahrheit‹ bezeugen und bewahren wollen, dass andererseits aber kein Medium und keine Form diese Erlebnisse ›als solche‹ wiedergibt« (Straub 1998, S. 27f.).

Wie Friedländer in seinem »Ringen um Worte« ausführt, wird der Relativismus hier zum Echo der Täter und ihrer Vertuschungsbemühungen, sodass auch das Bedürfnis nach Wahrheit in diesem Kontext einen völlig anderen Beiklang bekommt als sonst. Es wird zu einer Art unmöglichen Notwendigkeit.

Friedländer und Straub beziehen sich mit ihren Aussagen spezifisch auf den Holocaust. Wenn hier nun allgemeine Schlussfolgerungen für »kollektive Traumata« entwickelt werden sollen, wird die oben eingeführte Unterscheidung zwischen generellem und für den Holocaust spezifischem Repräsentationsproblem relevant. Handelt es sich hier um eine Zuspitzung von Problemen, die sich immer ergeben, wenn es um extremes Unrecht – um traumatische Ereignisse – geht? Ist der Holocaust vor diesem Hintergrund als ein Extremfall von »kollektivem Trauma« zu verstehen, sodass das spezifische Repräsentationsproblem ein traumaspezifisches ist, das sich für den Holocaust nur zuspitzt? Ich werde in Kapitel V darauf zurückkommen, welche ethischen und wissenschaftlichen Probleme damit verbunden sind, dass der Holocaust in der Auseinandersetzung mit dem Konstrukt »kollektives Trauma« meines Erachtens immer ein impliziter und zugleich unmöglicher Referenzpunkt ist. Für den Gedächtnisdiskurs lässt sich an dieser Stelle zweierlei festhalten:

Wie ich unter anderem an der »false memory«-Debatte gezeigt habe, wird die Wahrheit nicht nur in Bezug auf das Extremtrauma Holocaust zur »unmöglichen Notwendigkeit«, sondern bereits bei weniger extremen Formen von Trauma bzw. Unrecht. Am Holocaust spitzt sich das Problem zu und es ist vor allem eine ethische Frage, ob bestimmte Ausdrücke besser für den Holocaust reserviert bleiben sollten. Außerdem fällt auf, dass ein sehr großer Teil der Überlegungen, Thesen und Untersuchungen zum kollektiven Gedächtnis am Holocaust entwickelt oder überprüft werden, sodass der Gedächtnisdiskurs und der Holocaustdiskurs eng verflochten sind. Viele Autoren verknüpfen darüber hinaus ihre gedächtnistheoretischen Überlegungen mit traumatheoretischen Überlegungen. Dabei lassen sich zwei Argumentationsfiguren ausmachen: In der einen wird ein verkürzt rezipiertes Traumakonzept als ein zusätzliches Argument dafür benutzt, dass sich Realität generell nicht abbilden lässt. Dabei wird jedoch das allgemeine mit dem speziellen Repräsentationsproblem konfundiert (wie z.B. auch Kannsteiner betont (vgl. Kannsteiner 2004)). In der anderen typischen Argumentationsfigur wird Trauma fast äquivalent mit Holocaust verwendet (z.B. Roth 1998). Auf beide Argumentationsfiguren komme ich ebenfalls in Kapitel V zurück. Sie zeigen, dass der Traumadiskurs ebenfalls eng mit dem Holocaust und dem Gedächtnisdiskurs verwoben ist.

In Bezug auf die Frage nach den »normal gewohnten« Verarbeitungsweisen der zweiten Arbeitsdefinition, passt, was Veena Daas und Arthur Kleinman (2001) allgemein für massive Gewalt und Zerstörung formulieren: Statt von einer Überforderung normaler Verarbeitungsmöglichkeiten auszugehen, ist es vermutlich adäquater, eine Veränderung der Vorstellungen von Normalität anzunehmen. Der Bezug zum Holocaust macht den Begriff »normal« zusätzlich obsolet: Kann es normale Verarbeitungsweisen geben in Bezug auf ein Ereignis, dass jegliche Vorstellungen von normal Erwartbaren gesprengt hat? Dieses immer schon schwierige Normalitätskriterium der Traumadefinition gerät hier jedenfalls endgültig an seine Grenze.

4.1.4 Sprengt Trauma die Mustererzählung oder wird Trauma zur Mustererzählung?

Zu der hier formulierten Frage bietet der mit Blick auf die Historiografie (z.B. White) und die Psychologie (z.B. Gergen) dargestellte narrative Ansatz ein alternatives begriffliches Handwerkszeug. Statt in Bezug auf kulturelle (soziale, kollektive) Phänomene den problematischen Begriff Normalität anzuwenden, wird im narrativen Ansatz deskriptiv von kollektiv akzeptierten Erzählungen gesprochen. Dass bestimmte Erzählungen auf eine breitere Akzeptanz stoßen als andere, wird mit kulturspezifischen Ansprüchen an eine wohlgeformte Erzählung begründet. In diesem Sinn kann man sagen: Wer (s)eine Geschichte so erzählt, dass sie kulturellen Mustererzählungen ähnelt, dessen Geschichte wird eher akzeptiert, als wenn sie von der Mustererzählung abweicht. Wie passt das nun zu Trauma und zu der gerade referierten Hypothese über die Veränderung von Normalitätsvorstellungen? Aus meiner Sicht sind zwei entgegen gesetzte Tendenzen zu beobachten:

➤ Trauma wird zur Muster-Erzählung: Wenn jemand ein traumatisches
Erlebnis nach dem Muster der typischen Trauma-Narration erzählt,
stößt diese Erzählung auf kollektive Akzeptanz.

➤ Trauma sprengt die Muster-Erzählung: Traumatisierungen zeichnen sich
gerade dadurch aus, dass gerade nicht in Form einer wohlgeformten
Erzählung darüber gesprochen werden kann, was geschah.

Aus klinischer Perspektive ist es die zweite Beobachtung, die ein Trauma
ausmacht und in die in vielen Fällen nicht nur die Erholung, sondern auch
die Rehabilitierung erschwert. Wie erwähnt, erscheinen viele Trauma-Opfer
unglaubwürdig, weil sie fragmentiert, widersprüchlich und alles andere als
»wohlgeformt« berichten. Vor diesem Hintergrund kann die Aussage, dass
Trauma vor allem eine attraktive Erzählung sei, der niemand widersprechen
kann (vgl. Spence 1998), nur zynisch erscheinen. Generell muss das Konstrukt
»kollektives Trauma« aus dieser Perspektive fragwürdig erscheinen, zeichnet
sich doch eine traumatische Erfahrung gerade dadurch aus, dass sie nicht
kollektiviert werden kann.

Dennoch habe ich in dieser Arbeit auch auf verschiedene Zeichen für einen
gegenläufigen kulturellen Trend hingewiesen: Reemtsmas Verweis auf die
Gattung der Opferliteratur, Haubls Verweis auf Wilkomirski und die Ufo-
Entführungsnarration. Klinische und kulturelle Sichtweisen stehen hier fast
unversöhnlich nebeneinander.

Ich will es absichtlich zuspitzen. Wenn ich an bestimmte, extreme Traumatisierungen denke, wird der Ausdruck »kollektives Trauma« absurd: Wenn es
kollektiv ist, ist es schon kein Trauma mehr.

Andererseits lässt sich mit Blick auf die Ufo-Entführungen formulieren: Hier
entsteht ein individuelles Trauma nur, weil es die kollektive Narration gibt.

Zusammenfassend gesehen zeigt sich hier ein weiteres Mal, dass es keine ein-
dimensionale Beurteilung des Konstrukts »kollektives Trauma« geben kann.

4.1.5 Trauma und die rhetorische Funktion von Erinnerungen

Während ich mich bisher auf Situationen und Kontexte konzentriert habe, für
die die Wahrheit der (traumatischen) Erinnerung im Vordergrund stand, will
ich diese Beobachtung nun noch in Relation zu allgemeinen Beobachtungen
zum sozialen Erinnern stellen. Interessant ist hier insbesondere Michael
Billigs (1990) Verweis auf die unterschiedlichen rhetorischen Funktionen der
Bezugnahme auf Vergangenes: Wenn Menschen mit Vergangenheit argumentieren, dann pflegen sie dabei einen äußerst flexiblen Umgang und bringen je
nach Kommunikationsziel durchaus widersprüchliche und unterschiedliche

Interpretationen ins Spiel. In Bezug auf kulturelles Gedächtnis zeigt die zitierte Studie über das Gedenken an Abraham Lincoln (Schwartz 1990) ganz analoge Effekte: Ein historisches Ereignis muss keineswegs einheitlich interpretiert werden, sondern seine kollektive Bedeutung verändert sich nach den Bedürfnissen der Gegenwart. Wenn man diese Überlegung wieder auf Trauma rückbezieht, dann erweist sich erneut der Unterschied zwischen individueller (Extrem-)traumatisierung und kultureller Dimension als zentral: Generell können sowohl Erinnerungen an selbst Erlebtes als auch Erinnerungen an kollektiv relevante Ereignisse sehr flexibel benutzt werden. Wenn es um die Erinnerung an eine konkrete individuelle Beschädigung geht, dürfte die Nutzung allerdings wesentlich weniger flexibel sein. Wie oben ausgeführt (vgl. Kapitel I), ist trotzdem die radikale Hypothese (vgl. McFarlane/van der Kolk 2000), dass ein individuelles Trauma unveränderlich im Gedächtnis bleibt und völlig anders abgespeichert ist als andere Erinnerungen, nicht haltbar.

4.1.6   Alles Soziale ist Erinnern, aber nicht alles Erinnern ist ein Trauma

Es gibt noch einen weiteren Aspekt »kollektiver Traumata«, für den es äußerst lohnenswert ist, die Relation zu allgemeinen Erkenntnissen über Gedächtnis hervorzuheben: Ich habe die Argumentation dieser Arbeit vom Trauma kommend entwickelt und immer wieder zu zeigen versucht, wie wichtig für viele Gruppen oder größere Kollektive im Sinne der Arbeitsdefinition 1 die Erinnerung an vergangene traumatische Ereignisse ist. Auch wenn solche Rekurse nicht zwingend als »kollektive Traumata« bezeichnet werden müssen, so ist dies für mich dennoch eines der zentralen Ergebnisse dieses Theoretisierungsversuches: Es gibt sehr häufig kollektive Bezugnahmen auf vergangene traumatische Ereignisse und diese Bezugnahmen sind in jedem Fall ein äußerst interessantes und relevantes Phänomen für Kulturwissenschaften im Allgemeinen und die politische Psychologie bzw. Sozialpsychologie im Besonderen. Wenn man sich dabei vor allem für Trauma interessiert, scheint dieses Phänomen zunächst typisch und spezifisch für Trauma. Aus gedächtnistheoretischer Sicht ist jedoch der Bezug auf Vergangenes prinzipiell etwas ganz Alltägliches, sowohl als mikrosoziales als auch als kollektives Phänomen: Mit Halbwachs ausgedrückt sind wir immer ein »Echo« (Halbwachs 1985). Die Arbeitsdefinition 2 mündet dann wiederum in die entscheidende Frage, inwiefern sich das Echo eines Traumas von anderen Echos unterscheidet.

4.1.7   Der Anspruch der Vergangenheit an die Nachgeborenen

Als eine weitere traumarelevante Sicht auf dieses Echo der Vergangenheit möchte ich eine Überlegung von Benjamin hervorheben. Walter Benjamin benutzt und kreiert eine Vielzahl von sprachlichen Bildern bzw. Metaphern, in denen sich sein Blick auf das Vergangene vor allem als ein Blick auf die symbolischen Trümmerhaufen der Geschichte zeigt: ein Blick auf die Katastrophen, auf die Ohnmächtigen und Geknechteten, die in der Geschichte gelitten haben, ein Blick auf das Scheitern. In Benjamins zentraler Denkfigur hat dieses Vergangene, oder besser, haben die Opfer der Geschichte (bei Benjamin: die »geknechteten Vorfahren«) einen Anspruch an die »Nachgeborenen« (Brecht). Dieser Anspruch ist das »Eingedenken« (Benjamin), ein Erinnern, das die Geschichte nicht einebnet und sinnstiftend glättet, das nicht aus der »Einfühlung in die Sieger« erzählt, das im Grunde gar nicht erzählt, sondern »aktualisiert« und dabei der Perspektive der »Ausgebliebenen« (Raulet) gerecht zu werden sucht. Ich interpretiere diese Gedankenfigur so, dass das Vergangene etwas ist, was gewissermaßen eigene Rechte hat, etwas, was es zu schützen und vor Vereinnahmung zu retten gilt. Ich denke, dass Benjamin mit dieser Figur nicht nur eine politische Aussage macht, sondern auch ein verbreitetes Gefühl beschreibt, das viele Menschen gegenüber vergangenem Unrecht haben. Er argumentiert selbst in diesem Sinne, wenn er mit Blick auf die Fortschrittsideologie der Arbeiterbewegung ausführt, dass sich Hass und Opferbereitschaft am »Bild der geknechteten Vorfahren, nicht am Ideal der befreiten Enkel« (Benjamin 1974a, S. 700) nähren. Damit formuliert er eine Strategie, die heute als identitätspolitisch bezeichnet wird (vgl. Kapitel III) und die in manchen Varianten der kollektiven Erinnerung an Sklaverei relevant wurde, wie ich noch skizzieren werde.

Eine weitere wichtige Verbindung sehe ich zu der Frage nach dem Umgang mit dem, was nicht wieder gutzumachen ist. Benjamins Metaphern des Zerbrochenen (der Trümmerhaufen, die Ruinen, das Stückwerk) lese ich als seine Annäherungen daran. Sie sind der Metapher »Trauma« in mancher Hinsicht verwandt (die unheilbare Wunde, die Nachträglichkeit), eröffnen aber auch neue Assoziationsräume.

Nicht zuletzt zeigt Benjamins Text in besonderer Deutlichkeit, dass beim Nachdenken über vergangenes Unrecht erkenntnistheoretische, wissenschaftskritische und politisch-ethische Fragen verwoben sind. Benjamins Reflexionen unterstreichen, wie sehr Erinnern Beurteilen und Partei nehmen bedeutet, und dass das Beurteilen der Vergangenheit die Kritik der Gegenwart in sich trägt.

4.2   Fallbeispiel:
Kollektives Gedächtnis und Sklaverei

Im Kapitel III habe ich als ein Beispiel für Identitätspolitik 1 im Sinne Halls das »black consciousness movement« (ab Mitte der 1960er-Jahre) vorgestellt. Dabei wurde die wieder entdeckte positive Bezugnahme auf die afrikanische Herkunft als typisches erinnerungspolitisches Element dieser Identitätspolitik identifiziert. Nach Supiks Lesart standen in dieser Phase von schwarzer Identitätspolitik neben dem Widerstand gegen aktuelle rassistische Repräsentationen und Praktiken solche um-wertenden positiven Bezugnahmen auf Vergangenes im Vordergrund. Der fortbestehende Rassismus wurde dabei zwar im Lichte der dramatischen historischen Ereignisse von Verschleppung und Sklaverei (etwa als Fortbestehen entwertender Zuschreibungen) interpretiert, jedoch war die Bezugnahme auf Sklaverei offensichtlich trotzdem sekundär. Diese Beobachtung bezieht sich jedoch auf eine sehr spezifische Phase (von den 1960er-Jahren bis heute), für die Hall die Entwicklung von Identitätspolitik 1 zu Identitätspolitik 2 herausarbeitet. Wenn man im Gegensatz dazu die Geschichte der Schwarzen Emanzipationsbewegung von den ersten »abolitionist movements« bis zu den verschiedenen aktuellen Strömungen des Postkolonialismus in den Blick nimmt, lassen sich innerhalb dieser Geschichte unterschiedliche Phasen und Varianten von Bezugnahmen auf die Sklaverei feststellen: So gab es bereits relativ kurz nach Abschaffung der Sklaverei in den USA Auseinandersetzungen darüber, ob und wie man sich daran erinnern soll, was aufgehoben (»recollected«) und was lieber vergessen werden solle. In seiner Lesart von *Slavery and the Formation of African American Identity* stellt Ron Eyerman (2004) dar, dass kurz nach ihrer Abschaffung Weiße und Schwarze die Sklaverei am liebsten vergessen wollten. Allerdings gab es aber auch von Anfang an verschiedene Bemühungen, die Erinnerung zu bewahren, etwa indem Erinnerungen an die Sklaverei, sogenannte »slave narratives«, aufgeschrieben wurden. Alexander Crummell, ein früher Verfechter der Rückkehr der Schwarzen nach Afrika, plädierte in diesem Zusammenhang dafür, zwischen »recollection« und »memory of slavery« zu unterscheiden. »Recollection« hielt er für wichtig, »memory« dagegen nicht (vgl. Eyerman 2004, S. 82).

Im Folgenden sollen zwei Beispiele aus der wechselvollen Geschichte der Bezugnahmen auf Sklaverei kurz skizziert werden: die von Eyerman dargestellte parallele Entstehung einer progressiven und einer tragischen Narration in den USA der 1920er-Jahre und Sam Durrants mit dem paradigmatischen Titel *Postcolonial Narrative and the Work of Mourning* überschriebene literaturwissenschaftliche Analyse, die aktuelle literarische Produktionen (Coetzee, Harris, Morrison) im Blick hat (Durrant 2004).

4.2.1 Tragische und progressive Bezugnahme in den 1920er-Jahren

Ron Eyermans Analyse ist Teil des bereits erwähnten Sammelbands von Jeffrey Alexander und KollegInnen, in dem verschiedene Autoren ihre Fallstudien mit dem Konstrukt »Cultural Trauma« verknüpfen (Alexander et al. 2004). Mit den Ausdrücken »tragische und progressive Erzählung« verwendet er das gleiche Interpretationsmuster, das Alexander für die Bedeutungsveränderung des Holocaust für die kollektive Identität der USA anwendet: Während Alexander jedoch für die Bezugnahme auf den Holocaust eine historische Entwicklung von der progressiven zur tragischen Erzählung darstellt, entstand im Hinblick auf die Sklaverei in den 1920er-Jahren die interessante Situation, dass progressive und tragische Erzählung nebeneinander existierten: Die Harlem Renaissance habe sich auf die Vergangenheit im Sinne von vergangenen Schritten in Richtung einer besseren Zukunft bezogen. Parallel dazu habe Marcus Garvey, ein wichtiger Protagonist der damaligen Schwarzenbewegung, für die gleichen Ziele argumentiert, jedoch mit der Begründung, dass die tragische Vergangenheit durch eine bessere Zukunft versöhnt werden müsse[32].

Interessant ist an dieser Entwicklung meines Erachtens unter anderem, dass die beiden unterschiedlichen Narrationstypen hier nicht jeweils in der Mehrheitsgesellschaft und der schwarzen Minderheit entstanden sind und somit unterschiedliche Interessen und Zugehörigkeiten repräsentieren, sondern dass die Nachkommen der Opfer entweder den einen oder den anderen Typus wählten. Eyerman führt weiter aus, dass sich im Kontext der progressiven Erzählung eher eine kulturelle Identifikation mit einem bestimmten Bild von Afrika feststellen lässt, während im Kontext der tragischen Narration die in den USA entstandene »Sklavenkultur« umgewertet worden sei, was sich z.B. in der Wertschätzung der Bluesmusik gezeigt habe.

Im Kontext der Überlegungen zu »kollektivem Gedächtnis« ist an der tragischen Narration vor allem der an Benjamins Thesen erinnernde Bezug auf »redemption« zentral. Er wird von Marcus Garvey in seiner Rede zum »Emancipation Day« 1922 folgendermaßen formuliert:

> »We are the descendants of the men and women who suffered in this country for two hundred and fifty years under the barbarous, the brutal institution known as slavery. You who have not lost trace of your history will recall the fact that over three hundred years ago your fore-bearers were taken from the great Continent of Africa. [...] But with their sufferings, with their blood, which they shed in their death, they had a hope that one day their posterity

> would be free, and we are assembled here tonight as the children of their hope
> [...] each and everyone of you have a duty which is incumbent upon you; a
> duty that you must perform, because our fore-bearers [...] had hopes that are
> not yet completely realized« (Garvey, zit. nach Eyerman 2004, S. 95).

Wie Eyerman ausführt, hat diese Figur des Anspruchs aus der Vergangenheit
an die Gegenwart über viele Jahre viele Schwarze angesprochen und wurde
in diesem Sinne zu einer kollektiv akzeptierten Narration.

In meiner Interpretation steht diese Figur in einem interessanten Spannungsverhältnis zu dem Konstrukt »kollektives Trauma«: Garveys Addres-
satInnen sehen sich zwar selbst auch als indirekte Opfer des ursprünglichen
traumatischen Ereignisses, jedoch stehen die Vorfahren als die ursprünglichen
und eigentlichen Opfer viel stärker im Vordergrund. Bevor ich auf diese
Unterscheidung zwischen den Trauma-Opfern und den historischen Opfern
der Geschichte im Kapitel V zurückkomme, will ich hier abschließend noch
Durrants Lesart des Postkolonialismus skizzieren.

4.2.2   Postkoloniale Trauer als posttraumatische Trauer?

Im Gegensatz zu Eyermans bezieht sich Sam Durrants Analyse nicht nur auf
die Sklaverei, sondern seine Beispiele verweisen auf drei verschiedene Folgen
des Kolonialismus: die Kolonisierung der »Neuen Welt«(Wilson Harris),
die Apartheid in Südafrika (J. M. Coetzee) und schließlich die Sklaverei in
den USA (Toni Morrison). Durrant verwendet dabei den Postkolonialismus
einerseits als literaturwissenschaftliche Analyseperspektive, zugleich bettet er
seine Analyse in sehr grundsätzliche Überlegungen zur Postmoderne und zum
Postkolonialismus ein, wobei er sich auf Postmoderne und Postkolonialismus
sowohl als Bezeichnung der Epoche als auch als Denkrichtungen bezieht. In
vielen Lesarten, so Durrant, würden Postmodernismus und Postkolonialismus
gegeneinander ausgespielt, wobei der Postkolonialismus oft als die politischere
Strömung gelte. Dies sei im Grunde nicht gerechtfertigt, denn beide Bewegungen basieren in ähnlicher Weise auf dem Bewusstsein massiven historischen
Unrechts (vgl. Durrant 2004, S. 9).

Durrant ist sich bewusst, dass der in diesen Überlegungen implizierte
Vergleich als Angriff gegen die Singularität des Holocaust verstanden werden
kann. Er wägt deshalb sehr sorgfältig ab, kommt aber zu dem Schluss, dass
der Vergleich gerechtfertigt sei:

> »Postmodernism would thus appear to be haunted by the memory of
> the Holocaust in much the same way as postcolonialism is haunted by

the memory of colonialism [...]. What concerns me here is that both histories produce similar problems of memorialization. Although the historical time span of the two ›events‹ is very different [...] the impact of both events exceeds the moment of their historical occurrence, acquiring the disturbed, belated chronology of trauma« (Durrant 2004, S. 3).

Durrant stellt eine sehr explizite Verbindung zwischen Gedächtnisdiskurs und Trauma her, wenn er für die Probleme der »memorialization« die »Chronologie des Traumas« verantwortlich macht. Er wendet dabei die engere Traumadefinition (Arbeitsdefinition 2) an, indem er sagt, dass Postkolonialismus und Postmoderne mit spezifischen Problemen der Memoralisierung kämpfen. Noch deutlicher wird dies in folgendem Zitat:

»Such events have been described as collective or cultural trauma not simply by aggregating the traumatic experience of individual victims, but because they disrupt the ›consciousness‹ of the entire community, destroying the possibility of a common frame of reference and calling into question our sense of ›being-in common‹« (Durrant 2004, S. 4).

Bei genauerem Hinsehen ist sein Gebrauch des Traumabegriffs jedoch widersprüchlich, da die Fallstudien von ihm sehr stark im Hinblick auf den – angeblich ja gerade nicht mehr möglichen – gemeinsamen Bezugsrahmen interpretiert werden. Das einzige Traumakriterium, das von ihm und anderen postkolonial argumentierenden AutorInnen wirklich für die Analyse angewandt wird, scheint das Freud'sche Konzept der Nachträglichkeit zu sein.

Insgesamt ist Durrants sehr anregender und differenzierter Ansatz aus meiner Sicht ein weiteres Beispiel für die schon mehrfach formulierte Beobachtung: Bestimmte dramatische historische Ereignisse, wie in diesem Fall der Kolonialismus, lassen die Anwendung der Trauma-Metapher ganz offensichtlich extrem naheliegend erscheinen. Dabei wird Trauma auch in sehr gründlichen Analysen jedoch kaum als konzeptionelles Werkzeug (»conceptual tool«), sondern als Metapher für etwas verwendet, was meines Erachtens oft viel besser durch andere Metaphern ausgedrückt werden könnte, wie etwa »haunting memories« oder Morrisons (und Reemtsmas) »Gespenster«.

5 Zusammenfassung von Kapitel IV

Der Ausdruck »kollektives Gedächtnis« steht für einen interdisziplinären, kulturwissenschaftlichen Diskurs, innerhalb dessen eine enorme Bandbreite von Phänomenen kollektiven und sozialen Erinnerns thematisiert werden. Eingeführt wurde der Begriff von dem Soziologen Maurice Halbwachs, der bereits in den 1920er-Jahren den sozialen Konstruktionscharakter und die Gruppenbezogenheit von Gedächtnis hervorhob. Seine grundlegenden Thesen können bis heute Gültigkeit beanspruchen, »kollektives Gedächtnis« wurde jedoch in jüngerer Zeit in die analytischen Kategorien »kulturelles«, »kommunikatives« (Assmann) und »soziales Gedächtnis« (Welzer 2001) unterteilt. Empirisch überlagern sich diese Formen, jedoch können ähnlich wie für kollektive Identität unterschiedliche Verwendungsweisen unterschieden werden: Das kulturelle Gedächtnis meint ritualisiertes, liturgisches Feiern einer meist länger zurückliegenden kollektiven Vergangenheit, das auch als »commemoration« bezeichnet werden kann. Das kommunikative Gedächtnis hingegen bezieht sich auf Erinnerungen, die noch von Zeitzeugen kommuniziert werden können, davon analytisch unterscheidbar sind wiederum die sozialen Erinnerungspraxen (soziales Gedächtnis).

Wichtiger Strang des Gedächtnisdiskurses ist dabei die interdisziplinäre Debatte um die Repräsentierbarkeit des Holocaust, der – in den Worten Lyotards – eine Krise der Repräsentation hervorgebracht hat. Für dieses Repräsentationsproblem kommt einerseits der »linguistic turn« zum Tragen, exemplarisch sichtbar in den Thesen von Hayden White: Historiker bilden nicht in erster Linie historische Realität ab, sondern zwingen den Ereignissen eine narrative Form und damit spezifische Deutung auf, es gebe kein außerdiskursives Kriterium für wahre oder falsche Repräsentation. Andererseits entsteht durch den Holocaust ein spezifisches Repräsentationsproblem, das insbesondere Überlebende als die Pflicht und zugleich die Unmöglichkeit erlebten, die Wahrheit über den Massenmord zu bezeugen.

Der psychologische Diskurs zu »kollektivem Gedächtnis« lässt sich am besten mit »kollektivem« oder »sozialem Erinnern« bezeichnen, da er insbesondere die Erinnerungspraxen der Subjekte thematisiert. Untersucht wird eine Bandbreite von sozialen Situationen von der Eltern-Kind-Interaktion über Familiengespräche, Schulklassen bis hin zu kollektivem Erinnern auf nationaler Ebene. Die verschiedenen Praxen können wiederum analytisch unterschieden werden von absichtslosem Erinnern en passant bis zum rhetorischen Einsatz von Erinnerungsfiguren. Zentraler theoretischer Ansatz hierzu ist die narrative Psychologie, die narrative Bedeutungskonstruktion als basale psychologische Kompetenz konzipiert, die als temporale Sinnbildung auch dem Geschichtsbewusstsein zugrunde liegt. Auch hier zeigt sich, analog zu Whites Thesen, dass die Nähe einer Geschichte zur (kulturspezifisch) wohlgeformten Erzählung für die soziale Akzeptanz wichtiger ist als die Wahrheit: Geglaubt und weitergegeben wird, was gut klingt. Zum Problem wird dies, wenn Menschen wahre oder falsche Erinnerungen an Traumata erzählen, woran sich eine erste Verbindungslinie zwischen den Themen zeigt.

Übergreifend kann »kollektives Trauma« unter Bezug auf den Gedächtnisdiskurs in zwei Varianten definiert werden: ganz weit verstanden als ein im kollektiven Gedächtnis gespeichertes traumatisches Ereignis (1) oder im engeren Sinne als ein Ereignis, das retrospektiv die normalen Erinnerungspraxen aufsprengt (2).

Im Detail lässt sich mit diesen beiden Definitionen theoretisch die ganze Bandbreite der im Gedächtnisdiskurs thematisierten Phänomene auf kollektive Traumata beziehen. Dabei relativiert die gedächtnistheoretische Perspektive die Bedeutung einiger Phänomene, die oft als spezifisch für »kollektive Traumata« angesehen werden: So erscheint Kollektivierung als normaler Prozess und im engeren Sinne wäre dann eher eine nicht kollektivierbare Erinnerung als »kollektives Trauma« zu bezeichnen. Ähnlich kann aus klinisch-psychologischer Sicht festgestellt werden, dass Trauma dadurch gekennzeichnet ist, dass es nicht in eine wohlgeformte Erzählung transformiert werden kann, während ein eher kulturwissenschaftlicher Blick nahelegt, dass Trauma die Funktion einer Mustererzählung annimmt.

Insgesamt weisen Trauma-, Gedächtnis- und Holocaustdiskurs vielfältige Verbindungen auf. So ist etwa die Krise der Repräsentation für alle drei Diskurse relevanter Bezugspunkt, manchmal werden Holocaust und Trauma dabei fast synonym verwendet.

Auch das kollektive Erinnern an die Sklaverei bzw. der postkoloniale Diskurs kann mit »kollektivem Trauma« verknüpft werden. Historisch gab es in der Entwicklung der Schwarzenbewegung stets sehr vielfältige Bezugnahmen auf die Sklaverei, sehr deutlich standen sich z. B. in den 1920er-Jahren in den USA eine progressive und eine tragische Erzählfigur gegenüber. Statt an »kollektives Trauma« erinnert die letztere dabei eher an das, was Walter Benjamin später in seinen geschichtsphilosophischen Thesen als eine Art Anspruch der Vergangenheit an die Nachgeborenen formulierte. Der aktuelle postkoloniale Diskurs greift dagegen sehr häufig auf die Metapher Trauma zurück, verwendet aber als Konzept nur Freuds »Nachträglichkeit«. In diesem Sinne ist auch hier kritisch zu fragen, ob für die »haunting memories« von Kolonialismus und Sklaverei nicht andere Metaphern und Konzepte passender wären.

V

**Wessen Trauma?
Bilanz und Ausblick**

Der vorliegende Text basierte auf meiner Dissertation zum Thema »kollektive Traumata«. Es ging dort darum, diesen beliebten Begriff im Sinne einer Diskurs- und Begriffskritik auf den wissenschaftlichen Prüfstand zu stellen. Für die Umarbeitung in ein Buch habe ich die konstruktive Seite dieser Kritik stärker hervorgehoben: Was wissen wir über die Phänomene, die als »kollektive Traumata« bezeichnet werden? Was hat die Psychologie und was haben die Erkenntnisse über »kollektive Identität« und »kollektives Gedächtnis« zum Verständnis von kollektiv relevanten »Traumata« beizutragen? In den Zwischenbilanzen zu den einzelnen Kapiteln wurde deutlich, dass es sehr unterschiedliche sozialpsychologische Prozesse sind, die im Zusammenwirken von Trauma und kollektivem Gedächtnis entstehen: Traumata etwa, die – oft gar nicht im Interesse der Opfer – in unterschiedlicher Weise von Kollektiven angeeignet und dabei auch instrumentalisiert werden können, genauso wie Traumata, die von vorneherein als Angriffe gegen Kollektive erfahren wurden. Die wissenschaftliche Prüfung besteht das Konzept »kollektives Trauma« dabei streng genommen nicht: Zu unterschiedlich sind die Phänomene, die auf den gleichen Begriff gebracht werden.

Dennoch ist mein Fazit, dass man auf diesen problematischen Begriff (noch) nicht ganz verzichten sollte. Trotz aller Schwierigkeiten lenkt er den Blick auf die wichtige Frage, was denn in Kollektiven – *analog* zu individuellem Trauma – nach massivem Unrecht bleibt. Ich verwende »kollektives Trauma« somit nicht als Konzept im Sinne einer sozialpsychologischen Kollektiv-Diagnose, sondern im Sinne einer Leit-Metapher, die nach Analogien zum individuellen Umgang mit traumatischer Beschädigung suchen lässt. Am Schluss muss dann ein Rückblick und ein Ausblick stehen: Was zeigt sich, wenn man in dieser Weise »kollektive Traumata« untersucht?

In diesem Schlusskapitel hebe ich zentrale übergreifende Themen hervor, die in den einzelnen Kapiteln aus unterschiedlichen Perspektiven angesprochen wurden: Wiederholt wurde auf der Meta-Ebene deutlich, wie sehr die wissenschaftliche Begriffsbildung im Kontext extremen Leids auf ethische Schwierigkeiten stößt (1). Deutlich wurden auch die großen Unterschiede zwischen Formen und Funktionsweisen »kollektiver Traumata« (2). Und schließlich verweist die Auseinandersetzung mit »kollektiven Traumata« auf eine Reihe weiterer psychologischer Konzepte, die für das Verständnis schwieriger Vergangenheiten nützlich sind (3).

1 »Leiden vergleichen«: Holocaust, Ethik und die Grenzen wissenschaftlicher Begriffsbildung

In diesem Buch wurde immer wieder deutlich, wie sehr jedem Sprechen oder Schreiben über Trauma und insbesondere über den Holocaust eine ethische Dimension inhärent ist. Besonders die Debatte über die Grenzen oder Krise der Repräsentation verdeutlichte, wie sehr diese »moralische Grammatik« auch das wissenschaftliche Sprechen strukturiert.

In diesem Zusammenhang stellt sich die Frage, inwiefern die im Kern ethische Forderung, den Holocaust als unvergleichbar zu behandeln, nicht eigentlich von Grund auf mit dem Anliegen kollidiert, überhaupt das Konstrukt oder den Begriff »kollektives Trauma« zu verwenden. Das hier versuchte systematische Nachdenken über »kollektives Trauma« ist im Grunde nichts anderes als ein *vergleichendes Nachdenken über extremes menschliches Leiden* und dieses kommt nicht am Holocaust vorbei. Eine übergreifende Diskussion von »kollektivem Trauma« kann so gesehen nicht die Problematik ignorieren, dass dadurch zumindest implizt der »11. September« und der Holocaust der gleichen Kategorie zugeordnet werden. Ich hatte anfangs den Eindruck, diesem Problem mit einer klaren Positionierung entkommen zu können: Entweder sind der »11. September« und andere Katastrophen »kollektive Traumata« oder aber *nur* der Holocaust ist ein »kollektives Trauma« und kleinere Katastrophen dann eben nicht. Diese Position ließ sich jedoch nicht durchhalten: Die Auseinandersetzung mit wichtigen AutorInnen und Diskurslinien zum Thema Leiden bzw. Trauma zeigte, wie sehr das Sprechen über extremes Leid insgesamt den Holocaust als Bezugspunkt verwendet. Manche AutorInnen thematisieren das inhärente Dilemma und verwenden dann häufig folgende Argumentationslinie: »Ich will die Einzigartigkeit nicht in Frage stellen, aber ich will den Holocaust trotzdem als Vergleichshorizont für meine Fragestellung verwenden.« Ein elaboriertes Beispiel hierfür ist Sam Durrants Annäherung, in der er Kolonialismus und Holocaust miteinander in Verbindung bringt:

>To link the two modes of racial oppression is not to challenge arguments concerning the uniqueness of the Holocaust nor to gloss over the differences between the extermination of the Jews and the many different forms of colonialism – few of which were genocidal in intention. What concerns me here is that both histories produce similar problems of memorialisation« (Durrant 2004, S. 3).

Meines Erachtens gelingt Durrant diese schwierige Differenzierung hier gut, weil er sehr präzise sagt, warum sich der Vergleich nicht auf die Ebene der historischen Ereignisse bezieht, sondern auf »*ähnliche Probleme* der Memorialisierung«. Und er spricht konkret die genozidale Absicht als das Spezifikum der Judenvernichtung an. In der Anwendung seines Arguments in den literaturwissenschaftlichen Analysen zeigt er, dass es gelingen kann, den Vergleich bestimmter Probleme fruchtbar werden zu lassen, ohne Leiden zu relativieren. Möglicherweise hat das damit zu tun, dass er keine allgemeine Theorie des postkolonialen und postmodernen Trauerns entwickelt, sondern sehr konkrete Fallstudien vor Augen hat, aus denen er dann vorsichtige Verallgemeinerungen bezüglich klar benannter Probleme ableitet.

Dies ist vielleicht als genereller Hinweis zu verstehen: Vergleiche zwischen unterschiedlichen »kollektiven Traumata« können lohnen, wenn Klarheit darüber besteht, was verglichen werden soll, und nicht das Ziel besteht, daraus eine alles umfassende Theorie abzuleiten.

Die in dieser Arbeit dargestellten, auf Verallgemeinerung abzielenden Ansätze von Vamik Volkan (Kapitel II) und Jeffrey Alexander (Kapitel III) unterstützen diese Überlegung. Volkans Darstellungen sind immer dann am überzeugendsten, wenn er konkrete Ereignisse diskutiert, wie z.B. in der Analyse der Instrumentalisierung der Amselfeld-Schlacht: Für dieses Beispiel passt auch sein Ausdruck *gewähltes* Trauma am besten. Problematisch sind dann die Verallgemeinerungen und Parallelen (z.B. bei Volkan: die Juden und die Serben): Die Definitionsmerkmale passen meistens entweder auf den einen oder den anderen historischen Fall, sodass die Zusammenfassung unter eine Kategorie irritiert. Ähnlich gilt für Alexander, dass seine Verallgemeinerungen zu »Cultural Trauma« vor allem das eigene Fallbeispiel beschreiben und die Mitautoren deshalb konsequenterweise ihre je eigene Definition von »Cultural Trauma« kreieren, die auf ihr Beispiel besser passt (vgl. Alexander et al. 2004; vgl. Joas 2005).

Das bedeutet: Eine Theoretisierung »kollektiver Traumata« impliziert den Vergleich von Leiden im Allgemeinen und es impliziert insbesondere den Vergleich verschiedener extremer Leiden mit dem Holocaust. Worin genau liegen jedoch die Probleme beim Vergleich von Leiden? Genügt es, zu sagen, dass wissenschaftliches Vergleichen mit dem Verrechnen von Leiden nichts

zu tun hat oder haben kann? Ich will dieses Problem nicht abschließend beurteilen, jedoch als Ergebnis meiner Untersuchung ein Unbehagen an einer
allzu verallgemeinernden Begriffsbildung formulieren.

DESIDERATE UND OFFENE FRAGEN

Um dieses Problem genauer zu verstehen, würde es sich lohnen, verschiedene
Ansätze zu analysieren, die Metareflexionen zur kulturellen Thematisierung
von Leiden unternehmen: z. B. Chaumonts *Konkurrenz der Opfer* (2001) oder
Ian Burumas *The Joys and Perils of Victimhood* (1999). Ich habe auf solche
Texte nur sehr selektiv Bezug genommen (z. B. Reemstma 1999), dies wäre
somit ein erstes Desiderat für eine weitere wissenschaftliche Auseinandersetzung mit »kollektiven Traumata«.

Eng damit verbunden wäre eine gründlichere Auseinandersetzung mit der
These oder der Forderung, den Holocaust als unvergleichbar zu behandeln:
Hier wäre zunächst ihr argumentativer Gebrauch zu untersuchen. So stellt
Sam Durrants Argumentation in seiner Präzisierung des Problems eher eine
positive Ausnahme dar, die häufigere Argumentationsform scheint eine Art
politisch korrektes Lippenbekenntnis zu sein (»man soll ja nicht vergleichen,
aber ...«). Das Desiderat ließe sich so spezifizieren: Welche Forderungen sind
aus der Anerkennung der Singularität des Holocaust abzuleiten? Was kann
verglichen werden und was nicht?

Holocaustdiskurs und Traumadiskurs sind so sehr verwoben, dass unklar
ist, inwiefern die Auseinandersetzung mit Trauma auch dann eine Auseinandersetzung mit dem Holocaust ist, wenn dies nicht explizit wird: Meines
Erachtens ist das Sprechen über kollektives Trauma sehr oft ein – latentes,
unterschwelliges, unbewusstes – Sprechen über den Holocaust. Daran anknüpfend wäre dann zu fragen: Vielleicht ist »(kollektives) Trauma« manchmal eine Art Kompromiss, um über den Holocaust zu sprechen, ohne ihn
direkt anzusprechen? Ist es einfacher über »Trauma« zu sprechen, als über
den Holocaust?

In meiner Auseinandersetzung mit den verschiedensten Ansätzen war
der Holocaust häufig als eine Art Subtext präsent, durch den diese Form des
wissenschaftlichen Theoretisierens und Abstrahierens immer wieder mit dem
ethischen Problem zu kollidieren schien. Umso wichtiger erscheint es mir für
die weitere wissenschaftliche Auseinandersetzung mit dem Konstrukt »kollektives Trauma«, die Ethik des Sprechens über den Holocaust noch expliziter
zum Gegenstand der Reflexion zu machen.

2 Wenn Trauma kollektiv wird: Formen und Wirkungsweisen kollektiver Traumata

Da »kollektives Trauma« prinzipiell Gegenstand verschiedenster Kultur- und Sozialwissenschaften ist, war für meine Theoretisierung eine Suchbewegung zwischen den Disziplinen essenziell. Dabei besteht die Herausforderung der Interdisziplinarität typischerweise darin, den spezifischen Beitrag und die Stärke der eigenen Disziplin nicht aus dem Blick zu verlieren (vgl. Welzer/Markowitsch 2006). Deshalb rekapituliere ich drei zentrale Thesen im Folgenden unter einer explizit psychologischen Perspektive und skizziere dabei, an welchen Punkten weitere psychologische Forschungen anknüpfen könnten.

2.1 Das Trauma des Einzelnen und das Trauma des Kollektivs: zwischen *erlebtem* und *gewähltem* Trauma

Einer der zentralen Beiträge der Psychologie betrifft das Spannungsverhältnis zwischen kultureller Artikulation und konkreter Erfahrung. Die Psychologie verfügt über differenziertes Wissen zu den vielfältigen konkreten Auswirkungen von Traumata auf Menschen: Diese Perspektive zeigt Trauma als etwas, das zunächst eine sehr konkrete, sehr schmerzhafte, einzigartige, schwer mitteilbare und oft einsame Erfahrung ist. Aus der Sicht vieler in diesem Sinne konkret traumatisierter Menschen mag es paradox klingen, überhaupt von einem »kollektiven Trauma« zu sprechen, da die individuelle Erfahrung so sehr im Vordergrund steht. Diese Einsicht markiert eine zentrale Unterscheidung, die in der Auseinandersetzung mit dem Konstrukt »kollektives Trauma« oft in den Hintergrund zu geraten droht: Es gibt die Menschen, die das Trauma *erlebt* und erlitten haben, und es gibt die, für die es nur ein relevantes Ereignis ist. In Anlehnung an Volkans Begrifflichkeit könnte man sagen, dass es einen wichtigen Unterschied zwischen dem »*gewählten*« (kollektivierten) und dem »*erlebten*« Trauma gibt. Die zentrale Frage ist dann, inwiefern diese beiden radikal unterschiedlichen Erfahrungsweisen überhaupt unter ein gleiches Konstrukt subsummiert werden und dadurch als Einheit gedacht werden sollten. Der Ausdruck »kollektives Trauma« suggeriert hier eine Übereinstimmung, die nur oberflächlich im Bezug auf das gleiche Ereignis besteht. Statt an Einigkeit ist möglicherweise primär an einen Konflikt zu denken. Wie in der Anwendung auf den 11. September gezeigt, ist die Kollektivierung ein eigenständiger Prozess, der zwar theoretisch als Solidarität, Unterstützung oder Wiedergutmachung erlebt werden kann, aber prinzipiell – und vielleicht häufiger – vor allem als Enteignung der eigenen Erfahrung. Hier drängt sich die Frage auf, von »wessen Trauma« jeweils die Rede ist. Aus meiner Sicht liegt ein zentraler Beitrag der Psychologie darin, innerhalb der oft pauschalen Verwendung von »kollektivem Trauma« diese radikale Perspektivendifferenz zu verdeutlichen: Ein »kollektives Trauma« besteht demnach aus verschiedenen »kollektiven Traumen«, zwischen denen eine oft unsichtbare Kluft verläuft und die sehr unterschiedliche Interessen und Bedürfnisse implizieren können.

Meine Schlussfolgerung, dass es unterschiedliche Grade von Betroffenheit durch das gleiche Ereignis gibt, habe ich in diesem Buch mit verschiedenen Begriffen beschrieben: eine direkte wurde indirekter Traumatisierung gegenübergestellt, von symbolvermittelter Traumatisierung war die Rede, von Ansteckung, Aneignung und Ausdehnung. Als psychologische Analysepersepktive ist der Begriff der *Wahl* besonders geeignet: Dieser erfasst einerseits die entscheidende Kluft (den Unterschied zwischen vorhandener und fehlender Wahlmöglichkeit) und erlaubt es andererseits, verschiedene Abstufungen von Wahlfreiheit in Bezug auf das traumatische Ereignis zu beschreiben und zu erkunden. Es gibt demnach auf der einen Seite konkrete Opfer, die nicht wählen können, ob sie das Ereignis für sich als relevant definieren wollen, da das Opferwerden ja gerade darin besteht, keine Wahl zu haben. Auf der anderen Seite gibt es verschiedene Abstufungen der »Freiheit«, sich von dem Ereginis mitgemeint zu fühlen: So kann man sagen, dass die traumatisierten New Yorker in Bezug auf das Trauma des 11. September keine Wahl hatten. Für die meisten US-Amerikaner lag die Identifikation mit dem Trauma nahe, war aber dennoch eine Wahl. Jenseits der USA bestand dagegen eine vergleichsweise große Freiheit, das Ereignis für sich als relevant zu definieren.

Der Begriff der Wahl ermöglicht auch andere Abstufungen: So unterscheidet sich z.B. die transgenerationelle Weitergabe von anderen indirekten Traumatisierungen ebenfalls im Ausmaß der Wahlfreiheit: Ein Kind von traumatisierten Eltern hat weniger Wahlfreieheit als ein Trauma-Therapeut. Und auch das

Spezifische am genozidalen Trauma hat mit Wahlfreiheit zu tun, da die gefühlte Verbundenheit nach einem Genozid einen völlig anderen Charakter hat als andere, freier gewählte Zugehörigkeiten.

Desiderate und offene Fragen

Was lässt sich hieraus für weitere Forschung ableiten? Aus meiner Sicht kann die Psychologie mit solchen Überlegungen vor allem einen wichtigen Beitrag zur Differenzierung der oft so polarisierten interdisziplinären Debatte leisten: Der kulturwissenschaftlichen Überbetonung der Interpretationsspielräume kann sie die Erkenntnis entgegensetzen, dass solche Spielräume sehr stark variieren. Gleichzeitig wirkt der Gedanke der Wahlmöglichkeit der psychologischen Überschätzung der Realtraumatisierung entgegen, indem er sichtbar macht, dass im »kollektiven Trauma« erlebte und gewählte Traumen gemeinsam wirksam sind: Traumatisierung und Interpretationsprozesse sind gleichermaßen relevant und aus deren Zusammenwirken entsteht eine Bandbreite unterschiedlicher kollektiv gewordener Traumata.

2.2 Die Aneignung von Trauma: Trauma, kollektive Identifikation und Zugehörigkeit

An diese Feststellung der Wahlmöglichkeit und Interpretationsspielräume knüpft unmittelbar die Frage an, mit welchen Konstrukten die Psychologie diese Prozesse erklärt. Offensichtlich handelt es sich nicht nur um einen kognitiven Vorgang, sondern Menschen entwickeln eine starke emotionale Verbindung zu einem Ereignis, das sie nicht selbst erlebt haben. Das Ereignis wird als »kollektiv relevant« erlebt, und das bringt ein Gefühl der Verbundenheit untereinander und übereinstimmende Interpretationen hervor. Wodruch lässt sich dieser komplexe Vorgang erklären? Im Grunde sind zwei verschiedene psychologische Fragen hierfür relevant:
1. Wodurch bekommt ein nicht direkt erlebtes Ereignis eine so hohe emotionale Bedeutung? Wie wird es relevant?
2. Wieso kommen dabei Zugehörigkeit, Verbundenheit und Übereinstimmung ins Spiel?

Im vorliegenden Buch wurde vor allem die zweite Frage verfolgt: Psychoanalytische Ansätze können das Bedürfnis nach Übereinstimmung erklären und die empirischen Beobachtungen zum »kollektiven Erinnern« können zumindest beschreiben, wie solche Übereinstimmungen konkret in Interaktionen hergestellt werden. Gefühlte Zugehörigkeit (kollektive Identität) zeigt sich als situationsspezifisch relevant und Erinnern hat immer etwas mit Zugehörigkeit zu tun.

Die erste Frage wurde vom Konzept des individuellen Traumas ausgehend verfolgt: Mich interessierte die Identifikation mit einem fremden traumatischen Ereignis so, wie sie als »Sekundärtraumatisierung« oder »indirekte Traumatisierung« insbesondere in der klinischen Psychologie diskutiert wird. Dem angesprochene Phänomen könnte man sich jedoch auch von einer anderen Seite nähern, indem man generell die Identifikation mit nicht selbst erlebten Ereignissen untersuchen würde. Aus beiden Themenkomplexen ergeben sich somit interessante weiterführende Fragestellungen.

DESIDERATE UND OFFENE FRAGEN

Was wissen wir eigentlich über die Verbundenheit mit »Kollektiven«, was wissen wir über Zugehörigkeitsgefühl? Wie muss ein Ereignis sein oder vermittelt werden, damit es auf die eigene »kollektive Identität« bezogen wird? Oder ist eher die vorgängige Bereitschaft, sich zugehörig zu fühlen, eine Voraussetzung dafür, dass bestimmte Ereignisse kollektiv relevant werden? In diesem Sinne würde es sich z.B. lohnen, wichtige Thesen und Ergebnisse der Social Identity Theory bzw. ihrer Weiterentwicklungen systematisch auf den Gegenstand kollektives Trauma zu beziehen, womit die »kollektive Identifikation« bereits angesprochen wäre. Insgesamt könnte eine weitere systematische Auseinandersetzung mit »Identifikation« ertragreich sein, wobei ich neben grundlegenden psychoanalytischen Ansätzen insbesondere die Ergebnisse der Medienrezeptionsforschung für relevant halte.

2.3 Die Instrumentalisierbarkeit von Trauma: Trauma als kollektiv akzeptierte Narration

Die »kollektive Identifikation« mit einem Ereignis hat jedoch nicht nur mit der Bereitschaft der Subjekte auf der einen und dem realen Ereignis auf der anderen Seite zu tun, sondern auch damit wie das Ereignis erzählt, d.h., wie es in eine Narration überführt wird. Wie in dem Kapitel über die Sozialpsychologie kollektiven Erinnerns gezeigt, tendieren Menschen dazu, Erzählungen zu bevorzugen, die mit bestimmten kulturellen Konventionen und Erwartungen übereinstimmen. Mit dem Wahrheitsgehalt muss dies nicht viel zu tun haben, eine Geschichte kann auch dann zur »kollektiv akzeptierten Narration« werden, wenn sie nur wenig mit den realen Ereignissen zu tun hat. Die Kultursoziologie (vgl. Kapitel III) betont ergänzend, dass sich zudem einflussreiche soziale Akteure dafür einsetzen, dass sich eine bestimmte Variante zur kollektiv akzeptierten Version entwickelt.

Betrachtet man vor diesem Hintergrund die Instrumentalisierbarkeit »kollektiver Traumata«, dann wird deutlich, dass es nicht das Trauma an sich ist, das massenpsychologisch instrumentalisiert werden kann, sondern dass sich bestimmte »Trauma-Narrationen« besonders gut für die Instrumentalisierung eignen.

DESIDERATA UND OFFENE FRAGEN

Wenn sich nun etwa die Friedens- und Konfliktforschung dafür interessiert, inwiefern »kollektive Traumata« neue Gewalt hervorrufen können, dann müsste diese Erkenntnis zu Differenzierungen Anlass geben. Es wäre dann eher das Gewaltpotential von bestimmten »kollektiv akzeptierten Narrationen« zu untersuchen. Welche Formen von Vergangenheitserzählungen können besonders gut zur Mobilisierung von Massen genutzt werden? Ich komme darauf unten noch einmal zurück.

3 Weiterführende Fragen zur (Sozial-)Psychologie »schwieriger Vergangenheiten«

Der vorliegende Text hatte zum Ziel, die Anwendbarkeit von »kollektivem Trauma« auf bestimmte Phänomene und damit auch die Grenzen einer solchen Anwendbarkeit auszuloten. Dies implizierte die weiterführende Frage, welche anderen Konzepte sich ebenso gut oder besser eignen, um die untersuchten Phänomene zu erklären. Viele solcher alternativer Ansätze wurden bereits angesprochen. Zwei Konzepte, die ich für besonders weiterführend halte, will ich abschließend hervorheben, bevor ich dann mit einem Ausblick auf weitere Forschung ende.

3.1 Opfer als Täter von morgen? – Variationen kollektiver Kränkungen

Die hier dargestellten Erkenntnisse über Trauma und kollektive Erinnerung können ein gängiges Vorurteil widerlegen, das sich häufig in der Formel verdichtet, dass die »Opfer von gestern die Täter von morgen« seien. Diese Formel enthält die verbreitete Vorstellung, dass Rache und Gewaltexzesse *vorwiegend* als *Folgen* von psychischen Verletzungen zu verstehen sind und dass »kollektive Traumata« deshalb automatisch ein in diese Richtung weisendes gefährliches Potential haben. Das psychologische Wissen legt dies nicht nahe: Opfer sind aus psychologischer Sicht weder besonders geläutert und friedfertig noch besonders aggressiv und rachsüchtig. Beide Vorstellungen haben vielmehr etwas mit den ambivalenten Affekten zu tun, die Opfer in ihrem Gegenüber auslösen (vgl. Reemtsma 1999). Dennoch bleibt das Phänomen der Instrumentalisierbarkeit von alten Verletzungen erklärungsbedürftig.

Als Differenzierung schlage ich vor:

➤ »Kollektive Traumata« münden nicht automatisch in neue Gewalt, sondern komplexe soziale, politische und kulturelle Prozesse und historische

Gelegenheiten können dazu führen, dass neue Gewalt mit traumatischer Erfahrung begründet wird (sozialwissenschaftliche Differenzierung).

➤ Die massenpsychologische Instrumentalisierung von alten Verletzungen lässt sich weniger durch das Konzept »Trauma« als vielmehr durch andere psychologische Konzepte wie Kränkung, Groll oder Ressentiment erklären (psychologische Differenzierung).

Ich halte hier den Begriff der Kränkung für zentral. Ich erinnere noch einmal daran, dass traumatische Verletzungen prinzipiell eine große Bandbreite von Reaktionen hervorrufen können: Dabei können Gefühle wie Trauer, Angst oder Schuld im Vordergrund stehen. Es können aber auch Gefühle im Vordergrund stehen, die stärker auf die Identität bzw. das Selbstgefühl bezogen sind: Scham, Demütigung, ein als Kränkung erlebtes Ohnmachtsgefühl. Traumatische Verletzungen können somit stark mit Kränkung verbunden sein, müssen es aber nicht. Jenseits von traumatischen Verletzungen erlebt jedoch jeder Mensch in seinem Leben unzählige Kränkungen, deren Bewältigung unterschiedlich gut gelingt. An dieser Stelle ist Mentzos' Begriff des »psychosozialen Arrangements« sehr hilfreich, mit dem er die massenpsychologische Situation als eine Möglichkeit beschreibt, die Bearbeitung individueller und kollektiver Kränkungen über kollektives Handeln zu versuchen. In dieser Lesart aktiviert ein massenpsychologischer Führer nicht alte »Traumata«, sondern vielmehr alte Kränkungen.

Kränkung verwende ich hier als Überbegriff für verschiedene Gefühle: Milošević' Argumentation z. B. knüpft nicht nur an Kränkung an, sondern auch an Groll, Ressentiment, Selbstgerechtigkeit und das Gefühl, für seine Leistung verkannt zu werden, d. h. etwas nicht zu bekommen, was einem zustehen müsste. Die massenpsychologische Aktivierung baut somit auf der Fantasie auf, sich zukünftig nicht mehr so schlecht behandeln zu lassen, im Recht und völlig unschuldig zu sein und sich endlich Recht zu verschaffen. Mit Blick auf verschiedene historische Beispiele ließe sich hier sagen, dass es sich um verschiedene Variationen eines gemeinsamen Themas handelt: Variationen kollektiver Kränkung.

3.2 Trauer und Gedenken statt Trauma und Therapie

Um eine andere Form von »kollektivem Trauma« geht es, wenn sich die traumatische Beschädigung nicht primär auf die Identität bezieht, sondern wenn im Zentrum des Ereignisses und der Auseinandersetzung sehr reale Verluste stehen. Oft können Trauma und Trauer als alternative Lesarten der gleichen Ereignisse betrachten werden.

Im Hinblick auf die hier untersuchten interdisziplinären Debatten verdeutlicht die Gegenüberstellung von Trauma und Trauer vor allem eine Veränderung des Opferbegriffs: Bei den meisten als »kollektive Traumata« verhandelten Ereignissen geht es um Hunderte, Tausende oder Millionen Tote. Durch den Begriff »kollektives Trauma« treten die toten Opfer in den Hintergrund, und es scheint oft so, als seien die traumatisierten Opfer die eigentlichen Opfer des Ereignisses. Zwar verstehen viele Konzeptionalisierungen von individuellem Trauma komplizierte Trauerprozesse (etwa durch die Schuldgefühle gegenüber Verstorbenen) als typische Traumasymptome, jedoch spricht einiges dafür, Trauer auf kollektiver Ebene als eigenständigen Prozess zu begreifen. Im Vergleich zu Trauma ist Trauer hier auch anschlussfähiger an den Begriff des »Kollektiven«. »Kollektive Trauer« ist viel leichter zu konzipieren, da Trauer ohne Weiteres die Vorstellung zulässt, dass Menschen unterschiedlich stark von einem Verlust betroffen sein können. Komplizierte Beschreibungen für unterschiedliche Grade von Betroffenheit (direkt, indirekt, sekundär, konkret) erübrigen sich damit: Nahe- und Fernstehende können von dem gleichen Verlust betroffen sein und gemeinsam trauern.

Trauer impliziert dabei im Vergleich zu Trauma auch, dass es sich um etwas Normales handelt, was vorübergeht: Normale Trauer hinterlässt eine immer bleibende Lücke, jedoch keine pathologische dauerhafte Beschädigung der trauernden Person. Kollektive Trauer trägt damit nicht den beschriebenen problematischen Assoziationsraum der Krankheitsmetapher: Eine trauernde Gesellschaft ist etwas völlig anderes als eine traumatisierte, d.h. kranke Gesellschaft. Sie braucht z.B. Orte der Trauerarbeit – Gedenkorte –, aber keine »kollektive Therapie«. Trauer impliziert auch, dass es sich um eine Phase handelt, dass sich die Trauernden aber auch erholen können.

Beide Lesarten implizieren jedoch, dass etwas bleibt: bei Trauer ist es der Verlust, bei Trauma die Beschädigung und der Gedanke, dass einen die schwierige Geschichte nicht loslässt. Abschließend will ich deshalb noch einmal an die Spuk-Metaphorik der Schriftsteller anknüpfen.

Schluss

Für ein reflexives Erinnern

Ich hatte dieses Buch mit dem Hinweis darauf begonnen, dass Schriftstellerinnen wie Ruth Klüger oder Toni Morrison die psychologische Bedeutung schwieriger Vergangenheiten nicht zuletzt mit der Spuk-Metaphorik oft besser erfassen können als die Wissenschaft. Mein Text ist dann in mehrfacher Hinsicht ein Ringen um das wissenschaftliche »Begreifen« geworden: Was konnte meine Perspektive – die einer interdisziplinär orientierten Sozialpsychologie – zum Begreifen traumatischer Vergangenheit beitragen? Ich hoffe, dass mir die Balance gelungen ist: zu zeigen, dass es sich um eine ertragreiche Perspektive handelt, die zugleich zwangsläufig an immer wieder zu reflektierende Grenzen geraten muss.

Es ging um zweierlei: um eine Auseinandersetzung mit dem Phänomen »Trauma im kollektiven Gedächtnis« und um eine Auseinandersetzung mit der Anwendbarkeit der eigenen Wissenschaft. Immer deutlicher wurde dabei, wie sehr der wissenschaftliche Zugang mit dem Phänomen selbst verwoben ist: Psychologische Argumente sind Teil sozialer Erinnerungspraxen und ganz allgemein wird in den vielfältigen Bemühungen um Vergangenheitsbearbeitung zunehmend auf psychologische Erkenntnisse – über Trauma und über Erinnern – zurückgegriffen[34].

Umso wichtiger war es mir, nicht nur die Brauchbarkeit von Konzepten und theoretischen Ansätzen abzuwägen, sondern auch in der Art und Weise des gewählten Zugangs eine *reflexive* Perspektive auf »kollektives Erinnern« aufzuzeigen. An den drei zentralen Schlüsselbegriffen dieses Buches – (kollektive/s) »Trauma«, »Identität« und »Gedächtnis« – war zu erkennen, dass immer dann Probleme entstehen, wenn statische Metaphern zu sehr dazu verleiten, die damit bezeichneten Phänomene als feststehend, homogen und eindeutig misszuverstehen: Wie gezeigt wurde, ist das »kollektive Gedächtnis«

eben kein gemeinsamer Besitz und auch kein Behälter, dessen Inhalt bestimmte Handlungen zwingend hervorruft. Vielmehr geht es um unterschiedliche Bezugnahmen der Mitglieder eines Kollektivs, die sich einander in ihren Interpretationen und Gefühlen annähern können, aber nicht müssen.

Wenn ich mich nun am Schluss dieses Buches frage, wie die »Zukunft der Erinnerung« aussehen sollte, dann hoffe ich sehr, dass sich die Tendenz zum *reflexiven Erinnern* durchsetzt: Es gibt keine psychologischen, pädagogischen oder politischen Lösungen, keine »best practice« für den Umgang mit schwieriger Vergangenheit. Es gilt auch weder, dass Erinnern immer gut, noch, dass Vergessen immer schlechter ist. Es gibt jedoch bestimmte Fragen, die man sich immer wieder stellen sollte: Wer erinnert wann an wessen Trauma – und warum? Wessen Trauma wird erinnert, wessen nicht? Wo wird an was erinnert? Wen schließen (kollektive) Erinnerungspraxen ein – und wen schließen sie aus?

Wenn es stimmt, dass Erinnern viel mit Zugehörigkeiten zu tun hat, dann wird gerade die letzte Frage an Bedeutung gewinnen: Immer mehr Menschen migrieren – und damit migrieren nicht nur ihre individuellen Lebensgeschichten, sondern auch die kollektiven Erinnerungen der Gruppen, denen sie sich verbunden fühlen. Und: MigrantInnen kommen neu an Orte, die mit vielfältigen alten Erinnerungen behaftet sind. Welche Erinnerungen werden dann in welcher Form relevant für sie? Wie beziehen sich MigrantInnen auf die Erinnerungen der Gesellschaften, in die sie migrieren?

Interessant ist, dass z. B. im Diskurs über die Erinnerung an den Nationalsozialismus in Deutschland den Eingewanderten oft implizit abgesprochen wird, dass die deutsche Geschichte auch ihre Geschichte sei – selbst wenn sie schon seit Generationen hier leben. Daran zeigt sich, wie sehr Erinnerung im Moment noch als eine Art nationales Eigentum[35] begriffen wird. Ich denke, dass sich das zunehmend verändert und dass nicht zuletzt diese Veränderung dazu beiträgt, kollektives Erinnern reflexiver zu machen: Migration und Globalisierung verdeutlichen, dass ein historisches traumatisches Ereignis für unterschiedliche Menschen in unterschiedlicher Weise zu einem wichtigen Bezugspunkt werden kann, auch wenn die eigenen Vorfahren nicht als Täter oder Opfer involviert waren.

Es ist wirklich schade, dass es »haunting« nur auf Englisch gibt und dass insgesamt die »Gespenster« dem literarischen Zugang vorbehalten bleiben. Denn sie sind einfach ein sehr gutes Bild für das, worum es hier ging und weiter gehen sollte: Gespenster sind, wie gesagt, oft die Toten, die gewaltsam Ermordeten, die zurückkommen und sich dafür interessieren, wie die Sache weiterging, ob ihrer gedacht wird und was in ihrem Namen so alles geschieht. Bisweilen versuchen sie Dinge richtig zu stellen. Aus unterschiedlichen Gründen suchen sie dann sowohl die Opfer als auch die Täter auf, wodurch die paradoxe Verbindung zwischen Tätern und Opfern deutlich wird: Sie »teilen« ja kein Trauma (auch wenn das in manchen Konzeptionen so vorgeschlagen wird), aber möglicherweise werden sie von den gleichen Gespenstern verfolgt. Und außerdem ist klar, dass Gespenster kein Besitz sind, sondern bestimmte Orte bewohnen.

Wer an einen solchen Ort kommt, kann Gespenster dort erahnen oder sehen – was zwar im Deutschen wie ein Vorwurf klingt, im Grunde aber ein Kompliment ist: denn es bezeichnet die Fähigkeit, sich von der unheimlichen Präsenz vergangener Verbrechen beunruhigen zu lassen.

Anmerkungen

Kapitel I

1 Die folgende Darstellung individueller Traumaphänomene wurde aus meinem Buch *Kollektive Traumata* unverändert übernommen (Kühner 2007, S. 37ff.).

2 Selbst für die viel praktizierte und gelobte Methode des »debriefing« sind die empirischen Beweise weniger überzeugend als die Suggestionskraft des Begriffes nahelegt: Das Debriefing ist eine Methode der Krisenintervention, bei der in Kleingruppen nach einem festgelegten 7-Punkte-Programm vor allem zum schnellen Aussprechen der belastenden Erfahrung ermutigt werden soll. Neuere Kontrollstudien stellten zum Teil sogar negative Effekte fest (Raphael et al. 1995), was darauf zurückzuführen sein könnte, dass sich diese Methode wohl nur für Traumata eignet, die von einem einmaligen überwältigenden Vorkommnis (»one single blow«) gekennzeichnet sind (vgl. McFarlane/Yehuda 1996).

3 Die zunehmend differenzierten Erkenntnisse über die verschiedensten Formen der Dissoziation können hier nicht dargestellt werden, sind jedoch für die therapeutische Bearbeitung von enormer Bedeutung (vgl. van der Kolk 2000).

4 Auf die vielfältige und kontroverse Debatte des Nachträglichkeitsbegriffes innerhalb des psychoanalytischen Diskurses, vor allem auch in der lateinamerikanischen Psychoanalyse, sei hingewiesen, ohne dass diese hier nachgezeichnet werden kann (vgl. Kerz-Rühling 2000).

5 Häufig werden für Traumverarbeitung spektakuläre Analogien aus der Tierwelt herangezogen, etwa die Tatsache, dass das Beutetier oft schon aus psychischer Lähmung stirbt, bevor das Raubtier zubeißt. Diese Analogien sollen helfen den physiologischen Teil der Traumareaktion und -verarbeitung nicht zu unterschätzen. Allerdings eignet sich der Vergleich m.E. je nach Art der Traumatisierung unterschiedlich gut: Bei man-made disasters, in deren Zentrum unter Umständen länger anhaltende pathogene Täter-Opfer-Beziehungen stehen, bietet sich der Vergleich weniger an als etwa bei Schocktraumata wie einem schlimmen Verkehrsunfall, der das klassische »Kampf/Flucht-Schema« aktiviert.

6 Persönliche Mitteilung an A.K. von Reiner Steinweg (vgl. Kühner 2003).

7 Lifton hatte bereits in seinen frühen Arbeiten über die Überlebenden des Atombombenabwurfs von Hiroshima auf deren »death imprint« hingewiesen und wies dieser Todesprägung auch für die Vietnamveteranen eine herausragende Bedeutung zu (Lifton 1973, S. 1995).

8 Barbara Abdallah-Steinkopff, persönliche Mitteilung an A.K.

9 In gewisser Weise spitzt sich im Traumadiskurs Marcuses berühmt gewordene Frage zu, ob

es eher die verrückten oder eher die normalen Reaktionen seien, die einer »verrückten Welt« angemessen seien. Ich komme auf die Probleme der Pathologisierung in Kapitel I.2 zurück.

10 Reemtsma spricht hier sogar von Resozialisierung: »Es ist das Opfer eines Verbrechens – jedenfalls dann, wenn wir von Trauma sprechen – das der Resozialisierung bedarf. Scheitert diese, wird das Trauma zur biographischen Maßgabe, das Versagen der sozialen Instanzen macht es [das Trauma, A. K.] zum Ausgangspunkt einer Sequenz« (Reemtsma 2002, S. 82).

11 Im Rahmen einer für die Berghofstiftung für konstruktive Konfliktbearbeitung nach dem 11. September 2001 durchgeführten Recherche zum Thema »kollektive Traumata« führte ich je ein ExpertInneninterview (vgl. Pawson 1996) mit Thea Bauriedl und David Becker. In diesem Kontext erfragte ich neben generellen Überlegungen zu »kollektivem Trauma« auch deren Einschätzungen der langfristigen Folgen des »11. September«. Das Interview mit David Becker wurde am 09.04.2002 in Berlin geführt, das Interview mit Thea Bauriedl am 04.08.2002 in Petzenhausen. Beide Interviews sind ausführlicher in dem für die Berghofstiftung verfassten Bericht zitiert, der 2007 in überarbeiteter Form als Buch erschienen ist (vgl. Kühner 2003; vgl. Kühner 2007). Ich zitiere sie im Folgenden jeweils als »Bauriedl in Kühner 2003« und »Becker in Kühner 2003«.

Kapitel II

12 Die Sozialpsychologin und Psychoanalytikerin Gudrun Brockhaus weist darauf hin, dass die Mitscherlichs hier ein wenig dem nationalsozialistischen Selbstbild eines Massenkonsens aufsitzen, der nach historischer Forschung nie so ausgeprägt war, wie dies von den Nazis stilisiert wurde (Brockhaus 2003b).

13 In der in Kapitel IV ausführlicher vorgestellten Studie zum Familiengedächtnis des Nationalsozialismus können Harald Welzer und seine KollegInnen an verschiedenen Stellen sehr schön illustrieren, wie im Familiengedächtnis die Begeisterung ausgeschlossen bleibt: So wird in einem Beispiel der Polenfeldzug, der sicher in begeisterter Euphorie stattfand, bruchlos in die Narration der späteren Leiden im Krieg eingefügt (vgl. Welzer 2002).

14 Mentzos referiert jedoch auch relativ ausführlich und zustimmend Vamik Volkan und konzidiert, dass auch dieser »eher von der Objektbeziehungstheorie« kommende Autor wichtige Differenzierungen beisteuere. Er bezieht sich in diesem Kontext auf die Studie, in der Volkan Hitler als »destruktiv narzisstischen Führer« mit Atatürk als »reparativ narzisstischem Führer« vergleicht (vgl. Volkan 1988). Zentrale Hypothesen von Volkan werden später in diesem Kapitel vorgestellt und diskutiert.

15 Freud selbst formuliert ganz ähnlich: »Wenn aber eine Kultur es nicht darüber hinaus gebracht hat, dass die Befriedigung einer Anzahl von Teilnehmern die Unterdrückung einer anderen, vielleicht der Mehrzahl zur Voraussetzung hat, und dies ist bei allen gegenwärtigen Kulturen der Fall, so ist es begreiflich, dass diese Unterdrückten eine intensive Feindseligkeit gegen die Kultur entwickeln« (Freud 1927a, S. 333, zit. nach Erdheim 1982, S. 206).

16 Bei der Konstruktion eines Tätertraumas vermischen sich die generellen Schwierigkeiten der Annahme »kollektiver Traumata« mit den wissenschaftlichen und ethischen Problemen einer Anwendung des Traumakonzepts auf die Täterseite. Guido Vitiello hat vor allem die ethische Dimension in einer Gegenüberstellung verschiedener Verwendungsweisen von Tätertrauma differenziert herausgeschält (Vitiello 2006). Mit einer etwas anderen Schwerpunktsetzung diskutiert dies auch Susanne Luhmann (2006), wenn sie fragt, inwiefern Erkenntnisse aus den »Holocaust Studies« für die spezifischen Schwierigkeiten der Täterseite anwendbar sind (Luhmann 2006).

Kapitel III

17 In ihrer höchst differenzierten Hall-Rezeption verweist Linda Supik konsequent darauf, dass dies auch nur eine spezifische und nicht unwidersprochen gebliebene Lesart sei (vgl. Supik 2005).

18 In diesem Kapitel über kollektive Identität beziehe ich mich auf wichtige englischsprachige Autoren. An zentralen Stellen – so wie hier – sind die englischen Originalzitate in die Anmerkungen aufgenommen: »I use ›identity‹ to refer to the meeting point of *suture*, between on the one hand the discourses and practices which attempt to ›interpellate‹, speak to us or hail us into place as the social subjects of particular discourses, and on the other hand, the processes which produce subjectivities, which construct us as subjects which can be ›spoken‹. Identities are thus points of temporary attachment to the subject positions which discursive practices construct for us« (Hall 1996, S. 5f.).

19 Das vollständige Zitat von Hall und Maharaj lautet: »I do not think that you could talk about identity without talking about what identity lacks – difference. This is very important because it is the point at which one recognizes that one could only be constituted through the other, through what is different. Difference therefore is not something that is opposed to identity instead it is absolutely essential to it« (Hall/Maharaj 2001, S. 4, zit. nach Supik 2005, S. 51).

20 »The unique feature of our culture is that its root and base is Africa. To acknowledge its origins is also to identify the unchanging seam which is common to all black cultures in the diaspora. Our African origin […] has enabled us to resist new assaults on our way of life. In responding to these assaults, we have had to create and recreate new definitions of ourselves as a people« (Bryan/Dadzie/Scafe 1985, S. 183, zit. nach Supik 2005, S. 74)

21 Die diskursive Figur der Wiederentdeckung verwendet freilich auch die nationale Identitätspolitik. Allerdings gilt für Minderheiten deutlicher, dass ihre Geschichte, wie z. B. die Geschichte der Verschleppung aus Afrika, nicht in diesem Sinne geschrieben wurde und tatsächlich zum Teil »entdeckt« werden konnte.

22 Bestimmte Rassismuserfahrungen werden deshalb zunehmend auch mithilfe der Traumatheorie beschrieben.

23 »[W]hen that rigid binary racial logic is being used against us, we certainly know what's wrong with it. But when it seems to be working for us, we find that it's extremely difficult to give it up. We just can't let go of it in good moments, it makes us feel together« (Hall 1997, S. 292, zit. nach Supik 2005, S. 87).

24 »Politics without the arbitrary interposition of power in language, the cut of ideology, the positioning, the crossing of lines, the rupture is impossible« (Hall 1997, S. 136, zit. nach Supik 2005, S. 87).

25 »[S]ince they have not been superseded dialectically, and there are no other entirely different concepts with which to replace them, there is nothing to do but to continue to think with them – albeit now in their detotalized or deconstructed forms, and no longer operating within the paradigm in which they were originally generated« (Hall 1996, S. 1).

26 Dies wird beispielsweise in Bezug auf die feministische psychosoziale Praxis deutlich: Diese hat im Sinne der Anerkennung als qualifizierte, professionelle Praxis enorm vom Bezug auf Trauma profitiert – jedoch mit durchaus ambivalenten Effekten (vgl. Kühner 2005, 2006).

27 »While thoroughly laudable in moral terms, and without doubt also very helpful in terms of promoting public discourse and enhancing self-esteem, this advocacy literature typically is limited to the constraints of lay common sense. The traumatized feelings of the victims, and the actions that should be taken in response, are both treated as the unmediated, commonsense reactions to the repression itself« (ebd., S. 7).

28 »No longer deeply preoccupying, the reconstructed collective identity remains, nevertheless, a fundamental resource for resolving future social problems and disturbances of collective consciousness« (Alexander 2004, S. 23).

29 »The new trauma drama emerged in bits and pieces. It was a matter of this story and that, this scene and that scene from this movie and that book, this television episode and that theater performance, this photographic capturing of a moment of torture and suffering« (ebd., S. 231).

Kapitel IV

30 »It would seem self-evident that such a monstrous manifestation of human ›potentialities‹ would not be forgotten or repressed. If one adds the fact that the perpetrators invested considerable effort not only in camouflage but in effacement of all traces of their deeds, the obligation to bear witness and record this past seems even more compelling. Such a postulate implies, quite naturally, the imprecise but no less self-evident notion that this record should not be distorted or banalized by grossly inadequate representations. Some claim to ›truth‹ appears particularly imperative. It suggestes, in other words, that there are limits to representation *which should not be but can easily be transgressed*« (Friedlander 1992, S. 3; Hv. im Original).

31 Dazu muss man sich im Übrigen gar nicht unbedingt auf den »linguistic turn« beziehen, es lassen sich auch die Wissenschaftstheoretiker Popper oder Quine als Kronzeugen anführen (vgl. Gergen 1998).

32 In der Rezeption der Studie werden die Ergebnisse oft als repräsentativ behandelt, was sie jedoch meines Erachtens nicht sind: Die Interviews bilden die Strategien ab, die sich in Familien finden, die sich genau deshalb freiwillig interviewen lassen, weil die Vorfahren als »Helden des alltäglichen Widerstands« erinnert werden.

33 »[T]wo guiding frameworks emerged that would prove resilient in providing a cognitive map for mediating the past, present, and future orientation of the new, urban Negro. The cultural-political movement that has become known as the Harlem renaissance articulated a modernist, progressive framework in which the past was interpreted as a stepping-stone forward towards a brighter future. And a social movement identified through the name of its leader, Marcus Garvey, gave voice to a traditionalist-romantic, tragic narrative framework in which the past was something to be redeemed through the future. These narrative frames structured alternative ways of regarding the African and the American, as well as the meaning of slavery« (Eyerman 2004, S. 91).

Kapitel V

34 So war ich etwa parallel zur Arbeit an diesem Buch an einer sozialpsychologischen Interviewstudie zum Erleben des Geschichtsunterrichts zu Nationalsozialismus und Holocaust beteiligt. In diesem Zusammenhang bin ich immer wieder positiv überrascht, dass Historiker und Pädagogen es offensichtlich sehr naheliegend finden, hier auf sozialpsychologische Erkenntnisse zurückzugreifen. Ergebnisse der Studie *Aktuelle Herausforderungen der schulischen Thematisierung von Nationalsozialismus und Holocaust* gibt es über die Bayerische Landeszentrale für politische Bildung als kostenloses Download [http://www.km.bayern.de/blz/eup/index.asp].

35 Vgl. dazu den Aufsatz »Erinnerung jenseits nationaler Identitätsstiftung. Perspektiven für den Umgang mit dem Holocaust-Gedächtnis in der Bildungsarbeit« (Messerschmidt 2002; vgl. auch Messerschmidt 2007; Kühner 2008).

Literaturverzeichnis

11'09"01 – September 11. 11 Directors, 11 Stories, 1 Film. Regie: Youssef Chahine, Amos Gitai, Alejandro González Inárritu, Shohei Imamura, Claude Lelouch, Ken Loach, Samira Makhmalbaf, Mira Nair, Idrissa Ouedraogo, Sean Penn, Danis Tanovic. DVD, 123 Min. Großbritannien/Frankreich 2002.

Adorno, Theodor W. (1951): Die Freudsche Theorie und die Struktur faschistischer Propaganda. In: Helmut Dahmer (Hg.) (1980): Analytische Sozialpsychologie. Bd. 1. Frankfurt am Main (Suhrkamp), S. 318–343.

Agamben, Giorgio (1992): Walter Benjamin und das Dämonische. Glück und geschichtliche Erlösung im Denken Benjamins. In: Uwe Steiner (Hg.): Walter Benjamin. 1892–1940. Zum 100. Geburtstag. Bern u. a. (Memoria), S. 189–217.

Agger, I.; Jensen, S.B. (1990): Testimony as vitual and evidence in psychotherapy of political refugees. Journal of Traumatic Stress 3(1), 115–130.

Alexander, Jeffrey; Eyerman, Ron; Giesen, Bernhard; Smelser, Neil & Sztompka, Piotr (2004): Cultural Trauma und Collective Identity. Berkeley u. a. (University of California Press).

Alexander, Jeffrey (2004): Toward A Theory of Cultural Trauma. In: Jeffrey Alexander; Ron Eyerman; Bernhard Giesen; Neil Smelser & Piotr Sztompka (Hg.): Cultural Trauma und Collective Identity. Berkeley u. a. (University of California Press).

Althusser, Louis (1977): Ideologie und ideologische Staatsapparate. Aufsätze zur marxistischen Theorie. Hamburg (VSA).

Amrami, Galia P. (2006): Therapy, Morality and Nationhood. »The Trauma of Disengagement« in Israel in the Encounter between Religious-Zionist Project and Therapeutic Discourse. In: TRN Conference, St. Moritz, 14.–17. September 2006. URL: http://www.TraumaResearch.net/.

Anderson, Benedict (1991): Imagined Communities. Reflections on the origins and spread of nationalism. London (Verso).

Anthias, Floya (2003): Erzählungen über Zugehörigkeit. In: Ursula Apitzsch; Mechthild M. Jansen (Hg.) (2003): Migration, Biographie und Geschlechterverhältnisse. Münster (Westfälisches Dampfboot), S. 20–37.

Anzieu-Premmereur, Christine (2003): New York nach dem 11. September. In: Thomas Auchter; Christian Büttner; Ulrich Schultz-Venrath & Hans-Jürgen Wirth (Hg.): Der 11. September. Psychoanalytische, psychosoziale und psychohistorische Analysen von Terror und Trauma. Gießen (Psychosozial-Verlag), S. 280–302.

Apitzsch, Ursula; Jansen, Mechthild M. (Hg.) (2003): Migration, Biographie und Geschlechterverhältnisse. Münster (Westfälisches Dampfboot).

Arendt, Hannah (1964): Eichmann in Jerusalem. Ein Bericht von der Banalität des Bösen. München (Piper).

Ashcroft, Bill; Griffith, Gareth & Tiffin, Helen (2000): Post-Colonial Studies. The Key Concepts. London/New York (Routledge).

Assmann, Aleida (1998): Stabilisatoren der Erinnerung. Affekt, Symbol, Trauma. In: Jörn Rüsen; Jürgen Straub (Hg.): Die dunkle Spur der Vergangenheit. Psychoanalytische Zugänge zum Geschichtsbewusstsein. Erinnerung, Geschichte, Identität 2. Frankfurt am Main (Suhrkamp), S. 131–153.

Assmann, Aleida (1999): Ein deutsches Trauma? Die Kollektivschuldthese zwischen Erinnern und Vergessen. Merkur 608, 1142–1154.

Assmann, Aleida; Friese, Heidrun (Hg.) (1998): Identitäten. Erinnerung, Geschichte, Identität 3. Frankfurt am Main (Suhrkamp).

Assmann, Jan (1992): Das kulturelle Gedächtnis. Schrift, Erinnerung und politische Identität in frühen Hochkulturen. München (Beck).

Auchter, Thomas; Büttner, Christian; Schultz-Venrath, Ulrich & Wirth, Hans-Jürgen (Hg.) (2003): Der 11. September. Psychoanalytische, psychosoziale und psychohistorische Analysen von Terror und Trauma. Gießen (Psychosozial-Verlag).

Bar-On, Dan (1996): Die Last des Schweigens. Gespräche mit Kindern von Nazi-Tätern. Reinbek bei Hamburg (Rowohlt).

Bar-On, Dan (2001a): Den Abgrund überbrücken. Mit persönlichen Geschichten politischen Feindschaften begegnen. Hamburg (Edition Körber Stiftung).

Bar-On, Dan (2001b): Die »Anderen« in uns. Dialog als Modell der interkulturellen Konfliktbewältigung. Hamburg (Edition Körber Stiftung).

Basoglu, Metin (Hg.) (1992): Torture and its consequences. Current Treatment Approaches. Cambridge (Cambridge University Press).

Basoglu, Metin; Paker, M. (1995): Severity of Trauma as predictor of long-term psychological status in survivors of torture. Journal of Anxiety Disorders 9 (4), 339–350.

Baumann, Zygmunt (1989): Modernity and the Holocaust. Cambridge (Polity Press).

Baumann, Zygmunt (1992): Soil, Blood and Identity. The Sociological Review 38, 675–701.

Bauriedl, Thea (1998): Die Aktualität des Pazifismus heute. In: M. Massarat; P. Betz (Hg.): Für eine Friedenspolitik ohne Militär. European Peace Congress Osnabrück 1998. Münster (Agenda-Verlag), S. 58–64.

Bauriedl, Thea (2002): Wer später nicht schießen will, muß frühzeitig reden. Thesen zu einem Aktiven Pazifismus. Zeitschrift der deutschen Sektion der internationalen katholischen Friedensbewegung pax christi 54 (2), 10–11.

Becker, David (1990): Ohne Hass keine Versöhnung. In: Eberhard Herdieckerhoff (Hg.): Hassen und Versöhnen. Psychoanalytische Erkundungen. Göttingen (Vandenhoeck und Ruprecht).

Becker, David (1992): Ohne Hass keine Versöhnung. Freiburg (Kore).

Becker, David (2001a): Dealing with the Consequences of Organized Violence in Trauma Work. In: Berghof Forschungszentrum für konstruktive Konfliktbearbeitung (Hg.): Berghof Handbook for Conflict Transformation (on internet only). URL: http://www.berghof-center.org/handbook.

Becker, David (2001b): Trauma, Traumabehandlung, Traumageschäft. In: Catherine Moser; Doris Nyfeler; Martine Verwey (Hg.): Traumatisierung von Flüchtlingen und Asyl

Suchenden. Einfluss des politischen, sozialen und medizinischen Kontextes. Zürich (Seismo), S. 18–30.

Becker, David (2001c): Wenn die Gesellschaft in der Psychoanalyse durchbricht: Zum Umgang mit Traumata in Theorie und Praxis. Vortrag zum Symposium »Das Schweigen der Psychoanalyse im öffentlichen Raum« am 01.12.2001 in Berlin.

Becker, David (2006): Die Erfindung des Traumas. Verflochtene Geschichten. Freiburg (Edition Freitag).

Becker, David; Weyermann, D. (2006): Gender, Konflikttransformation und der psychosoziale Ansatz – Arbeitshilfe. Bern (DEZA).

Benhabib, Seyla; Butler, Judith; Cornell, Drucilla & Fraser, Nancy (1993): Der Streit um Differenz. Frankfurt am Main (Fischer).

Benhabib, Seyla (1999): Kulturelle Vielfalt und demokratische Gleichheit. Frankfurt am Main (Fischer).

Benjamin, Walter (1974a): Über den Begriff der Geschichte. In: Walter Benjamin: Gesammelte Schriften Band I.2, herausgegeben von Rolf Tiedemann und Hermann Schweppenhäuer. Frankfurt am Main (Suhrkamp), S. 693–704.

Benjamin, Walter (1974b): Anmerkungen zu »Über den Begriff der Geschichte«. In: Walter Benjamin: Gesammelte Schriften Band I.3, herausgegeben von Rolf Tiedemann und Hermann Schweppenhäuer. Frankfurt am Main (Suhrkamp), S. 1223–1266

Bergmann, Maria V. (2004): Terrorism on U.S. Soil. Remembering Past Trauma and Retraumatization. In: Danielle Knafo (Hg.): Living with Terror, working with Trauma. A Clinician's Handbook. Lanham u. a. (Jason Aronson), S. 449–461.

Bergmann, Martin S. (1985): Reflections on the psychological and social function of remembering the holocaust. Psychoanal. Inq. 5 (1), 9–20.

Bergmann, Martin S. (1996): Fünf Stadien in der Entwicklung der psychoanalytischen Trauma-Konzeption. Mittelweg 36 (2), 12–23.

Bergmann, Martin S. (1998): Die Interaktion zwischen Trauma und innerpsychischem Konflikt. In: A.-M. Schlösser; K. Höhfeld (Hg.): Trauma und Konflikt. Gießen (Psychosozial-Verlag), S. 113–130.

Bergmann, Martin S. (2004): Reflections on September 11. In: Danielle Knafo (Hg.): Living with Terror, working with Trauma. A Clinician's Handbook. Lanham u. a. (Jason Aronson), S. 401–415.

Bergmann, Martin S.; Jucovy, Milton E. & Kerstenberg, Judith S. (1998): Kinder der Opfer. Kinder der Täter. Psychoanalyse und Holocaust. Frankfurt am Main (Fischer).

Bergmann, Werner (1998): Kommunikationslatenz und Vergangenheitsbewältigung. Opladen u. a. (Westdeutscher Verlag).

Berens, Cornelia (1996): International Study Group for Trauma, Violence and Genocide. Mittelweg 36 (2), 38–40.

Billig, Michael (1990): Collective Memory, Ideology and the British Royal Familiy. In: David Middleton; Derek Edwards (Hg.): Collective remembering. London u. a. (Sage), S. 60–81.

Bohleber, Werner (2000): Die Entwicklung der Traumatheorie in der Psychoanalyse. Psyche – Z Psychoanal 54, 797–833.

Bohleber, Werner (2003): Das Trauma und seine Bedeutung für das Verhältnis von innerer und äußerer Realität in der Psychoanalyse. In: Marianne Leuzinger-Bohleber; Ralf Zwiebel (Hg.): Trauma, Beziehung und soziale Realität. Tübingen (Edition Diskord), S. 11–32.

Bohleber, Werner (2007): Erinnerung, Trauma und kollektives Gedächtnis – Der Kampf um die Erinnerung in der Psychoanalyse. Psyche – Z Psychoanal 61, 293–321.

Brähler, Elmar; Richter, Horst-Eberhard (2003): Einstellungen zu Juden, Amerikanern und Arabern und andere politische Einstellungen in Deutschland. Ergebnisse einer repräsentativen Befragung im Frühjahr 2002. In: Thomas Auchter; Christian Büttner; Ulrich Schultz-Venrath & Hans-Jürgen Wirth (Hg.): Der 11. September. Psychoanalytische, psychosoziale und psychohistorische Analysen von Terror und Trauma. Gießen (Psychosozial-Verlag), S. 338–357.

Brainin, Elisabeth; Ligeti, Vera & Teicher, Sammy (1984): Psychoanalytische Überlegungen zur Pathologie der Wirklichkeit. In: Stoffels, Hans (Hg.): Schicksale der Verfolgten. Psychische und somatische Auswirkungen von Terrorherrschaft. Berlin u. a. (Springer).

Brende, Joel O. ; Parson, Erwin R. (1985): Vietnam Veterans. The Road to Recovery. New York (Plenum).

Brenner, Ira (2000): Stacheldraht in der Seele. Ein Blick auf die generationsübergreifende Weitergabe des Holocaust-Traumas. In: Liliane Opher-Cohn; Johannes Pfäfflin; Bernd Sonntag; Bernd Klose & Peter Pogany-Wendt (Hg.) (2000): Das Ende der Sprachlosigkeit. Auswirkungen traumatischer Holocaust-Erfahrungen über mehrere Generationen. Gießen (Psychosozial-Verlag), S. 113–139.

Breuer, Stefan (1992): Sozialpsychologische Implikationen der Narzissmustheorie. Psyche – Z Psychoanal 46, 1–31.

Britton, Ronald; Feldman, Michael & Steiner, John (Hg.) (1997): Groll und Rache in der ödipalen Situation. Beiträge der Westlodge-Konferenz. Herausgegeben von Claudia Frank und Heinz Weiss. Tübingen (Edition diskord).

Brockhaus, Gudrun (1997): Schauder und Idylle. Faschismus als Erlebnisangebot. München (Kunstmann).

Brockhaus, Gudrun (2003a): Die Reparatur der Ohnmacht. Zur politischen Psychologie des 11. Septembers. In: Thomas Auchter; Christian Büttner; Ulrich Schultz-Venrath & Hans-Jürgen Wirth (Hg.): Der 11. September. Psychoanalytische, psychosoziale und psychohistorische Analysen von Terror und Trauma. Gießen (Psychosozial-Verlag), S. 357–380.

Brockhaus, Gudrun (2003b): Psychoanalytische Beiträge zur Nationalsozialismusforschung. In: Alf Gerlach, Anne-Marie Schlösser & Anne Springer (Hg.): Psychoanalyse mit und ohne Couch. Haltung und Methode. Gießen (Psychosozial-Verlag), S. 391–411.

Bronfen, Elisabeth; Erdle, Birgit R. & Weigel, Sigrid (1999): Trauma. Zwischen Psychoanalyse und kulturellem Deutungsmuster. Köln u. a. (Böhlau).

Brosig, Burkhard; Brähler, Elmar (2003): Die Angst vor dem Terror im Spiegel deutscher Repräsentativerhebungen. In: Thomas Auchter; Christian Büttner; Ulrich Schultz-Venrath & Hans-Jürgen Wirth (Hg.): Der 11. September. Psychoanalytische, psychosoziale und psychohistorische Analysen von Terror und Trauma. Gießen (Psychosozial-Verlag), S. 318–338.

Brown, R.; Kulik, J. (1977): Flashbulb memories. Cognition 5, 73–93.

Browning, Christopher R. (1992): German Memory, Judicial Interrogation, and Historical Reconstruction. Writing Perpetrator History from Postwar Testimony. In: Saul Friedlander (Hg.): Probing the Limits of Representation. Nazism and the »Final Solution«. Cambridge u. a. (Harvard University Press), S. 22–37.

Brumlik, Micha (2006): »Sieh hin, zum Donnerwetter noch einmal«. Das deutsche Kriegstrauma in der Literatur. In: Rotraut De Clerck (Hg.): Trauma und Paranoia. Individuelle und kollektive Angst im politischen Kontext. Gießen (Psychosozial-Verlag), S. 115–131.

Bründl, Peter; Kogan, Ilany (2005): Kindheit jenseits von Trauma und Fremdheit. Frankfurt am Main (Brandes und Apsel).

Bruner, Jerome S. (1990): Acts of meaning. Cambridge (Harvard University Press).

Bruner, Jerome S. (1998): Vergangenheit und Gegenwart als narrative Konstruktionen. In: Jürgen Straub (Hg.): Erzählung, Identität und historisches Bewußtsein. Frankfurt am Main (Suhrkamp), S. 46–81.

Brunner, K.M. (1987): Zweisprachigkeit und Identität. Psychologie und Gesellschaftskritik 44, 57–75.

Brunner, José (2001): Psyche und Macht. Freud politisch lesen. Stuttgart (Klett-Cotta).

Brunner, José (2004): Politik der Traumatisierung. Zur Geschichte des verletzbaren Individuums. WestEnd 1 (1), S. 7–24.

Brunner, José (2005): Trauma, Ideologie und Erinnerung im jüdischen Staat. Zur Politik der Verletzbarkeit in der israelischen Fachliteratur. Psyche – Z psychoanal Beiheft 59, 91–106.

Bunce, Scott C.; Larsen, Randy & Peterson, Christopher (1995): Life after Trauma: Personality and Daily Life Experiences of Traumatized People. Journal of Personality 63 (2), 165–183.

Buruma, Ian (1999): The Joys and Perils of Victimhood. New York Review of Books 46 (6), 4–9.

Caruth, Cathy (Hg.) (1995): Trauma and memory. Baltimore (John Hopkins University Press).

Chaumont, Jean-Michel (2001): Die Konkurrenz der Opfer. Genozid, Identität und Anerkennung. Lüneburg (zu Klampen).

Cohen, Stanley (2001): States of Denial. Oxford (Polity Press).

Das, Veena; Kleinmann, Arthur; Lock, Margarete; Ramphele, Mamphela & Reynolds, Pamela (Hg.) (2001): Remaking a World. Violence, Social Suffering, and Recovery. Berkeley u.a. (University of California).

De Clerck, Rotraut (Hg.) (2006): Trauma und Paranoia. Individuelle und kollektive Angst im politischen Kontext. Gießen (Psychosozial-Verlag).

Deserno, Heinrich (2003): Zum Verhältnis von Trauma und Konflikt. In: Marianne Leuzinger-Bohleber; Ralf Zwiebel (Hg.): Trauma, Beziehung und soziale Realität. Tübingen (Edition diskord), S. 33-59.

Devereux, Georges (1956): Angst und Methoden in den Verhaltenswissenschaften. Frankfurt am Main (Suhrkamp).

Diner, Dan (1986): Negative Symbiose. Deutsche und Juden nach Auschwitz. Babylon. Beiträge zur jüdischen Gegenwart 1, 9–20.

Diner, Dan (1995): Gedächtnis und Institution. In: Hilmar Hoffmann; Dieter Kramer (Hg.): Anderssein, ein Menschenrecht. Weinheim (Beltz Athenäum), S. 37–47.

Diner, Dan (2000): Beyond the Conceivable. Studies on Germany, Nazism, and the Holocaust. Berkeley (University of California Press).

Diner, Dan (2003): Gedächtniszeiten. Über jüdische und andere Geschichten. München (Beck).

Durrant, Sam (2004): Postcolonial Narrative and the Work of Mourning. J.M Coetzee, Wilson Harris, and Toni Morrison. Albany (State University of New York Press).

Eickelpasch, Rolf; Rademacher, Claudia (2004): Identität. Bielefeld (transcript).

Eissler, Kurt (1963): Die Ermordung von wie vielen seiner Kinder muß ein Mensch symptomfrei ertragen, um eine normale Konstitution zu haben? Psyche – Z psychoanal 17, 240–291.

Eissler, Kurt (1968): Weitere Bemerkungen zum Problem der KZ-Psychologie. Psyche – Z psychoanal 22, 452–463.

Eissler, Kurt (1992): Leonardo da Vinci. Psychoanalytische Notizen zu einem Rätsel. Basel u.a. (Stroemfeld).

Eitinger, Leo (1964): Concentration Camp Survivors in Norway and Israel. Oslo, London (Allen & Unwin).

Eitinger, Leo (1980): The Concentration Camp Syndrome and its Late Sequelae. In: Dimsdale, J.E. (Hg.): Survivors, Victims and Perpetrators. Washington u.a. (Hemisphere), S. 127–162.

Erdheim, Mario (1982): Die gesellschaftliche Produktion von Unbewußtheit. Frankfurt am Main (Suhrkamp).

Erikson, Kai (1994): A new Species of Trouble. Explorations in Desaster, Trauma, and Community. New York (Norton).

Erll, Astrid (2003): Kollektives Gedächtnis und Erinnerungskulturen. In: Ansgar Nünning; Vera Nünning (Hg.): Konzepte der Kulturwissenschaften. Theoretische Grundlagen, Ansätze, Perspektiven. Stuttgart u. a. (Metzler), S. 156–186.

Eyerman, Ron (2004): Cultural Trauma: Slavery and the Formation of African American Identity. In: Alexander, Jeffrey; Eyerman, Ron; Giesen, Bernhard; Smelser, Neil & Sztompka, Piotr (2004): Cultural Trauma und Collective Identity. Berkeley u. a. (University of California Press).

Fanon, Frantz (1980): Schwarze Haut – weiße Masken. Frankfurt am Main (Syndikat).

Felman, Shoshana; Laub, Dori (1997): Testimony. Crises of Witnessing in Literature, Psychoanalysis and History. New York (Routledge).

Ferenczi, S. (1933): Sprachverwirrung zwischen den Erwachsenen und dem Kind. In: ders. (1972): Schriften zur Psychoanalyse, Bd. II. Frankfurt am Main (Fischer).

Ferreira, Grada (2003): Die Kolonisierung des Selbst – der Platz des Schwarzen. In: Hito Steyerl: Encarnacion G. Rodriguez (Hg.): Spricht die Subalterne deutsch? Münster (UNRAST), S. 147–165.

Fischer, Gottfried; Riedesser, Peter (1998): Lehrbuch der Psychotraumatologie. München (Ernst Reinhardt).

Fischer-Homberger, Esther (2005): Haut und Trauma. Zur Geschichte der Verletzung. In: Günther H. Seidler; Wolfgang U. Eckart: Verletzte Seelen. Möglichkeiten und Perspektiven einer historischen Traumaforschung. Gießen (Psychosozial-Verlag), S. 57–85.

Foster, Don; Skinner, Donald (1990): Detention and Violence. Beyond Victimology. In: N. Manganyi; A. duToit (Hg.): Political Violence and the Struggle in South Africa. London (St. Martin's Press), S. 205–234.

Foucault, Michel (1986): Von der Subversion des Wissens. Frankfurt am Main (Fischer).

Frank, Justin (2004): Bush auf der Couch. Wie denkt und fühlt George W. Bush? Gießen (Psychosozial-Verlag).

Fraser, Nancy; Honneth, Axel (2003): Umverteilung oder Anerkennung? Eine politisch-philosophische Kontroverse. Frankfurt am Main (Suhrkamp).

Freud, Anna (1967): Anmerkungen zum psychischen Trauma. In: Anna Freud (1980): Die Schriften der Anna Freud, Bd. VI. München (Kindler), S. 1819–1838.

Freud, Sigmund (1890): Die Gesundheit. Ihre Erhaltung, ihre Störung, ihre Wiederherstellung. GW V. Frankfurt am Main (Fischer).

Freud, Sigmund (1892–93): Ein Fall von hypnotischer Heilung nebst Bemerkungen über die Entstehung hysterischer Symptome durch den »Gegenwillen«. GW I. Frankfurt am Main (Fischer).

Freud, Sigmund (1893): Über den psychischen Mechanismus hysterischer Phänomene. GW I. Frankfurt am Main (Fischer).

Freud, Sigmund (1916–1917): Vorlesung zur Einführung in die Psychoanalyse. GW XI. Frankfurt am Main (Fischer).

Freud, Sigmund (1917): Trauer und Melancholie. GW X. Frankfurt am Main (Fischer).

Freud, Sigmund (1920): Jenseits des Lustprinzips. GW XIII. Frankfurt am Main (Fischer).

Freud, Sigmund (1921): Massenpsychologie und Ich-Analyse. GW XIII. Frankfurt am Main (Fischer).

Freud, Sigmund (1930): Das Unbehagen in der Kultur. GW Bd.XIV. Frankfurt am Main (Fischer).

Friedlander, Saul (Hg.) (1992): Probing the Limits of Representation. Nazism and the »Final Solution«. Cambridge u. a. (Harvard University Press).

Friedländer, Saul (1998): Das Dritte Reich und die Juden. Bd.1. Die Jahre der Verfolgung 1933–39. München (Beck).

Friedländer Saul (2006): Das Dritte Reich und die Juden. Bd.2. Die Jahre der Vernichtung. 1939–45. München (Beck).

Fromm, Erich (1965): Hypnoanalysis. Therapy and two case excerpts. Psychotherapy. Theory, Research and Practice 2, 127–133.

Gaskell, George D.; Wright, Daniel B. (1997): Group Differences in Memory for a Political Event. In: J.W. Pennebaker; Dario Paez & B. Rimé (Hg.): Collective Memory of Political Events. Social Psychological Perspectives. Mahwah, NJ (Erlbaum), S. 175–191.

Gergen, Kenneth J. (1998): Erzählung, moralische Identität und historisches Bewußtsein. Eine sozialkonstruktionistische Darstellung. In: Jürgen Straub (Hg.): Erzählung, Identität und historisches Bewußtsein. Frankfurt am Main (Suhrkamp), S. 170–203.

Giesen, Bernhard (2004): The Trauma of Perpetrators. The Holocaust as the Traumatic Reference of German National Identity. In: Jeffrey C. Alexander; Ron Eyerman; Bernhard Giesen; Neil J. Smelser & Piotr Sztompka (Hg.): Cultural Trauma and Collective Identity. Berkeley (University of California Press), S. 112–154

Ginzburg, Carlo (1992): Just one Witness. In: Saul Friedlander (Hg.): Probing the Limits of Representation. Nazism and the »Final Solution«. Cambridge u. a. (Harvard University Press), S. 82–97.

Grubrich-Simitis, Ilse (1984): From Concretism to Metaphor. Psychoanalytic Study of the Child 39, 301–319.

Grünberg, Kurt (1997): Schweigen und Verschweigen. NS-Vergangenheit in Familien von Opfern und Tätern oder Mitläufern. Psychosozial 68 (2/20.Jg.), 9–22.

Grünberg, Kurt (2000): Liebe nach Auschwitz. Die Zweite Generation. Jüdische Nachkommen von Überlebenden der nationalsozialistischen Verfolgung in der Bundesrepublik Deutschland und das Erleben ihrer Paarbeziehungen. Tübingen (Edition Diskord).

Grünberg, Kurt (2001): Vom Banalisieren des Traumas in Deutschland. In: Kurt Straub; Jürgen Grünberg (Hg.): Unverlierbare Zeit. Psychosoziale Spätfolgen des Nationalsozialismus bei Nachkommen von Tätern und Opfern. Tübingen (Edition Diskord), S. 181–221

Grünberg, Kurt; Straub, Jürgen (Hg.) (2001): Unverlierbare Zeit. Psychosoziale Spätfolgen des Nationalsozialismus bei Nachkommen von Opfern und Tätern. Psychoanalytische Beiträge aus dem Sigmund-Freud-Institut, Bd. 6. Tübingen (Edition Diskord).

Günter, Timo (2005): Rezension zu: Ricoeur, Paul: Gedächtnis, Geschichte, Vergessen. Paderborn. 2004. In: H-Soz-u-Kult, 19.05.2005. URL: http://hsozkult.geschichte.hu-berlin. de/rezensionen/2005-2-119 [letzter Zugriff am 28.07.2006, 12:40 Uhr].

Habermas, Jürgen (1977): Erkenntnis und Interesse. Frankfurt am Main (Suhrkamp).

Halbwachs, Maurice (1966): Das Gedächtnis und seine sozialen Bedingungen. Berlin (Luchterhand).

Halbwachs, Maurice (1985): Das kollektive Gedächtnis. Frankfurt am Main (Fischer).

Hall, Stuart (1994): Rassismus und kulturelle Identität. Ausgewählte Schriften 2. Hamburg (Argument).

Hall, Stuart (1994a): Alte und neue Identitäten, alte und neue Ethnizitäten. In: Stuart Hall: Rassismus und kulturelle Identität. Ausgewählte Schriften 2. Hamburg (Argument), S. 66–89.

Hall, Stuart (1994b): Die Frage der kulturellen Identität. In: Stuart Hall: Rassismus und kulturelle Identität. Ausgewählte Schriften 2. Hamburg (Argument), S. 180–223.

Hall, Stuart (1996): Introduction. Who needs Identity? In: Stuart Hall, Paul du Gay: Questions of Cultural Identity. London (Sage), S. 1–17.

Hall, Stuart (2004): Ideologie, Identität, Repräsentation. Hamburg (Argument).

Hall, Stuart; du Gay, Paul (1996): Questions of Cultural Identity. London (Sage).

Hamber, Brandon (1998): Entpolitisierung dient immer denjenigen, die an der Macht sind. In: medico international (Hg.): Der Preis der Versöhnung. Frankfurt am Main (medico international).

Haraway, Donna (1995): Die Neuerfindung der Natur. Primaten, Cyborgs und Frauen. Frankfurt am Main u. a. (Campus).

Harber, Kent; Pennebaker, James (1992): Overcoming Traumatic Memories. In: Sven-Ake Christianson (1992): The Handbook of Emotion and Memory. Research and Theory. Hillsdale, NJ u. a. (Erlbaum).

Harber, Kent; Pennebaker, James (1993): A Social Stage Model of Collective Coping: The Loma Prieta Earthquake and The Persian Gulf War. Journal of Social Issues 49 (4), 125–145.

Harré, Rom; Moghaddam, Fathali (Hg.) (2003): The Self and Others. Positioning Individuals and Groups in Personal, Political and Cultural Contexts. Westport, USA u. a. (Praeger).

Hassemer, Winfried; Reemtsma, Jan Ph. (2002): Verbrechensopfer. Gesetz und Gerechtigkeit. München (Beck).

Haubl, Rolf (2007): Die allmähliche Verfertigung von Lebensgeschichten im soziokulturellen Erinnerungsprozeß. In: Edith Geuss-Mertens (Hg.): Eine Psychoanalyse für das 21. Jahrhundert. Stuttgart (Kohlhammer), S. 33–45.

Heer, Hannes; Wodak, Ruth (2003): Kollektives Gedächtnis. Vergangenheitspolitik. Nationales Narrativ. In: Hannes Heer; Walter Manoschek; Alexander Pollak & Ruth Wodak (Hg.) (2003): Wie Geschichte gemacht wird. Zur Konstruktion von Erinnerungen an Wehrmacht und Zweiten Weltkrieg. Wien (Czernin), S. 12–25.

Herman Judith (1993): Die Narben der Gewalt. München (Kindler).

Hilsenbeck, Polina (1997): Traumatherapie. Mit Mut und Achtsamkeit. In: Arbeitskreis Frauengesundheit (Hg.): Wege aus Ohnmacht und Gewalt. Bünde (erhältlich bei AKF, Hindenburgstraße 1a, 32257 Bünde).

Hillebrandt, Ralf (2004): Das Trauma in der Psychoanalyse. Eine psychologische und politische Kritik an der psychoanalytischen Traumatheorie. Gießen (Psychosozial-Verlag).

Hirsch, Mathias (2000): Schuld und Schuldgefühl. In: Wolfgang Mertens; Bruno Waldvogel (Hg.): Handbuch psychoanalytischer Grundbegriffe. Stuttgart (Kohlhammer).

Hobsbawm, Eric (1994): Die Erfindung der Vergangenheit. Die Zeit 37, 09.09.1994, S. 49–50.

Hofstede, Geert (1997): Lokales Denken, globales Handeln. Kulturen, Zusammenarbeit und Management. München (Deutscher Taschenbuch Verlag).

Holderegger, Hans (1998): Der Umgang mit dem Trauma. Stuttgart (Klett).

Honneth, Axel (2003): Kampf um Anerkennung. Frankfurt am Main (Suhrkamp).

Horowitz, Mardi J. (1976): Stress Response Syndromes. New York (Aronson).

Igreja, Victor (2003): The Effects of Traumatic Experiences on the Infant-Mother-Relationship in the Former War Zones of Central Mosambique: The Case of Madzawde in Gorongosa. Infant Mental Health Journal 24 (5), 469–494.

Igreja, Victor; Bas, J. N.; Schreuder, M. D.; Wim, Chr. & Kleijn, M. A. (2002): The cultural dimension of war traumas in central Mozambique. The case of Gorongosa. URL: http://www.priory.com/psych/traumacult.htm [letzter Zugriff am 02.05.2005].

Iguarta, James; Paez, Dario (1997): Art and Remembering Traumatic Collective Events: The Case of the Spanish Civil War. In: J. W. Pennebaker; Dario Paez & B. Rimé (Hg.): Collective Memory of Political Events. Social Psychological Perspectives. Mahwah, NJ (Erlbaum).

Janoff-Bulmann, Ronnie (1992): Shattered Assumptions. Towards a New Psychology of Trauma. New York (Free Press).

Jeismann, Karl-Ernst (2000): Geschichte und Bildung. Beiträge zur Geschichtsdiagnostik und zur Historischen Bildungsforschung. Paderborn (Schöningh).

Joas, Hans (2005): Cultural Trauma? On the Most Recent Turn in Jeffrey Alexander's Cultural Sociology. European Journal of Social Theory 8 (3), S. 365–374.

Kansteiner, Wulf (2004): Genealogy of a Category Mistake. A Critical Intellectuel History of the Cultural Trauma Metaphor. Rethinking History 8 (2), 193–221.

Kapur, Raman O. (2002): The Beginning of the Reparative Impulse? In: Coline Covington, Paul Williams, Jean Arundale, Jean Konox (Hg.): Terrorism and War. Unconscious Dynamics of Political Violence. London (Karnac Books), S. 315–328.

Kardorff, Ernst von (2001): Der Klient in der Psychologie. In: Heiner Keupp; Klaus Weber (Hg.): Psychologie. Ein Grundkurs. Reinbek bei Hamburg (Rowohlt), S. 484–495.

Keilson, Hans; Sarphatie, Herrman R. (1979): Sequentielle Traumatisierung bei Kindern. Stuttgart (Enke).

Keilson, Hans (1997): Die Entwicklung des Traumakonzepts in der Psychiatrie. Psychiatrie und Man-made-disaster. Mittelweg 36 (2), 73–82.

Keppler, Angela (2001): Soziale Formen individuellen Erinnerns. In: Harald Welzer (Hg.): Das soziale Gedächtnis. Hamburg (Hamburger Edition), S.137–160.

Kerz-Rühling, Ingrid (2000): Nachträglichkeit. In: Wolfgang Mertens; Bruno Waldvogel (Hg.): Handbuch psychoanalytischer Grundbegriffe. Stuttgart (Kohlhammer).

Kestenberg, Judith (1980): Kinder von Überlebenden der Naziverfolgung. In: Helmut Dahmer (Hg.): Analytische Sozialpsychologie. 2. Band. Frankfurt am Main (Suhrkamp), S. 494–510.

Keupp, Heinrich (1972): Sind psychische Störungen Krankheiten? Einführung in eine Kontroverse. In: Heinrich Keupp (Hg.): Der Krankheitsmythos in der Psychopathologie. Darstellung einer Kontroverse. München u. a. (Urban und Schwarzenberg), S. 1–44.

Keupp, Heinrich (Hg.) (1979): Normalität und Abweichung. Fortsetzung einer notwendigen Kontroverse. München u. a. (Urban und Schwarzenberg).

Keupp, Heiner (Hg.) (1993): Zugänge zum Subjekt. Perspektiven einer reflexiven Sozialpsychologie. Frankfurt am Main (Suhrkamp).

Keupp, Heiner; Höfer, Renate (Hg.) (1997): Identitätsarbeit heute. Klassische und aktuelle Perspektiven der Identitätsforschung. Frankfurt am Main (Suhrkamp).

Keupp, Heiner; Ahbe, Thomas; Gmür, Wolfgang; Höfer, Renate; Mizscherlich, Beate; Kraus, Wolfgang & Straus, Florian (1999): Identitätskonstruktionen. Das Patchwork der Identitäten in der Spätmoderne. Reinbek bei Hamburg (Rowohlt).

Keupp, Heiner (2005): Identitätspolitik zwischen kosmopolitischer Euphorie und fremdenfeindlicher Ausgrenzung. In: W. Pecher; G. Rappold; E. Schöner; H. Wiencke & B. Wydra (Hg.): »…die im Dunkeln sieht man nicht.« Perspektiven des Strafvollzugs. Festschrift für Georg Wagner. Herbolzheim (Centaurus), S. 280–298.

Keupp, Heiner; Hohl, Joachim (2006): Subjektdiskurse im gesellschaftlichen Wandel. Zur Theorie des Subjekts in der Spätmoderne. Bielefeld (transcript).

Klass, Dennis; Silvermann, Phyllis & Nickman, Steven (1996): Continuing Bonds. Towards a new Understanding of Grief. Washington D. C. u. a. (Taylor und Francis).

Klee, Nemo (2006): Kollektives Gedächtnis. Herrschaft und Befreiung. Theoretische und persönliche Überlegungen. URL: http://www.linksnet.de/artikel.php?id=2295 [letzter Zugriff am 30.10.2006, 09:19 Uhr].

Klein, Hillel (2003): Überleben und Versuche der Wiederbelebung. Stuttgart: (Fromann-Holzboog).

Knafo, Danielle (Hg.) (2004): Living with Terror, working with Trauma. A Clinician's Handbook. Lanham u. a. (Jason Aronson).

Knauf, Stefanie (1999): Zur Gegenwärtigkeit des Holocaust im Kontext transgenerativer Übertragung. Unveröffentlichte Diplomarbeit, Friedrich-Alexander-Universität Erlangen-Nürnberg.

Kogan, Ilany (1992): Der Golfkrieg und die Spuren der Verfolgung in Israel. In: Gertrud Hardtmann (Hg.): Spuren der Verfolgung. Seelische Auswirkungen des Holocaust auf die Opfer und ihre Kinder. Gerlingen (Bleicher).

Kogan, Ilany (2000): Die Suche nach der Geschichte der Nachkommen von Holocaust-Überlebenden in ihren Analysen. Reparation des »seelischen Lochs«. In: Liliane Opher-Cohn; Johannes Pfäfflin; Bernd Sonntag; Bernd Klose & Peter Pogany-Wendt (Hg.): Das Ende der Sprachlosigkeit? Auswirkungen traumatischer Holocaust-Erfahrungen über mehrere Generationen. Gießen (Psychosozial-Verlag), S. 159–179.

Kogan, Ilany (2006): Psychoanalyse im Schatten des Terrors. Die Rolle des Analytikers in der analytischen Heilung in Zeiten chronischer Krisen. In: Rotraut De Clerck (Hg.): Trauma und Paranoia. Individuelle und kollektive Angst im politischen Kontext Gießen (Psychosozial-Verlag), S. 13–43.

König, Helmut (1992): Zivilisation und Leidenschaft. Die Masse im bürgerlichen Zeitalter. Reinbek bei Hamburg (Rowohlt).

Kraus, Wolfgang (1996): Das erzählte Selbst. Die narrative Konstruktion von Identität. Pfaffenweiler (Centaurus).

Kraus, Wolfgang (2006): Alltägliche Identitätsarbeit und Kollektivbezug. Das wiederentdeckte Wir in einer individualisierten Gesellschaft. In: Heiner Keupp; Joachim Hohl (Hg.): Subjektdiskurse im gesellschaftlichen Wandel. Zur Theorie des Subjekts in der Spätmoderne. Bielefeld (transcript), S. 143–165.

Krassnitzer, Patrick (2003): Rezension zu: Welzer, Harald (2002): Das kommunikative Gedächtnis. Eine Theorie der Erinnerung. München (Beck). URL: http://hsozkult.geschichte.hu-berlin. de/rezensionen/2003-3-147 [letzter Zugriff am 28.07.2006, 12:48 Uhr].

Küchenhoff, Joachim (1998): Trauma, Konflikt, Repräsentation, Trauma und Konflikt. Gießen (Psychosozial-Verlag).

Kühner, Angela (2000): Gespenster sehen. Perspektiven in der Auseinandersetzung mit dem Holocaust. Unveröffentlichte Diplomarbeit, Ludwig-Maximilians-Universität München.

Kühner, Angela (2003): Kollektive Traumata. Annahmen, Argumente, Konzepte. Eine Bestandsaufnahme nach dem 11. September. Berlin (Berghof Report Nr. 9).

Kühner, Angela (2007): Kollektive Traumata. Argumente, Konzepte, Perspektiven. Gießen (Psychosozial-Verlag). (überarbeitete und erweitere Buchfassung des Berghof Report).

Kühner, Angela (2006): Whose Ambivalence? Hopes and Dilemmas in Critical Trauma Discourse. TRN Conference, St. Moritz, 14.–17. September 2006. URL: http://www.TraumaResearch. net/ [letzter Zugriff am 25.09.2006, 10:45 Uhr].

Kühner, Angela (2008): NS-Erinnerungen in der Migrationsgesellschaft: Befürchtungen, Erfahrungen und Zuschreibungen. Einsichten Perspektiven. Zeitschrift der bayerischen Landeszentrale für Politische Bildung. Sonderheft. URL: http://www.km.bayern.de/blz/eup/index.asp

Kugelmann, Cilly (1988): Die gespaltene Erinnerung. Zur Genese von Gedenktagen an den Holocaust. In: Micha Brumlik; Petra Kunik (Hg.): Reichspogromnacht. Vergangenheitsbewältigung aus jüdischer Sicht. Frankfurt am Main (Brandes und Apsel).

Kurasava, Fuyuki (2004): Alexander and the Cultural Refounding of American Sociology. Thesis Eleven 79, 53–65.

La Capra, Dominick (1994): Representing the Holocaust. History, Theory, trauma. Ithaca u. a. (Cornell University Press).

Lamott, Franziska (2003): Das Trauma als symbolisches Kapital. Zu Risiken und Nebenwirkungen des Trauma-Diskurses. Psychosozial 91 (1/26.Jg.), 53–63.

Langer, Phil C. (2002): Schreiben gegen die Erinnerung. Autobiographien von Überlebenden der Shoa. Hamburg (Krämer).

Laplanche, Jean; Pontalis, Jean.-B. (1972): Das Vokabular der Psychoanalyse. Frankfurt am Main (Suhrkamp).

Landau, R.; Litwin, H. (2000): The Effects of Extreme Stress in Very old Age. Journal of Traumatic Stress 13 (3), 223–231.

Laub, Dori (2002): September 11, 2001. An Event Without A Voice. Lecture at the TRN-Conference, Wiesbaden-Naurod 28.–30.06.2002. In: TRN-Newsletter 2, Hamburg Institute for Social Research, Fall 2002. URL: http://www.TraumaResearch.net

Lauer, R. (1995): Das Wüten der Mythen. Kritische Anmerkungen zur serbischen heroischen Dichtung. In: R. Lauer; W. Lehfeld (Hg.): Das Jugoslawische Desaster. Historische, sprachliche und ideologische Hintergründe. Wiesbaden (Harrasowitz), S.107–148.

Lennertz, Ilka (2006): Trauma-Modelle in Psychoanalyse und klinischer Psychologie. In: TRN Newsletter, Special Issue, Hamburg Institute for Social Research, January 2006. URL: http://www.TraumaResearch.net/special2006/lennertz.htm [letzter Zugriff am 30.04. 2007, 14:00].

Lennertz, Ilka; Möller, Birgit (2006): The Discourse of Trauma and Its Effects on Refugees and Professionals. Examples from Working with Refugee Families in Germany. TRN Conference, St. Moritz, 14.–17. September 2006. URL: http://www.TraumaResearch.net/.

Lerner, Melvin J. (1980): The belief in a just world. A fundamental delusion. New York u. a. (Plenum).

Levi, Primo; Riedt, Heinz (1988): Ist das ein Mensch? Die Atempause. München (Hanser).

Levy, Daniel; Snayder, Natan (2001): Erinnerung im globalen Zeitalter. Der Holocaust. Frankfurt am Main (Suhrkamp).

Libeskind, Daniel (1997): trauma/void. In: Elisabeth Bronfen; Birgit R. Erdle & Sigrid Weigel (Hg.): Trauma. Zwischen Psychoanalyse und kulturellem Deutungsmuster. Köln u. a. (Böhlau).

Lifton, Robert Jay (1973): Home from War. Vietnam Veterans – Neither Victims nor Executioners. New York (Simon and Schuster).

Lifton, Robert Jay (1995): Das Ende der Welt. Über das Selbst, den Tod und die Unsterblichkeit. Stuttgart (Klett-Cotta).

Lifton, Robert Jay; Markusen, Erik (1992): Die Psychologie des Völkermordes. Atomkrieg und Holocaust. Stuttgart (Klett-Cotta).

Lira, Elisabeth (1996): Sich erinnern heißt, die Vergangenheit noch einmal mit dem Herzen durchleben. In: Detlef Nolte (Hg.): Vergangenheitsbewältigung in Lateinamerika. Frankfurt am Main (Vervuert).

Lohmann, Hans-Martin (1986). Freud zur Einführung. Hamburg (Junius).

Lubiano, Wahneema (Hg.) (1997): The house that race built. New York (Vintage).

Luhmann, Susanne (2006): Perpetrating Trauma? On the Ethics of Using Trauma Theory to Study the Descendents of Perpetrators. TRN Conference, St. Moritz, 14.–17. September 2006. URL: http://www.TraumaResearch.net/htm.

Luminet, Oliver; Curci, Antonietta; Marsh, Elisabeth J.; Wessel, Ineke; Constantin, Ticu; Gencoz, Faruk & Yogo, Masao (2004): The Cognitive, Emotional, and Social Impacts of September 11 Attacks. Group Differences in Memory for the Reception Context and the Determinants of Flashbulb Memory. The Journal of General Psychology 131 (3), 197–222.

Lyotard, Jean-Francois (1988): Heidegger und »die Juden«. Wien (Edition Passagen).

Lyotard, Jean-Francois (1989): Der Widerstreit. München (Fink).

Lyotard, Jean-Francois (1998): Streitgespräch oder: Sprechen »Nach Auschwitz«. Grafenau (Trotzdem).

Macpherson, Crawford B. (1967): Die politische Theorie des Besitzindividualismus. Von Hobbes bis Locke. Frankfurt am Main (Suhrkamp).

Mamdani, Mahmood (1998): Die Kommission und die Wahrheit. In: medico international (Hg.): Der Preis der Versöhnung. Frankfurt am Main (medico international).

McFarlane, Alexander; Yehuda, Rachel (1996): Resilience, vulnerability and the course of post-traumatic reactions. In: Bessel A. van der Kolk; A.C. McFarlane & L. Weisaeth (Hg.): Traumatic Stress. New York u.a. (Guilford).

McFarlane, Alexander; van der Kolk, Bessel (2000): Trauma und seine Herausforderung an die Gesellschaft. In: Bessel A. van der Kolk; A.C. McFarlane & L. Weisaeth (Hg.): Traumatic Stress. Grundlagen und Behandlungsansätze. Paderborn (Junfermann).

McNally, Richard J. (2003): Remembering Trauma. Cambridge u.a. (Harvard University Press).

Mecheril, Paul (2006): Das un-mögliche Subjekt. Ein Blick durch die Erkenntnispolitische Brille der Cultural Studies. In: Heiner Keupp, Joachim Hohl (Hg.): Subjektdiskurse im gesellschaftlichen Wandel. Zur Theorie des Subjekts in der Spätmoderne. Bielefeld (transcript), S. 119–143.

Medico international (Hg) (2001): Psychosoziale Arbeit im Kontext von Krieg, Diktatur und Armut. Frankfurt am Main (medico international).

Mentzos, Stavros (2002): Der Krieg und seine psychosozialen Funktionen. Göttingen (Vandenhoeck und Ruprecht).

Merk, Uschwe (1998): Der Preis der Versöhnung – Südafrikas Auseinandersetzung mit der Wahrheitskommission. In: medico international (Hg.): Der Preis der Versöhnung. Frankfurt am Main (medico international).

Merridale, Catherine (2000): Nights of Stone. Death and Memory in Russia. London (Granta Books).

Mertens, Wolfgang (1987): Kompendium psychoanalytischer Grundbegriffe. München (Quintessenz Lexika).

Messerschmidt, Astrid (2002): Erinnerung jenseits nationaler Identitätsstiftung. Perspektiven für den Umgang mit dem Holocaust-Gedächtnis in der Bildungsarbeit. In: Claudia Lenz; Jens Schmidt & Oliver von Wrochem (Hg.): Erinnerungskulturen im Dialog. Europäische Perspektiven auf die NS-Vergangenheit, Hamburg/Münster (Unrast), S. 103–114.

Messerschmidt, Astrid (2003): Bildung als Kritik der Erinnerung. Lernprozesse in Geschlechterdiskursen zum Holocaust-Gedächtnis. Frankfurt am Main (Brandes und Apsel).

Messerschmidt, Astrid (2007): Repräsentationsverhältnisse in der postnationalsozialistischen Gesellschaft. In: Anne Broden; Paul Mecheril (Hg.): Repräsentationen. Dynamiken der Migrationsgesellschaft, Düsseldorf (IDA NRW), S. 56–68.

Métraux, Alexandre (1998): Authentizität und Autorität. Über die Darstellung der Shoa. In:

Jürgen Straub (Hg.): Erzählung, Identität und historisches Bewußtsein. Frankfurt am Main (Suhrkamp), S. 362–389.

Middleton, David; Brown, Steven (2005): The Social Psychology of Experience. Studies in Remembering and Forgetting. London u. a. (Sage).

Middleton, David; Edwards, Derek (1990): Collective remembering. London u. a. (Sage).

Middleton, David; Edwards, Derek (1990a): Conversational Remembering. A Social Psychology Approach. In: David Middleton, Derek Edwards (Hg.): Collective remembering. London u. a. (Sage), S. 23–46.

Middleton, David; Edwards, Derek (1990b): Introduction. In: David Middleton, Derek Edwards (Hg.): *Collective remembering*. London u. a. (Sage), S. 1–23.

Minow, Martha (1998): Between vengeance and forgiveness. Boston (Beacon).

Mitscherlich, Alexander; Mitscherlich, Margarete (1991): Die Unfähigkeit zu trauern. Frankfurt am Main (Piper).

Moser, Tilman (1992): Die Unfähigkeit zu trauern. Hält die Diagnose einer Überprüfung stand? Zur psychischen Verarbeitung des Holocaust in der Bundesrepublik. Psyche – Z psychoanal 5, 389–405.

Moser, Tilman (1993): Politik und seelischer Untergrund. Aufsätze und Vorträge. Frankfurt am Main (Suhrkamp).

Müller-Hohagen, Jürgen (1993): Komplizenschaft über Generationen. In: Harald Welzer (Hg.): Nationalsozialismus und Moderne. Tübingen (Edition Discord).

Müller-Hohagen, Jürgen (1994): Geschichte in uns. Psychogramme aus dem Alltag. München (Knesebeck).

Murakami, K. (2001): Revisiting the past. Social organisation of remembering and reconsiliation. Loughborough (Loughborough University Press).

Navarro Garcia, Susanna (2001): Den Tod erinnern, um weiterleben zu können. In: medico international (Hg.): Frankfurt am Main (medico international).

Nelson, Katherine (2006): Über Erinnerung reden. Ein soziokultureller Zugang zur Entwicklung des autobiographischen Gedächtnisses. In: Harald Welzer, Hans J. Markowitsch (Hg.): Warum Menschen sich erinnern können. Fortschritte in der interdisziplinären Gedächtnisforschung. Stuttgart (Klett-Cotta), S. 78–95.

Niethammer, Lutz (1995): Diesseits des »Floating Gap«. Das kollektive Gedächtnis und die Konstruktion von Identität im wissenschaftlichen Diskurs. In: Kristin Platt; Mirhan Dabag (Hg.): Generation und Gedächtnis. Opladen (Leske und Budrich).

Niethammer, Lutz (2000): Kollektive Identität. Heimliche Quellen einer unheimlichen Konjunktur. Reinbek bei Hamburg (Rowohlt).

Nye, Robert A. (1975): Origins of Crowd Psychology. Gustave LeBon and the Crisis of Mass Democracy in the Third Republic. London u. a. (Sage).

Oliner, M.M. (1996): Äußere Realität. Jahrbuch der Psychoanalyse 37, 9–43.

Oliner, M.M. (1999): Analytiker stellen sich dem Holocaust. Das ungelöste Rätsel »Trauma«. Psyche – Z psychoanal 53, 1115–1136.

Opher-Cohn, Liliane; Pfäfflin, Johannes; Sonntag, Bernd; Klose, Bernd & Pogany-Wendt, Peter (Hg.) (2000): Das Ende der Sprachlosigkeit. Auswirkungen traumatischer Holocaust-Erfahrungen über mehrere Generationen. Gießen (Psychosozial-Verlag).

Papadopoulos, Renos K. (2003): Therapeutic Care for Refugees. No Place like Home. London u. a. (Karnac Books).

Pankofer, Sabine; Weber, Klaus (1998): Empowerment. In: Siegfried Grubitzsch; Klaus Weber: Psychologische Grundbegriffe. Reinbek bei Hamburg (Rowohlt).

Parin, Paul (1978): Der Widerspruch im Subjekt. Frankfurt am Main (Syndikat).

Parin, Paul (1983): Die Angst der Mächtigen vor öffentlicher Trauer. Psyche – Z psychoanal 37 (1), 55–72.

Parson, Erwin R. (1990): Posttraumatic psychocultural therapy (PtpsyCT). Integration of trauma and shattering social labels of the self. Journal of Contemporary Psychotherapy 20, 237–258.

Pawson, Ray (1996): Theorizing the Interview. British Journal of Sociology 47 (2), 295–315.

Pennebaker, James; Banasik, Becky (1997): On the Creation and Maintenance of Collective Memories. History as Social Psychology. In: J. W. Pennebaker; Dario Paez & B. Rimé (Hg.): Collective Memory of Political Events. Social Psychological Perspectives. Mahwah, NJ (Erlbaum).

Petzold, Hilarion; Wolf, Hans-Ulrich; Landgrebe, Birgit; Josic, Zorica & Steffan, Angela (2000): »Integrative Traumatherapie« – Modelle und Konzepte für die Behandlung von Patienten mit »posttraumatischer Belastungsstörung«. In: Bessel A. van der Kolk; A. C. McFarlane & L. Weisaeth (Hg.): Traumatic Stress. Grundlagen und Behandlungsansätze. Paderborn (Junfermann).

Platt, K.; Dabag, M. (1995): Generation und Gedächtnis. Erinnerungen und Kollektive Identitäten. Opladen (Leske und Budrich).

Polkinghorne, Donald E. (1998): Narrative Psychologie und Geschichtsbewusstsein. Beziehungen und Perspektiven. In: Jürgen Straub (Hg.): Erzählung, Identität und historisches Bewußtsein. Frankfurt am Main (Suhrkamp), S. 12–46.

Pupavac, Vanessa (2002): Pathologizing Populations and Colonizing Minds. International Psychosocial Programs in Kosovo. Alternatives 27, 489–511.

Pupavac, Vanessa (2004): War on the Couch. The Emotionology of New International Security Paradigm. European Journal of Social Theory 7 (2), 149–170.

Raphael, Beverley; Meldrum, Lenore & McFarlane, Alexander (1995): Does debriefing after psychological trauma work? British Medical Journal 310, 1479–1480.

Räthzel, Nora (Hg.) (2000): Theorien über Rassismus. Hamburg (Argument).

Raulet, Gérard (1992): Benjamins Historismus-Kritik. In: Uwe Steiner: Walter Benjamin. 1892–1940. Zum 100. Geburtstag. Bern u. a. (Memoria), S. 103–123.

Reddemann, Luise; Sachsse, Ulrich (1997a): Stabilisierung. Persönlichkeitsstörungen, Theorie und Therapie (PTT) 3, 113–147.

Reddemann, Luise; Sachsse, Ulrich (1997b): Traumazentrierte Psychotherapie I (Stabilisierungsphase). Persönlichkeitsstörungen, Theorie und Therapie (PTT) 1, 97–140.

Reemtsma, Jan Ph. (1993): Trauma. Mittelweg 36 (3), 41–43.

Reemtsma, Jan Ph. (1996): Historische Traumen. Mittelweg 36 (2), 8–12.

Reemtsma, Jan Ph. (1999): Trauma – Aspekte der ambivalenten Karriere eines Konzepts. Persönlichkeitsstörungen, Theorie und Therapie (PTT) 4, 207–214.

Reemtsma, Jan Ph. (2002): Das Recht des Opfers auf die Bestrafung des Täters – als Problem. In: Jan Ph. Reemtsma (Hg.): Die Gewalt spricht nicht. Stuttgart (Reclam), S. 47–84.

Richter, Horst-Eberhard (2002): Das Ende der Egomanie. Die Krise des westlichen Bewusstseins. Köln (Kiepenheuer und Witsch).

Ricoeur, Paul (1999): Erinnerung – Entscheidung – Gerechtigkeit. Ulm (Humboldt-Studienzentrum).

Rieck, Mirjam (1991): Die Nachkommen der Holocaust-Überlebenden. Ein Literaturüberblick. In: H. Stoffels (Hg.): Schicksale der Verfolgten. Psychische und somatische Auswirkungen von Terrorherrschaft. Berlin u. a. (Springer).

Rieck, Miriam (2006): The Holocaust Survivor Meets Society. TRN Conference, St. Moritz, 14.–17. September 2006. URL: http://www.TraumaResearch.net/.

Riedesser, Peter; Verderber, Axel (1996): Aufrüstung der Seelen. Militärpsychologie und Militärpsychiatrie in Deutschland und Amerika. Frankfurt am Main.

Rommelspacher, Birgit (1994): Schuldlos – Schuldig? Hamburg (Konkret Literatur Verlag).

Rommelspacher, Birgit (1995): Dominanzkultur. Berlin (Orlanda).

Rose, Jacqueline (1996): In the Land of Israel. In: dies.: States of Fantasy. Oxford (Clarendon), S. 19–38.

Rosenhan, Rosenhan (1979): Die Kontextabhängigkeit psychiatrischer Diagnosen. In: Heinrich Keupp (Hg.): Normalität und Abweichung. Fortsetzung einer notwendigen Kontroverse. München u. a. (Urban und Schwarzenberg), S. 115–139.

Rosenkötter, Lutz (1995): Die Idealbildung in der Generationenabfolge. In: Martin Bergmann; Milton Jucovy & Judith Kestenberg (Hg.): Kinder der Opfer. Kinder der Täter. Psychoanalyse und der Holocaust. Frankfurt am Main (Fischer). S. 209–216.

Rosenthal, Gabriele (Hg.) (1997): Der Holocaust im Leben von drei Generationen. Familien von Überlebenden der Shoa und von Nazi-Tätern. Gießen (Psychosozial-Verlag).

Rosenthal, Gabriele; Bar-On, Dan (1992): A biographical case study of a victimizer's daughter. Journal of Narrative and Life History 2 (2), 105–127.

Roth, Bennett (2004): A Group Analyst at Ground Zero. In: Danielle Knafo (Hg.): Living with Terror, working with Trauma. A Clinician's Handbook. Lanham u. a. (Jason Aronson), S. 429–449.

Roth, Michael S. (1998): Trauma, Repräsentation und historisches Bewußtsein. In: Jörn Rüsen; Jürgen Straub (Hg.): Die dunkle Spur der Vergangenheit. Psychoanalytische Zugänge zum Geschichtsbewusstsein. Erinnerung, Geschichte, Identität 2. Frankfurt am Main (Suhrkamp), S. 153–174.

Rüsen, Jörn; Straub, Jürgen (Hg.) (1998): Die dunkle Spur der Vergangenheit. Psychoanalytische Zugänge zum Geschichtsbewusstsein. Erinnerung, Geschichte, Identität 2. Frankfurt am Main (Suhrkamp).

Ryan, Barabra (2001): Identity Politics in the Women's Movement. New York (New York University Press).

Said, Edward W. (1994): Orientalism. New York (Vintage Books).

Saller, Vera (2003): Wanderungen zwischen Ethnologie und Psychoanalyse. Tübingen (Edition Diskord).

Sampson, Edward E. (1993): Celebrating the Other. Boulder u. a. (Westview Press).

Sandler, Joseph & Dreher, Anna U. (1987): Psychisches Trauma. Materialien des Sigmund-Freud-Instituts Frankfurt, Bd. 5. Frankfurt am Main (Sigmund-Freud-Institut).

Sarasin, Philipp (2001): Diskurstheorie und Geschichtswissenschaft. In: Reiner Keller, Andreas Hirseland, Werner Schneider, Willy Viehöver (Hg.) (2001): Handbuch sozialwissenschaftliche Diskursanalyse. Band I: Theorien und Methoden. Opladen (Leske und Budrich), S. 53–79.

Sarbin, Theodore (1972): Sinn und Unsinn der Definition von »psychischer Krankheit«. In: Heinrich Keupp (Hg.): Der Krankheitsmythos in der Psychopathologie. Darstellung einer Kontroverse. München u. a. (Urban und Schwarzenberg), S. 93–109.

Sarbin, Theodore (1979): Der wissenschaftliche Status der Krankheitsmetapher für psychische Störungen. In: Heinrich Keupp (Hg.): Normalität und Abweichung. Fortsetzung einer notwendigen Kontroverse. München u. a. (Urban und Schwarzenberg), S. 23–47.

Sasz, Thomas S. (1972): Der Mythos von der seelischen Krankheit. In: Heinrich Keupp (Hg.):

Der Krankheitsmythos in der Psychopathologie. Darstellung einer Kontroverse. München u.a. (Urban und Schwarzenberg), S. 44–57.

Saul, Jack (2006): Trauma and Performance. Constructing Meaning after Tragedy. Theater of Witness in Lower Manhatten Post 9/11. TRN Conference, St. Moritz, 14.–17. September 2006. URL: http://www.TraumaResearch.net/.

Schecter, Daniel S.; Coates, Susan W. & First, Elsa (2003): Beobachtungen von akuten Reaktionen kleiner Kinder und ihrer Familien auf die Anschläge auf das World Trade Center. In: Thomas Auchter, Christian Büttner; Ulrich Schultz-Venrath & Hans-Jürgen Wirth (Hg.): Der 11. September. Psychoanalytische, psychosoziale und psychohistorische Analysen von Terror und Trauma. Gießen (Psychosozial-Verlag), S. 268–280.

Schittenhelm, Karin (1996): Zeichen, die Anstoß erregen. Mobilisierungsformen zu Mahnmalen und Außenskulpturen. Opladen (Westdeutscher Verlag).

Schlösser, Anne-Marie; Höhfeld, Kurt (Hg.) (1998): Trauma und Konflikt. Gießen (Psychosozial-Verlag).

Schöttker, Detlev (2000): Erinnern. In: Michael Opitz; Erdmut Wizisla (Hg.): Benjamins Begriffe. Erster Band. Frankfurt am Main (Suhrkamp), S. 260–299.

Schwab-Trapp, Michael (1996): Konflikt, Kultur und Interpretation. Eine Diskursanalyse des öffentlichen Umgangs mit dem Nationalsozialismus. Opladen (Westdeutscher Verlag).

Schwartz, Barry (1990): The Reconstruction of Abraham Lincoln. In: David Middleton; Derek Edwards (Hg.): Collective remembering. London u.a. (Sage), S. 81–108.

Segal, Hanna (1983): Melanie Klein. Frankfurt am Main (Fischer) (Original 1964).

Seidler, Günther H.; Eckart, Wolfgang U. (Hg.) (2005): Verletzte Seelen. Möglichkeiten und Perspektiven einer historischen Traumaforschung. Gießen (Psychosozial-Verlag).

Seixas, Peter (1998): Historisches Bewußtsein. Wissensfortschritt in einem post-progressiven Zeitalter. In: Jürgen Straub (Hg.): Erzählung, Identität und historisches Bewußtsein. Frankfurt am Main (Suhrkamp), S. 234–266.

Seixas, Peter (2001): Geschichte und Schule. In: Harald Welzer (Hg.): Das soziale Gedächtnis. Hamburg (Hamburger Edition), S. 205–219.

Seixas, Peter (Hg.) (2004): Theorizing Historical Consciousness. Toronto u.a.: (University of Toronto Press).

Sereny, Gitta (2000): Das deutsche Trauma. Eine heilende Wunde. München (Bertelsmann).

Shay, Jonathan (1994): Achilles in Vietnam: Combat Trauma and the undoing of character. New York (Atheneum).

Shotter, John (1990): The Social Construction of Remembering and Forgetting. In: David Middleton; Derek Edwards (Hg.): Collective remembering. London u.a. (Sage), S. 120–139.

Siegel, Daniel J. (2006): Entwicklungspsychologische, interpersonelle und neurobiologische Dimensionen des Gedächtnisses. Ein Überblick. In: Harald Welzer; Hans J. Markowitsch (Hg.): Warum Menschen sich erinnern können. Fortschritte in der interdisziplinären Gedächtnisforschung. Stuttgart (Klett-Cotta), S. 19–50.

Simon, Bernd (2004): Identity in Modern Society. A Social Psychological Perspective. Malden u.a. (Blackwell).

Slocum, Nikki; Harré, Rom (2003): Disputes as Complex Social Events. Uses of Positioning Theory. In: Rom Harré; Fathali Moghaddam (Hg.): The Self and Others. Positioning Individuals and Groups in Personal, Political and Cultural Contexts. Westport, USA u.a. (Praeger), S. 123–137.

Solomon, Zahava (1995a): From denial to recognition: Attitudes Toward Holocaust Survivors from World War II to the present. Journal of Traumatic Stress 8 (2), 215–228.

Solomon, Zahava (1995b): Trauma and Society. Journal of Traumatic Stress 8 (2), 213–214.

Solomon, Zahava (1995c): Attitudes of Therapist Toward Holocaust Survivors. Journal of Traumatic Stress 8 (2), 229–242.

Solomon, Zahava (1996): Jüdische Überlebende in Israel und im Ausland. Mittelweg 36 (2), 23–38.

Speier, Sammy (1988): Der ges(ch)ichtslose Psychoanalytiker – die ges(ch)ichtslose Psychoanalyse. In: Barbara Heimannsberg, Christoph Schmidt (Hg.): Das kollektive Schweigen. Nazivergangenheit und gebrochene Identität in der Psychotherapie. Heidelberg (Asanger).

Spence, Donald P. (1998): Das Leben rekonstruieren. Geschichten eines unzuverlässigen Erzählers. In: Jürgen Straub (Hg.): Erzählung, Identität und historisches Bewußtsein. Frankfurt am Main (Suhrkamp), S. 203–226.

Spivak, Gayatri Ch. (1988): Can the Subaltern Speak? In: Cary Nelson; Lawrence Grossberg (Hg.): Marxism and the Interpretation of Culture. Basingstoke (Macmillan), S. 271–313.

Steiner, John (2006): Narzißtische Einbrüche. Sehen und Gesehenwerden. Scham und Verlegenheit bei pathologischen Persönlichkeitsorganisationen. Stuttgart (Klett-Cotta).

Steinweg, Reiner (2003): »Kollektive Traumata« als politische Zeitbomben und wie sie – vielleicht – entschärft werden könnten. Überlegungen zu den möglichen Langzeitwirkungen des 11. September und der Infrastrukturzerstörung im Westjordanland. In: Jörg Calließ (Hg.): Zivile Konfliktbearbeitung im Schatten des Terrors. Loccumer Protokolle Bd. 58/02, Ev. Akademie Loccum, i. V., S. 111–125.

Stewart, Pamela; Strathern, Andrew (2002): Violence. London/New York (Continuum).

Stoffels, H.; Ernst, C. (2002): Über die Sehnsucht, Traumaopfer zu sein. Nervenarzt 73, 445–451.

Straub, Jürgen (Hg.) (1998a): Erzählung, Identität und historisches Bewußtsein. Die psychologische Konstruktion von Zeit und Geschichte. Erinnerung, Geschichte, Identität 1. Frankfurt am Main (Suhrkamp).

Straub (1998b): Geschichte erzählen, Geschichte bilden. Grundzüge einer narrativen Psychologie historischer Sinnbildung. In: Jürgen Straub (Hg.): Erzählung, Identität und historisches Bewußtsein. Frankfurt am Main (Suhrkamp), S. 81–170.

Straub, Jürgen (2006): Differenzierungen der psychologischen Handlungstheorie. Dezentrierungen des reflexiven, autonomen Subjekts. In: Heiner Keupp; Joachim Hohl (Hg.): Subjektdiskurse im gesellschaftlichen Wandel. Zur Theorie des Subjekts in der Spätmoderne. Bielefeld (transcript), S. 51–75.

Streeck-Fischer, Annette (2000): Vergangene und gegenwärtige Traumatisierung – Jugendliche Skinheads in Deutschland. In: Liliane Opher-Cohn; Johannes Pfäfflin; Bernd Sonntag; Bernd Klose & Peter Pogany-Wendt (Hg.): Das Ende der Sprachlosigkeit? Auswirkungen traumatischer Holocaust-Erfahrungen über mehrere Generationen. Gießen (Psychosozial-Verlag), S. 51–71.

Strozier, Charles B.; Gentile, Katie (2004): Responses of the Mental Health Community to the World Trade Center Disaster. In: Danielle Knafo (Hg.): Living with Terror, working with Trauma. A Clinician's Handbook. Lanham u. a. (Jason Aronson), S. 415–429

Summerfield, Derek (1997): Das Hilfsbusiness mit dem Trauma. In: medico international (Hg.): Schnelle Eingreiftruppe Seele. Auf dem Weg in die therapeutische Weltgesellschaft. Texte für eine kritische Trauma-Arbeit. Frankfurt am Main (medico international).

Supik, Linda (2005): Dezentrierte Positionierung. Stuart Halls Konzept der Identitätspolitiken. Bielefeld (transcript).

Tajfel, H. (Hg.) (1978): Differentiation between social groups. London (Academic Press).

Tajfel, H.; Turner, J.C. (1979): An integrative theory of intergroup conflict. In: W.G. Austin; S. Worchel (Hg.): The social psychology of intergroup relations. Monterey (Brooks/Cole), S. 33–47.

Taylor, Charles (1997): Multikulturalismus und die Politik der Anerkennung. Frankfurt am Main (Fischer).

Taylor, Donald M.; Bougie, Evelyne & Caouette, Julie (2003): Applying Positioning Principles to a Theory of Collective Identity. In: Rom Harré; Fathali Moghaddam (Hg.): The Self and Others. Positioning Individuals and Groups in Personal, Political and Cultural Contexts. Westport, USA u.a. (Praeger), S. 197–217.

Turner, John C. (1985): A self-categorization theory. In: J.C. Turner; M.A. Hogg; P.J. Oakes; S.D. Reicher & M.S. Wetherell (Hg.): Rediscovering the social group. A self-categorization theory. New York (Blackwell), S. 42–67.

Tylim, Isaac (2004): Skyscrapers and Bones. Memorials to Dead Objects in the Culture of Desire. In: Danielle Knafo (Hg.): Living with Terror, working with Trauma. A Clinician's Handbook. Lanham u.a. (Jason Aronson), S. 461–47.

Utz, Sonja (1999): Soziale Identifikation mit virtuellen Gemeinschaften – Bedingungen und Konsequenzen. Lengerich u.a. (Pabst Science).

Vinar, Marcelo (1996): Gedächtnis und Zukunft. In: Jürgen Müller-Hohagen (Hg.): Stacheldraht und heile Welt. Tübingen (Edition Diskord), S. 110–127.

Vinar, Maren; Vinar, Marcelo (1997): Folter-Attacke auf das Menschsein. In: Waltraut Wirtgen (Hg.): Trauma-Wahrnehmung des Unsagbaren. Heidelberg (Asanger), S. 59–74.

Vitiello, Guido (2006): The Trauma of Perpetrators. Theoretical Issues Raised by the German Case. TRN Conference, St. Moritz, 14.–17. September 2006. URL: http://www.Trauma-Research.net/.

Volkan, Vamik D. (1999a): Blutsgrenzen. Die historischen Wurzeln und die psychologischen Mechanismen ethnischer Konflikte und ihre Bedeutung bei Friedensverhandlungen. Bern u.a. (Scherz).

Volkan, Vamik D. (1999b): Das Versagen der Diplomatie. Zur Psychoanalyse nationaler, ethnischer und religiöser Konflikte. Gießen (Psychosozial-Verlag).

Volkan, Vamik D. (1999c): Wenn Feinde reden: Psychoanalytische Erkenntnisse aus arabisch-israelischen Gesprächen. In: Sigmund Freud-Gesellschaft 1/99, S. 11–23.

Volkan, Vamik D. (2000): Die Anatomie der Vorbereitung für das Symposium »Das Ende der Sprachlosigkeit?« In: Liliane Opher-Cohn; Josef Pfäfflin; Bernd Sonntag; Bernd Klose & Peter Pogany-Wnendt (Hg.): Das Ende der Sprachlosigkeit. Gießen (Psychosozial-Verlag).

Volkan, Vamik D. (2005): Blindes Vertrauen. Großgruppen und ihre Führer in Krisenzeiten. Gießen (Psychosozial-Verlag).

Volkan V.D.; Montville, J.V. & Julius, D.A. (Hg.) (1990): The Psychodynamics of International Relations, Vol. I: Concepts and Theories. Lexington u.a. (Lexington Books).

Volmerg, Birgit; Volmerg, Ute & Leithäuser, Thomas (1983): Kriegsängste und Sicherheitsbedürfnis. Frankfurt am Main (Fischer).

Wagner, Peter (2006): Die Soziologie der Moderne und die Frage nach dem Subjekt. In: Heiner Keupp; Joachim Hohl (Hg.): Subjektdiskurse im gesellschaftlichen Wandel. Zur Theorie des Subjekts in der Spätmoderne. Bielefeld (transcript), S. 165–187.

Wagner, Peter (1998): Fest-stellungen. Beobachtungen zur sozialwissenschaftlichen Diskussion über Identität. In: Jürgen Straub (Hg.): Erzählung, Identität und historisches Bewußtsein. Frankfurt am Main (Suhrkamp), S. 44–72.

Wardi, Dina (1992): Memorial Candles. Children of the Holocaust. New York (Routledge).

Weilnböck, Harald (2006): Trauma-Melancholia. The (Ab-)Uses of Trauma Concepts in the Field of Literary Studies and Philosophy. TRN Conference, St. Moritz, 14.–17. September 2006. URL: http://www.TraumaResearch.net/.

Weiß, Anja (2001): Rassismus als symbolisch vermittelte Dimension sozialer Ungleichheit. In: Anja Weiß; Cornelia Koppetsch; Albert Scharenberg & Oliver Schmidtke: Klasse und Klassifikation. Opladen (Westdeutscher Verlag), S. 79–108.

Weiß, Anja; Koppetsch, Cornelia; Scharenberg, Albert & Schmidtke, Oliver (2001): Klasse und Klassifikation. Wiesbaden (Westdeutscher Verlag).

Welzer, Harald (Hg.) (2001): Das soziale Gedächtnis. Hamburg (Hamburger Edition).

Welzer, Harald (2001a): Das gemeinsame Verfertigen von Vergangenheit im Gespräch. In: Harald Welzer: Das soziale Gedächtnis. Hamburg (Hamburger Edition), S. 160–179.

Welzer, Harald (2001b): Das soziale Gedächtnis. In: Harald Welzer: Das soziale Gedächtnis. Hamburg (Hamburger Edition), S. 9–25.

Welzer, Harald (2002): Das kommunikative Gedächtnis. Eine Theorie der Erinnerung. München (Beck).

Welzer, Harald (2006): Über Engramme und Exogramme. Die Sozialität des autobiographischen Gedächtnisses. In: Harald Welzer; Hans J. Markowitsch (Hg.): Warum Menschen sich erinnern können. Fortschritte in der interdisziplinären Gedächtnisforschung. Stuttgart (Klett-Cotta), S. 111–129.

Welzer, Harald; Jensen, Olaf (2003): Ein Wort gibt das andere, oder: Selbstreflexivität als Methode. Forum Qualitative Sozialforschung 4 (2), [ohne Seitenangabe]. URL: http://www.qualitative-research.net/fqs-texte/2-03/2 [letzter Zugriff am 30.04. 2007, 18:12 Uhr].

Welzer, Harald; Markowitsch, Hans J. (Hg.) (2006): Reichweiten und Grenzen interdisziplinärer Gedächtnisforschung. In: Harald Welzer; Hans J. Markowitsch (Hg.): Warum Menschen sich erinnern können. Fortschritte in der interdisziplinären Gedächtnisforschung. Stuttgart (Klett-Cotta), S. 7–17.

Welzer, Harald; Moller, Sabine & Tschuggnall, Karoline (2002): »Opa war kein Nazi«. Nationalsozialismus und Holocaust im Familiengedächtnis. Frankfurt am Main (Fischer).

Wertsch, James V. (2002): Voices of Collective Remembering. Cambridge (Cambridge University Press).

White, Hayden (1982): The Politics of Historical Interpretation. In: Hayden White (1987): The Content of the Form. Narrative Discourse and Historical Representation. Baltimore u. a. (John Hopkins University Press), S. 58–83.

White Hayden (1987): The Content of the Form. Narrative Discourse and Historical Representation. Baltimore u. a. (John Hopkins University Press).

White, Hayden (1990): Die Bedeutung der Form. Erzählstrukturen in der Geschichtsschreibung. Frankfurt am Main (Fischer).

White, Hayden (1992): Historical Emplotment and the Problem of Truth. In: Saul Friedlander (Hg.): Probing the Limits of Representation. Nazism and the »Final Solution«. Cambridge u. a. (Harvard University Press), S. 37–54.

Wilson, John (1980): Dissoziation. In: Wilhelm Arnold; Hans-Jürgen Eysenck & Richard Meili (Hg.): Lexikon der Psychologie. Freiburg u. a. (Herder).

Wineburg, Samuel S. (1998): Die psychologische Untersuchung des Geschichtsbewußtseins. In: Jürgen Straub (Hg.): Erzählung, Identität und historisches Bewußtsein. Frankfurt am Main (Suhrkamp), S. 298–338.

Wineburg, Sam (2001a): Historical Thinking and Other Unnatural Acts. Charting the Future of Teaching the Past. Philadelphia, USA (Temple University Press).

Wineburg, Sam (2001b): Sinn machen. Wie Erinnerung zwischen den Generationen gebildet wird. In: Harald Welzer: Das soziale Gedächtnis. Hamburg (Hamburger Edition), S. 179–205.

Wirth, Hans-Jürgen (2002): Narzissmus und Macht. Zur Psychoanalyse seelischer Störungen in der Politik. Gießen (Psychosozial-Verlag).

Wirth, Hans-Jürgen (2003): Macht, Narzissmus, Destruktivität. Individuelle und kollektive Aspekte in der Politik. In: Thomas Auchter; Christian Büttner; Ulrich Schultz-Venrath & Hans-Jürgen Wirth (Hg.): Der 11. September. Psychoanalytische, psychosoziale und psychohistorische Analysen von Terror und Trauma. Gießen (Psychosozial-Verlag), S. 64–88.

Wirth, Hans-Jürgen (2004): 9/11 as a collective trauma and other essays on psychoanalysis and society. Gießen (Psychosozial-Verlag).

Wirth, Hans-Jürgen (2006): Das Dilemma von Narzissmus und Macht in der Politik. Psychosozial 106 (4/29.Jg.), 91–109.

Yerushalmi, Yosef H. (1996): Zachim. Erinnere Dich! Jüdische Geschichte und jüdisches Gedächtnis. Berlin (Wangenbach).

Young, Allan (1995): The Harmony of Illusions. Inventing post-traumatic stress disorder. Princeton (Princeton University Press).

Young, James E. (1992): Beschreiben des Holocaust. Frankfurt am Main (Jüdischer Verlag).

Young, Robert (2003): Postcolonialism. New York (Oxford University Press).

Zador, Noka (1996): Thoughts on Redemption as a Secular Concept in the Treatment of Perpetrators. In: Cornelia Berens (Hg.): Coming Home from Trauma. The Next Generation, Muteness and the Search for a Voice. Hamburg (Hamburger Edition).

2007 · 213 Seiten · broschiert
ISBN 978-3-89806-793-5

2007 · 326 Seiten · broschiert
ISBN 978-3-89806-701-0

Es ist intuitiv einleuchtend und plausibel, dass es Ereignisse gibt, die als »kollektive Traumata« wirken. Bei genauerem Hinsehen ist das Phänomen jedoch schwer zu fassen, und der inflationäre Gebrauch von individuellem wie kollektivem Traumabegriff erweist sich als wissenschaftliches und ethisches Problem, v.a. durch seine implizite Parallelisierung extremer und weniger extremer (kollektiver) Verletzungen.

Angela Kühner diskutiert Grundlagen, Chancen und Grenzen des Begriffs des kollektiven Traumas und wendet die Theorie anschaulich auf bekannte historische Fälle an (z.B. 11. September, Vietnam, Apartheid, Holocaust).

Die Beiträge dieses Buches zeigen auf, wie die zeitgenössische Psychotraumatologie psychoanalytisches Denken und Handeln beeinflusst. Im Spannungsfeld von Psychoanalyse und Körper entwickeln sich dadurch neue therapeutische Möglichkeiten.

P🖳V
Psychosozial-Verlag

Goethestr. 29 · 35390 Gießen · Tel. 06 41/ 9716903 · Fax 77742
bestellung@psychosozial-verlag.de
www.psychosozial-verlag.de

2008 · 509 Seiten · gebunden
ISBN 978-3-89806-473-6

2003 · 351 Seiten · gebunden
ISBN 978-3-89806-090-5

Anthony W. Bateman und Peter Fonagy dokumentieren in ihrem ersten gemeinsamen Buch die aktuelle interdisziplinäre Erforschung der sogenannten Borderline-Persönlichkeitsstörung und beschreiben ein therapeutisches Verfahren, das sie in den vergangenen Jahren entwickelt haben. Das Krankheitsbild, das (mit steigender Tendenz) ca. 2% der Bevölkerung aufweist, ist durch Impulsivität, Identitätsstörungen, Suizidalität, Selbstverletzungen, Gefühle innerer Leere sowie durch Beziehungen charakterisiert, die extrem affektintensiv und gleichermaßen instabil sind. Die Autoren haben eine psychoanalytisch orientierte Behandlung entwickelt, die sie als »mentalisierungsgestützte Therapie« bezeichnen, und in randomisierten kontrollierten Studien nachgewiesen, dass diese Methode anderen therapeutischen Verfahren deutlich überlegen ist.

Peter Fonagy ist einer der wichtigsten zeitgenössischen Vertreter der Psychoanalyse in Großbritannien. Er verknüpft in seinen Arbeiten drei bedeutende Theorien der klinischen Psychologie: Bindungstheorie, Psychoanalyse und Neurowissenschaften (Neuropsychoanalyse).

Dieser Band liefert in Form übersichtlicher Artikel einen Ein-/Überblick in die Arbeiten der Gruppe um Peter Fonagy. Praxisnahes Wissen wird vor dem Hintergrund theoretischer Bezüge vermittelt, das macht das Buch für Praktiker (z. B. praktizierende Therapeuten) ebenso interessant wie für Wissenschaftler.

P🖳V
Psychosozial-Verlag

Goethestr. 29 · 35390 Gießen · Tel. 06 41/ 9716903 · Fax 77742
bestellung@psychosozial-verlag.de
www.psychosozial-verlag.de